京门风月

❹ 轻花雪月

[上]

西子情 作品
XI ZI QING WORKS

江苏凤凰文艺出版社
JIANGSU PHOENIX LITERATURE AND ART PUBLISHING, LTD

图书在版编目（CIP）数据

京门风月. 4，轻花雪月 ：全2册/西子情著. —
南京：江苏凤凰文艺出版社，2016
ISBN 978-7-5399-9031-6

Ⅰ.①京… Ⅱ.①西… Ⅲ. ①长篇小说－中国－当代
Ⅳ.①I247.5

中国版本图书馆CIP数据核字（2015）第023228号

书　　名　京门风月 4 轻花雪月
作　　者　西子情
出版统筹　黄小初　侯　开
选题策划　李文峰　风染白
责任编辑　姚　丽
文字编辑　风染白
责任监制　刘　巍　江伟明
出版发行　凤凰出版传媒股份有限公司
　　　　　　江苏凤凰文艺出版社
出版社地址　南京市中央路165号，邮编：210009
出版社网址　http://www.jswenyi.com
经　　销　凤凰出版传媒股份有限公司
印　　刷　北京海石通印刷有限公司
开　　本　700×980毫米　1/16
字　　数　550千字
印　　张　36
版　　次　2016年12月第1版，2019年6月第3次印刷
标准书号　ISBN 978-7-5399-9031-6
定　　价　59.80元（全二册）

影视版权抢订热线　13911704013
江苏凤凰文艺版图书凡印刷、装订错误可随时向承印厂调换

目录 上

CONTENTS

京 门 风 月

目录（下）

CONTENTS

京　门　风　月

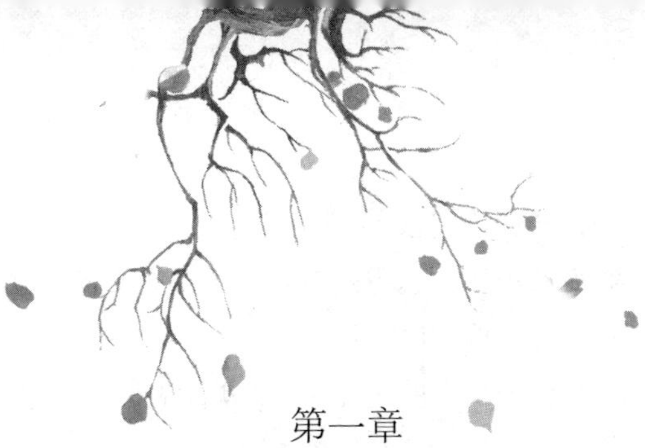

第一章

等你回京

京　门　风　月

若是柳妃和柳氏联合忠勇侯府，无疑是增加了一个天大的筹码。

如意因皇后的一番话震惊了好半晌，才讷讷地道：“娘娘，您是不是多心了？皇室一直想除去忠勇侯府，柳妃和柳氏岂能不知道皇室和忠勇侯府如今走在刀刃上的关系？若是被皇上知晓，柳妃和柳氏能好过？”

“不好过也比株连九族强。”皇后越说越肯定，“我猜这回定然是柳妃和柳氏炸毁了临汾桥，要害钰儿，却被忠勇侯府暗中给帮衬压下了，定然是联合了。”

如意脸色有些发白：“娘娘，不是说如今在彻查吗，您怎么就肯定了，万一不是呢？”

皇后叹了口气：“如意，你跟我在这皇宫里待了多少年了？”

“二十多年了。”如意道。

“也就是说我和柳妃、沈妃斗了二十多年了。”皇后冷笑一声，“她们惯用什么手段，我焉能不清楚？这回我的钰儿若是平安回到京城，定会今非昔比，她们岂会让他平安回京？为了以后的荣华，焉能不破釜沉舟赌上一赌？”

如意闻言顿时紧张起来：“您这样一说，奴婢也觉得这事儿像是柳妃和柳氏所为。皇上要除去忠勇侯府，可咱们四皇子还没有此心啊，为何忠勇侯府选柳妃和柳氏，而不选咱们四皇子？”

皇后笑了一下，又是骄傲，又是忧心忡忡：“因为皇上喜爱四皇子，若不出意外，我儿子就是未来的九五之尊，忠勇侯府是怕他继承父志，才保下柳妃和柳氏，牵制他。”

如意也跟着犯了难："那咱们怎么办啊？"

"还能怎么办，我们又抓不住忠勇侯府的把柄，不能将忠勇侯府制住，等钰儿回京再说吧！"皇后磨牙，"便宜柳妃那个贱人了！"

"还有沈妃呢。拿捏住一个，柳妃就算有忠勇侯府撑腰，也不怕她。"如意道。

皇后点点头。

主仆二人说话的工夫，谢芳华、秦怜已经坐着谢墨含的车离开了皇宫。

马车上，秦怜有些兴奋，对谢芳华连番提条件，比如"我要住在你的海棠苑"，比如"你要给我温酒煮海棠"，比如"听说桃花和杏花都开满山野了，你要陪我去看桃花和杏花"，比如"这回你大病初愈，也该出府走动了，下个月大姑姑的赏诗会，我们一起去玩"等等。

谢芳华一个劲儿地揉额头。不同意的话，秦怜就一直拽着她胳膊摇晃，摇得她头晕眼花，无奈之下，她只能点头。

一路上，谢芳华不停地反省自己，早先她装无知扮天真，云澜哥哥该有多无奈！

想起谢云澜，便想起了已逝的谢氏米粮老夫人和她临终的话，心情又低落下来。

谢墨含坐在一旁，看着秦怜缠着谢芳华，有些好笑，暗暗想着幸好他只这一个妹妹，若是再有一个这样的妹妹，他估计会愁白了头。

不知不觉，马车回到了忠勇侯府。

秦怜先跳下了马车，如回自己家一般，蹦蹦跳跳地往里面走去。

谢芳华看着她轻快的身影，头疼得更厉害了，想着是不是该派人去给英亲王妃送个信儿，让她赶快回京。

"你是不是要去看老侯爷？我也跟你去！"秦怜突然回头问谢芳华，见谢芳华一副头疼的模样，不高兴地道，"你这是什么表情？嫌我麻烦了？是谁在皇婶面前说不嫌弃我麻烦的？"

"没有，我昨夜没睡好。"谢芳华放下手。

秦怜这才认真地打量她，见她一脸倦容，气色极差，于是皱了皱眉："我竟忘了你跟柳枝似的，风一吹就倒了。这样吧，你不用去老侯爷那里了，我代替你去陪他，你回去睡吧。"

谢芳华脚步一顿。

秦怜对她挥挥手："你不用感谢我！"话落，向荣福堂走去。

谢墨含随后走上前，对谢芳华温声道："妹妹，你的气色的确极差，爷爷没事，我过去看看他，你回房间歇着去吧。自己开一副方子，让婢女煎药给你服下。你若是病了，咱们府里更要人仰马翻了。"

谢芳华想了想的确没力气再折腾，遂点点头。

谢墨含向荣福堂走去。

谢芳华转道回海棠苑。回到海棠苑，便闻到后园子里一股浓郁的酒香和海棠香，她对身后摆摆手，吩咐侍画、侍墨去看看。

二人连忙跑到门扉处看了一眼，回来对她道："是云继公子在温酒煮海棠呢。"

"他倒是悠闲！"谢芳华并未理会他，进了房间。

回到房间后，她便听了谢墨含的话，开了一副方子，吩咐侍画、侍墨去煎药，自己则躺在软榻上，倦倦地闭上了眼睛，迷迷糊糊睡着了。

不知过了多久，听到后园子里隐隐约约有吵闹声，她蹙了蹙眉，睁开眼睛，坐起身，对外面喊了一声。

侍画、侍墨立即进了屋。

"后园子怎么这么闹？"谢芳华问二人。

二人对看一眼，齐齐道："云继公子不是在温酒煮海棠吗，怜郡主来了，闻到了酒香，便跑去了后园子，要和云继公子抢酒喝，云继公子不给，二人便闹起来了。怜郡主说云继公子一个大男人，不该出现在女子的闺阁后院，以后她要住在这里，要赶云继公子出去。"

谢芳华点点头，没说话。

"小姐，您要出去劝架吗？"二人看着谢芳华。

谢芳华摇摇头："帮我关上门窗，让他们打去吧。"

二人应了一声，听话地关好了门窗，隔绝了后园子里传出来的声音，回身见谢芳华睡醒一觉，气色稍好了些，轻声道："小姐，药煎好了，给您端来？"

谢芳华点点头。

一人去端药，一人去拿蜜饯。

谢芳华喝了药，看着一碟蜜饯，捏起一个吃了，抬头对二人吩咐："去打听一下，谢氏米粮如何了，云澜哥哥在做什么。"

二人点点头，退了下去。

谢芳华拿起桌案上一本书，翻看了两页，便没心情地放下了。

不多时，二人便回来了，对谢芳华禀告："谢氏米粮挂起了白帆，云澜公子在给老夫人守孝。老夫人病的时间太长，谢氏米粮上下早就做好了准备，所以并不乱，府中的人该做什么就做什么。除了被围困的谢氏长房，谢氏各房得到消息，都派人去了谢氏米粮。"

谢芳华点点头。

"奴婢二人在打听谢氏米粮的时候，还得到了一个消息。"二人轻声道，"皇上刚刚下旨，派左相和秦大公子前往临汾镇，彻查临汾桥刺杀案，如今左相和秦大公子正准备启程。”

谢芳华闻言眯起眼睛：“皇上竟然派了左相和秦浩一同去临汾镇？”

二人齐齐点头：“消息无误，圣旨刚下。”

谢芳华低头寻思，不过片刻便知晓了皇上的想法。皇帝执掌南秦江山二三十年，如何不懂皇后、沈妃、柳妃之间的争斗？即便抓不住她和云澜哥哥此次幕后施为的把柄，应该也能猜到与忠勇侯府脱不了干系。左相忠于皇帝，而秦浩除了依靠英亲王府外，能依靠效忠的，也就是皇上了，派他们二人去，若是寻到些蛛丝马迹，一定不会因畏惧忠勇侯府而压下。

所以，满朝文武，派他们去最是合适。

不过，他们去了又如何？该抹平的地方她已经抹平了，除非，从被抹平的地方再掏窟窿。

这样一想，谢芳华忽然眯起眼睛，土火药已经从库部补上，三百死士已经一个不留，若是想从抹平的地方再掏窟窿，那么只能是从李猛身上了。

李猛的弱点是什么？正是他的外室生的私生子！

谢芳华忽然站起身，那个私生子如李猛的命根子，若是被秦钰拿捏住，会不会用他来大做文章，逼李猛就范？

她想到这里，回头对侍画和侍墨道：“快去请哥哥来。”

二人知道小姐想到了什么，连应声，快步跑出了海棠苑。

过了大约两盏茶的时间，谢墨含匆匆来到了海棠苑。

他进了屋，见谢芳华一脸凝重地看着窗外，拿绢帕擦了擦汗，开口问：“妹妹，你急着找我，可是有事情？”

谢芳华回转头，将她的担心说与了谢墨含。

谢墨含顿时讶异：“李猛竟然有私生子？”

谢芳华也愣了：“哥哥，你不知道？”

谢墨含摇摇头：“未曾听闻。”话落，他皱了皱眉，“这些年，偌大的谢氏和皇室明暗揪扯，我倒没注意柳氏的女婿，只是知晓李猛这个人。”

“云澜哥哥告诉我的。”谢芳华面色有些难看，“秦钰如今住在李猛的府邸，我怕他也能够查到。若是查到，将李猛当作突破口，用私生子威胁李猛，万一出事，我们做的一切恐怕都完了。”

谢墨含闻言，神色也凝重起来：“你说的很有可能！”

“秦钰想拿住云继哥哥，可是云继哥哥跟着我回京了，他若是盯上李猛，设个圈套，李猛也许会钻进去。”谢芳华道。

“我如今派人去，可还来得及？”谢墨含皱眉。

“若是他已经动手，恐怕来不及了。”谢芳华道，“我找你来，是想看有没有办法，就算他拿住了李猛的外室和孩子，也能掐断。”

谢墨含低头沉思，片刻后道：“这就要看柳氏舍不舍得这个女儿和女婿了。”

“哥哥是说……弃掉李猛和他夫人？”谢芳华问。

谢墨含点点头。

谢芳华凝眉：“若是弃掉这一颗棋子，柳氏这么多年花费在李猛身上的心血可就毁于一旦了。据我所知，李猛在临汾镇近十五年了吧，皇后母族的张坤一直斗不倒他，可见他的本事，若是弃了，其实是砍了柳氏的一条臂膀，而他对于我们将来，未必没用。”

“还有一个办法，就是在四皇子真的拿下那个孩子时，将那孩子夺过来。”谢墨含道，“云澜应该能有办法！”

谢芳华摇摇头：“哥哥，谢氏米粮的老夫人刚去，就别去打扰云澜哥哥了。”

“也是。”谢墨含叹了口气。

“除了云澜哥哥，还有没有其他人可以钳制秦钰？”谢芳华望向窗外，想着若是言宸在身边就好了，她如今既然回了京，便没办法再出去了。

“恐怕只有秦铮了。”谢墨含道。

“他如今在郾城呢。”谢芳华蹙眉。

“刚刚爷爷收到他的书信，说已经从郾城出发回京了。飞鸟传书半日到京城，如今快午时了，证明他的书信是今日清早发出的。”谢墨含道。

谢芳华一怔：“郾城沈妃和沈氏的事情处理妥当了？”

“想必是的。”谢墨含道。

“那就给他传信吧。”谢芳华抿了抿唇。

“爷爷昨日说了让你给他写信。”谢墨含揉揉眉心，失笑道，“今日爷爷收到信还嘀咕了，说皇后娘娘千算万算，秦怜刚出生便将人接去皇宫抚养，为的是拉住英亲王府，可是没想到，到头来，英亲王府有个小子看中了忠勇侯府的女儿，为了保住谢氏，偏偏拉了柳氏和沈氏牵制她的儿子。”

谢芳华笑了一声，没说话。

“妹妹，秦铮为你做了许多，忠勇侯府和谢氏是要保，但也不是一日两日，未来的路也许还长得很，你也不要耽搁了自己，感情之事，该上心还是要上心。”谢墨含道。

谢芳华看着谢墨含，沉默片刻，轻声道：“哥哥，你可知道谢氏米粮老夫人的一些事情？”

谢墨含不解：“老夫人如今故去了，妹妹，你怎么想起来问这个？”

“谢氏老一辈的人里，据说只有祖母和谢氏米粮的老夫人巾帼不让须眉，看到老夫人离世前瘦成了一把枯骨，我就想知道她为何病了这么多年。”谢芳华道。

“这件事情我也不太清楚，祖母、父母陆续没了之后，谢氏米粮的老夫人便得了一场大病，从鬼门关拉回来之后，一直病怏怏的不见好，这些年连府门也不能出。”谢墨含想了片刻道，“或许爷爷能够说一些老夫人的事情。”顿了顿，他道，“你要想知道，不如去问问爷爷。”

谢芳华摇摇头：“爷爷连祖母的事儿都三缄其口，指望他能说？”话落，她摆摆手，“算了，人都死了，也不是那么想知道。”顿了顿，她问谢墨含，“秦铮给爷爷传信的鸟呢？”

“在爷爷那里。”谢墨含道。

谢芳华犹豫了一下：“我现在就给秦铮写一封信，让它传回去吧。”

谢墨含微笑：“好。”

谢芳华转回身，从桌下的抽屉里取出信笺，看着信笺想了片刻，刚提笔写了一个名字，便见秦怜气冲冲地冲进了屋，她抬头看向秦怜。

“谢墨含，你在这里正好，你将谢云继给我赶出去！”秦怜见谢墨含在，顿时发作。

谢墨含温和地看着秦怜：“怜郡主何以生这么大的气？云继做了什么？”

“他做了什么？他一个大男人，怎么能随随便便待在女人的闺阁？就算他是谢氏同族的人，也是旁支亲戚，血脉早已经远得没边了，传扬出去，像什么话！”秦怜不说讨厌谢云继的原因，只说谢云继不应该待在这里。

谢墨含笑笑：“谢氏一脉相承，虽然枝叶甚多，但也没有怜郡主说的这般严重。”

“还不严重？”秦怜睁大眼睛，气怒交加地看着谢墨含，“就算你妹妹的闺誉你不在乎，以后我可是要住在这海棠苑的，我的闺誉呢？”

谢墨含闻言，一时哑口无言。

谢芳华知道二人是为了酒之事，秦怜一定是没赖皮过谢云继，所以才来找她。她揉揉额头；“侍画、侍墨，你们去告诉云继哥哥，让他回哥哥的芝兰苑去。欺负女孩子，他也不知道脸红。”

“是，小姐。”二人转身去了。

秦怜没想到谢芳华这般向着她，顿时眉眼笑开，走到她面前，挽住她的胳膊：“还是嫂子疼我！”

谢芳华手中拿着的笔一颤。

秦怜低下头咦了一声，奇怪地道：“你不是和我哥哥打架了吗，怎么在给他写信？”

谢芳华偏头看了秦怜一眼，拿开她的胳膊，对她道：“云继哥哥走了，你可以去霸占海棠亭了。”

秦怜一屁股坐在椅子上，盯着谢芳华笔下的信纸，眼睛发亮：“反正我要在你这里住很久，他既然走了，我还急什么？”

谢芳华蹙眉，那她身边岂不是要一直跟着个烦人精？

“你快写啊！”秦怜催促谢芳华。

“你坐在这里，让我怎么写？”谢芳华瞪了她一眼，怪不得秦铮总是训她，实在磨人。

秦怜撇撇嘴：“你是想跟我哥哥道歉，怕我看见笑话你？”

谢芳华看着信笺，她道歉？她得质问他凭什么背着她朝她爷爷暗中告状！两个人的事情闹得连老头子都掺和进来，他也不知羞！

“快点儿写！”秦怜催促谢芳华，手指敲得桌案噼啪响。

谢芳华忍不住出手点了她的穴道。

秦怜身子一僵，睁大眼睛，一个音也发不出来，顿时恼怒地瞪着她。

谢芳华将她所坐的椅子轻轻转了个圈，她的身子便背了过去。本来想好的说辞，却因为秦怜一番闹腾而被打断，谢芳华轻轻揉揉额头，顿了许久后，简短地写了几句话。

一是，谢氏米粮的老夫人在她和谢云澜赶回来的第二日去了。

二是，秦怜搬来府中与她同住了，是皇后娘娘的意思，待王妃回府之后再将人接回府。

三是，李猛的外室和私生子，他路过临汾镇之时，务必从秦钰手中夺回来，掌握在自己手中。

最后是，等你回京。

最后四个字落下，谢芳华重重地顿了顿笔，一时间，似乎被抽空了全部的力气。

“写好了？”谢墨含一直在一旁看着，见谢芳华放下笔，有些心疼地掏出绢帕给她擦了擦额头上的汗。

谢芳华身子靠在窗子上，嘲笑自己：“真是手无缚鸡之力了，写封信也能满头大汗，确实废物。”话落，她摆摆手，“哥哥，你将信笺拿走，给他传过去吧。”

谢墨含点点头，拿起信笺，折好，对她道：“这两日没什么事情，你好好休息养身子，如此体虚，断然不行。”

谢芳华点点头，多年来在无名山一根弦总是绷着，如今稍微放松下来，却不禁折腾了。

谢墨含拿着信笺出了海棠苑。

谢芳华待谢墨含走没了影，才缓缓出手，给秦怜解开了穴道。

穴道刚一解开，秦怜就炸毛了，腾地站起身："好啊你，竟然敢点我穴道？你——"

她刚要说什么狠话，谢芳华又出手点了她的穴道。

秦怜的声音戛然而止，又恼怒地瞪着谢芳华。

谢芳华看着她，慢慢地、沉静地温声道："以后喊我芳华姐姐，我叫你秦怜妹妹，在我和你哥哥大婚前，你都不准喊别的，听到了没有？"

秦怜用鼻孔哼了一声。

"我这穴道能定住一个人六个时辰。"谢芳华向她陈述事实。

秦怜气恼地盯着她，半晌，才困难地眨眨眼睛，意思是同意了。

谢芳华见她同意了，又道："你既然住进了我这海棠苑，也欺负走了谢云继，只要你不缠着我、烦着我，只管随意地待着，哪怕你要温酒煮海棠，把海棠花都摘了，也随你。"

秦怜想了一下，又眨眨眼睛。

"我解开你的穴道，你不准再跟我急了，你若是再急，我还点你穴道。"谢芳华慢悠悠地道，"我喜欢清静。"

秦怜苦着脸，片刻后，无奈地眨眨眼睛。

谢芳华见她全部应允，出手给她解开了穴道。

穴道解开，秦怜一屁股坐在椅子上，对谢芳华瞪眼，再瞪眼。

谢芳华不理她，靠着窗站着。她两世至今，除了一个哥哥，没有姐姐妹妹，不太知道怎么与姐妹相处，但秦怜若是乖巧，她觉得，她还是能多容她待些天的。

过了片刻，秦怜泄了气，嘟囔道："你跟我哥哥一样，以欺负妹妹为乐。"

谢芳华笑了一下，从手边拿了一本书递给她："不是我喜欢欺负你，是我喜欢不吵闹、不烦我、不影响我做事情的乖孩子，所以，只要你乖一些，你还是自由的。"

秦怜闻言哼了一声，接过书看了一眼，又立马甩给她："《女训》？谁爱看这个破书！"

"不爱看就算了。"谢芳华将书丢在桌案上，她也不爱看。

"听说忠勇侯府的书房很大？"秦怜又看着谢芳华，"比皇宫的书房还大？是不是？"

谢芳华从抽屉里拿出一把钥匙丢给她："你自己去看。"

"我真的可以去忠勇侯府的书房？"秦怜拿过钥匙，有些不敢置信地看着谢芳华，"听说忠勇侯府的书房不是什么人都让进去的，你就不怕我泄露了忠勇侯府的秘密？"

谢芳华笑了笑："还你带我去皇宫藏书阁的人情。去吧。"

秦怜撇撇嘴，拿着钥匙快步走了出去。

谢芳华站在窗前看着她，见她出了门后，正碰上侍画、侍墨走回来，便随手抓了二人带她去忠勇侯府的书房。

二人看着她手中的钥匙呆怔片刻，抬眼向主屋看来，见谢芳华站在窗前，知道是经过她的准许了，于是点点头，带着秦怜去了。

打发走了秦怜，谢芳华靠在椅子上闭目养神。

不多时，房门被人从外面推开，有人走了进来。

谢芳华闭着眼睛，眼皮都没抬一下。

“死丫头！我为你跑前跑后，辛辛苦苦，你就是这么对待我的？向着那个臭丫头，把我赶出海棠苑？”谢云继来到近前，一脸不高兴地伸手戳了戳谢芳华的脑袋。

谢芳华睁开眼睛：“你一个大男人，和个小姑娘争执什么？传出去多丢面子。”

谢云继嗤笑一声：“我何时在乎面子了？”

“你是不在乎面子，但这事儿也不能从我的海棠苑里传扬出去，使得我不能清静。”谢芳华揉揉眉心，“我哥哥的芝兰苑才是风景最好的地方，你只知道温酒煮海棠，怎么就不知道温酒煮兰花？”

谢云继睁大眼睛：“你是在怂恿我摘世子的兰花煮酒喝？”

谢芳华眨眨眼睛，摇摇头：“没有，我说说而已。”

谢云继将食指放在唇瓣上，思索了一番，忽然勾唇一乐：“你说的好像更吸引人。在你的海棠苑腻了半日，也没什么好玩的，既然如此，就让给那个臭丫头了。我走了。”

谢芳华摆摆手，只要不在她的海棠苑再和秦怜打架给她找麻烦，她才不管哥哥的芝兰苑。

谢云继倒是爽快，说走就走，转眼就出了海棠苑。

大约过了半个时辰，侍书匆匆进了海棠苑，站在门口轻喊：“小姐。”

谢芳华嗯了一声。

“六房的谢伊小姐来了咱们府，要见您，世子让我来问问，您若是累了，不想见，就给推了。”侍书低声道，“世子猜测她是为了谢惜小姐而来，打探八皇子消息的。”

谢芳华想了一下，对她道：“就说我又病了，为了不把病气过给她，就不见了吧。你告诉她，八皇子很好，临汾桥出事，八皇子毫发无伤。”

侍书应声，转身去了。

谢芳华又静静地靠着椅背在窗前坐了片刻，便起身去了床上。她实在不太明白谢惜对秦倾的痴情，秦倾明明白白地告诉了谢惜无意于她了，她还不死心。

躺在床上，左右无事，谢芳华便又睡了过去。

这些天除了身体一直不得休息外，心思也一直盯着很多事情，实在疲惫不已。

不知睡了多久，谢芳华感觉房门被人推开，感觉到熟悉的气息，知道是秦怜回来了，她也不理会。不多时，秦怜来到床前，挑开帘幕，看了一眼床上睡着的谢芳华，嘟囔了一句什么，便踢了鞋子，上了床，钻进了她的被窝。

谢芳华顿时睁开眼睛："你的房间在隔壁，我已经让人收拾出来了。"

"不要，我就要跟你睡！"秦怜闭上了眼睛。

谢芳华看了一眼窗外，见日头已经西斜，对她道："你现在睡晚上还要不要睡了？"

"晚上再说。"秦怜打了个哈欠。

谢芳华只能往床里一些，给她腾出些地方。

秦怜身子动了动，找了个舒服的位置，不多时，便睡着了。

谢芳华扭头看着她。秦怜和秦铮兄妹二人看起来还真有几分相似之处，尤其是唇瓣偏薄，都说薄唇的人最是无情，秦铮却不是这样，秦怜对皇后也是心里记着抚养之恩的，也不是无情……

"你不睡觉，看着我做什么？我脸上有东西？"秦怜忽然睁开眼睛，看了谢芳华一眼，恍然道，"噢，我知道了，你在想我哥哥。"

谢芳华脸一红，低哼了一声："我想他做什么？"

秦怜又闭上眼睛："口是心非。我可是在皇宫里长大的，你休想骗我。"

谢芳华一时无语。皇宫里的女人的确很不好惹！

秦怜翻了个身，背对着谢芳华继续睡去。

谢芳华觉得有些好笑，也闭上了眼睛。

傍晚时分，侍画、侍墨悄悄推开门看了一眼，见二人在屋中睡得熟，对看一眼，又关上了房门。

半夜，秦怜醒了，伸手推谢芳华："喂，快醒醒，我饿了。"

谢芳华睁开眼睛，看了她一眼："什么时辰了？"

"子时已经过了吧，不知道。"秦怜摇摇头。

"那你喊侍画、侍墨给你弄饭吃。"谢芳华翻了个身。

"喂，你怎么这么能睡？我听说你都睡了一天了，晚上还继续睡，你也不怕睡过去！"秦怜见谢芳华还要继续睡，一脸鄙夷地看着她，"两个婢女能做出什么好饭菜来！不要，我要吃来福楼的饭菜！"

"郡主，大半夜的，折腾人去来福楼给你买回来吗？"谢芳华无奈。

秦怜伸手拉她，兴奋地道："折腾人干什么？买回来都凉了，不好吃了，反正也睡饱了，不如我们半夜翻墙出去，去来福楼吃吧！来福楼深夜也是不打烊的。"

谢芳华无语地瞅着她："你觉得可能吗？"

"怎么就不可能？"秦怜用力拉起她，"皇宫的宫墙我都爬过，更何况忠勇侯府的墙。不用你帮忙，你放心。"

谢芳华蹙眉。

"好姐姐！好芳华姐姐！我这些年一直被拘在皇宫内，闷都闷死了，什么有趣的都玩不上，好不容易出了皇宫，你就依我吧！"秦怜摇晃谢芳华手臂。

谢芳华想着皇宫的确是个闷死人的地方，本来秦怜堂堂英亲王府的郡主，是不必被拘在皇宫里的，可是皇后因一己之私，困了她这么多年，谢芳华心下不忍，犹豫了一下，点头："好吧。"

秦怜见她答应，差点儿欢呼出声。

"换一身衣服。"谢芳华先下了地，走到衣柜旁，从一个衣柜里拿出两套男子的衣服，一套扔给秦怜，一套自己拿在手里。

秦怜接过衣服，一下子就笑了，对谢芳华眯着眼睛道："好姐姐，你不乖哦，竟然私藏男人的衣服。说，这是谁的！"

"穿不穿？"谢芳华同样眯着眼睛看着她。

秦怜撇撇嘴，将衣服往身上套。

不多时，二人穿戴妥当，在镜子前收拾了一下，绾了个男人的发髻，一起出了房门。

她们即便动静再轻，还是惊动了侍画、侍墨，二人吓了一跳："小姐，怜郡主，你们半夜三更要去哪里？"

秦怜眨眨眼睛："去勾栏，你们去不？"

二人骇然。

"不要听她胡说！"谢芳华瞪了秦怜一眼，"若是让皇后听到你连勾栏都随口说出来，恐怕会吓死，这么多年在皇宫的规矩白学了。"

秦怜嘟了一下嘴，不以为然，低声道："要我说，皇宫里面有些女人比勾栏的女人还厉害，想方设法勾引男人。"顿了顿，她看了谢芳华一眼，哼道，"就你这副冷冷清清的样子，才最是不招男人喜欢。"

谢芳华看着她，凉凉地问："你还想去吗？"

"噢，我说错了，你也不是不招男人喜欢，至少我哥喜欢得跟什么似的。"秦怜话落，觉得不对，立即改了口，见谢芳华要变脸，顿时嘻嘻一笑，"自然要去！"

谢芳华对侍画、侍墨道："我和怜郡主去来福楼用膳，你们不用跟着了。"

二人一惊，齐齐道："小姐，三更半夜的，就您二人出去怎么行？京城也是不安全的，万一遇到危险……"

“那就喊几名隐卫跟着吧。”谢芳华摆摆手。

二人还是觉得不放心：“要不要知会世子一声，世子陪着——”

“半夜三更的，打扰哥哥做什么？若是不放心，你们二人也暗中跟着吧。”谢芳华道。

二人闻言只能点点头，连忙回房间换夜行衣。

谢芳华和秦怜来到西北角的一处墙壁，谢芳华轻轻一纵身便上了墙，坐在墙头上看着秦怜。

“就知道你会武功。”秦怜嘟囔一句，从怀里掏出爬墙索，很有技巧地扣在墙头上，然后抓着爬墙索噌噌往上爬，动作熟练，显然这事儿常干，很快就上了墙。

谢芳华笑了一下，轻轻跳下墙。

秦怜依照原样，动作也不慢地跳下墙，然后收起爬墙索，欢快地拉着谢芳华往前走。

毕竟是深夜，整座南秦京城大多都熄了灯，只剩几处灯火，也不是太明亮。

一路上除了打更的人，便没遇到什么人，二人很顺利地到了来福楼。

来福楼门前自然是灯火亮堂，虽然是深夜，但是也有人在饮酒作乐，不过京中大家府邸几个极其尊贵的公子都不在京城，寻常府邸的公子她们二人自然不认识。

进了来福楼，小伙计立即迎上前，打量了二人一番，便带二人向楼上走去。

进了二楼靠窗的一间雅间，秦怜噼里啪啦地点了一桌子菜，吩咐小伙计快些上。

小伙计忙不迭地应声下去了。

秦怜喝着茶水，翘着腿，看着楼下，嘟囔道：“自从秦钰哥哥去了漠北，燕亭又走了之后，便感觉这来福楼一下子不热闹了。以前这个时候才是最热闹的时候，听一帮子人饮酒作乐。”

“以前你也偷偷来？”谢芳华抓住她话里面的隐藏之言。

秦怜吐吐舌头：“一年总要从皇宫逃出来几次。以前是秦钰哥哥偷偷带着我，否则这么多年，我还不得在皇宫里憋死？”

谢芳华端起茶盏喝了一口，漫不经心地道：“你和秦钰感情很好？”

秦怜眨眨眼睛，眯着眼睛笑：“好姐姐，你见到秦钰哥哥了是不是？他是不是很好？很温文尔雅，待人温和亲切，给人一种很容易亲近的感觉？”

“没看出来。”谢芳华摇摇头。

秦怜瞪了谢芳华一眼：“你已经鬼迷心窍了，自然看不见了。”

谢芳华不理她，转头看向窗外。

两盏茶后，小伙计陆续将饭菜端上桌，秦怜开始催促谢芳华吃。

谢芳华不饿，吃得不多，见秦怜风卷残云，一会儿工夫吃下了大半，她蹙眉，提醒道："你少吃一些，这是午夜，吃得太饱，对胃不好。"

秦怜跟没听见一般。

谢芳华无奈，便不再理会她，想着一会儿有她难受的。

半个时辰后，秦怜放下筷子，摸着肚子，舒服地道："好久没这样大口大口不顾形象地吃了，皇婶若是看到，估计都想不到这个人是我。"

"走吧。"谢芳华笑了一下，放下一锭金子在桌上，站起身。

"咦？你随身还带着金锭子？"秦怜好奇地看着她。

"难道要让我们两个被扣押在这里给人家洗盘子洗碗吗？"谢芳华好笑地瞅了她一眼。

秦怜挠挠头："记账呗。"

"记谁？记怜郡主还是记忠勇侯府小姐？"谢芳华挑眉。

"都不是好主意。"秦怜挽住谢芳华的胳膊，讨好地看着她，"你带了多少金锭子？"

"你想干什么？"谢芳华看着她，这模样，一看就是要打自己的主意。

"你若是带得多，我们再去别处转转。"秦怜道。

"哪里？"谢芳华问。

"就是街上随便转转。"秦怜眨着眼睛，"我吃多了，总要遛遛弯，我这副样子，就算翻墙也翻不动了，就算翻得动，回去也睡不着是不是？我睡不着，也会吵得你不能睡是不是？"

"走吧。"谢芳华想想也是，抬脚往楼下走。

二人出了来福楼，秦怜拉着谢芳华往一处灯火最亮的地方走去。

谢芳华看了一眼最亮的地方挂的一排灯笼，隐隐约约看见牌匾上写着"翠红楼"三个大字，她停住脚步："你要去逛青楼？"

秦怜点点头。

"不行！"谢芳华摇头，若是让皇后知道她带着秦怜逛青楼，到时候训斥她，她怎么反驳，难道说秦怜非要拉着她去？笑话！

"我们就去听听曲，消化消化，又做不了什么。咱们如今穿了男装，谁也认不出来，皇婶在皇宫，不会知道的。"秦怜识破谢芳华想法，低声央求，"好姐姐，就玩一会儿！"

谢芳华皱眉。

"走吧！走吧！"秦怜伸手使劲拽着她，向前走去。

谢芳华无奈地任由她拽着。

不多时，二人便拉拉扯扯地来到了翠红楼门口，老鸨立即迎了出来："二位客官……哎呦，这哪里是客官，二位姑娘！”

因只是出来吃饭，谢芳华自然没易容，只穿了男装，老鸨眼睛毒辣，被识破也不奇怪。

秦怜见被识破，顿时笑了，上前一步，勾住老鸨的脖子，笑眯眯地道：“我听说翠红楼新开了一家门面，叫作……什么来着？带我们两个进去见识一番呗。”

“哎呦，姑娘真是好灵通的消息！翠红楼的确新开了一家门面，也才不过两日，叫作轻水楼，可是门庭冷清，我还以为不得喜欢，要赔进去老本了呢，没想到今日有生意上门了。两位姑娘怎么称呼？”老鸨笑呵呵地问。

“你管我们怎么称呼，有金子赚不就得了！”秦怜白了她一眼。

“说得也是。我看两位姑娘都是富贵人家的，进入轻水楼的人，一夜得需千金，两位姑娘应该是有吧？”老鸨笑着问。

“自然！”秦怜不等谢芳华说话，抢先答道。

“既然如此，两位姑娘跟我来吧。”老鸨点头，笑得花枝招展地在前头带路。

谢芳华本来不想进，但老鸨说得神秘，一夜就要消费千金，让她升起了几分好奇，加之秦怜死拉硬拽，她便跟着秦怜走了进去。

这个时辰的翠红楼正是热闹的时候，进去以后，便听到一阵莺声燕语。

老鸨带着二人穿过画堂，走过两道长廊，来到后院一座独立的小楼前。

老鸨带着二人走了上去，一边上楼，一边对里面喊：“轻公子，水公子，出来接客了。”

“公子？”谢芳华脚步一顿。

“自然是公子。”老鸨回头瞅了谢芳华一眼，笑道，“我家这两位公子可是第一次接客，两位姑娘想要他们怎么伺候，他们便怎么伺候。”

谢芳华想到了什么，脸色有些不太好看，她伸手拉住秦怜。

秦怜却兴奋了：“原来真跟我想的一样啊！妈妈，我倒要看看你这两位公子值不值得我们姐妹一夜两千两黄金。我们先看看，若是不值，我们可不买账！”

“没问题，包姑娘满意！”老鸨笑着点头，推开门，走了进去。

秦怜拉着谢芳华跟了进去。

里面如一座水晶宫，珠帘、轻纱、翠屏，华丽至极，奢雅至极。地面铺着上等的地毯，两个极其年轻的男子姿态随意地坐在地毯上对弈，听到声音，齐齐抬头看去。

秦怜好奇地打量那两个男子，眼睛眨啊眨的，比这画堂内的水晶帘还亮。

谢芳华也打量起这两个男子，虽然看惯了秦铮、秦钰、谢云澜、谢墨含、李沐清等人的容貌，但不得不说，这二人还是有令女人一眼惊艳的感觉。

“怎么样，两位姑娘可满意？可愿意留下来？”老鸨笑呵呵地问。

“自然留下来！”秦怜立即拍板。

谢芳华刚要说话，听到远处有一阵哒哒的马蹄声似乎是向着这个方向而来，马蹄声极其急促，她抬脚走到靠窗的位置，伸手打开窗子，向外看去。

不过须臾，便看到一人一骑从城门方向而来，马上坐着的那道身影实在太过熟悉，她以为自己眼花了，闭了一下眼，再睁开，露出不敢置信的神色。

秦铮!

他怎么会这个时候回京?

她实在是太过震惊，想也没想，随手拔了窗前的一株兰花便对着他扔了出去。

他骑马的速度快，但她扔出去的兰花的速度也不慢，准确无误地打向他。

秦铮感觉有东西带着一丝轻微的风向他袭来，微一偏头，用马鞭夹住了那东西，见是一株兰花，他勒住马驻足，顺着它飞来的方向看去。

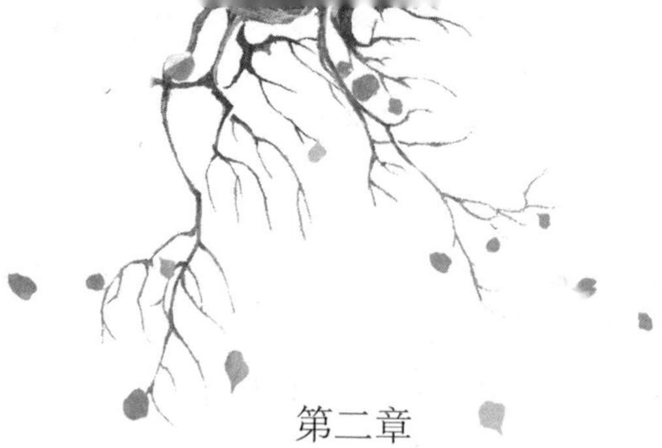

第二章
归京心切

京　门　风　月

他的身子顿时僵了僵。

站在小楼窗前一身男装正对他看来的身影，如此猝不及防地闯入他的视线。

他的目光也跟着凝住。

夜色里，人与马，都是静静的，鸟儿忽然鸣叫了一声，极其清晰。

谢芳华在扔出兰花的一瞬间没想什么妥不妥，但见秦铮驻足向她看来，凝定的眸光似乎具有穿透力，一瞬间将她整个人攥在了他的眼眸中，她的心下忽然一滞。

分别也没有多少天，却像是过了很久很久……

久到这一瞬间再看到他，心隐隐感到揪扯般的疼。

“喂，你在干什么？”秦怜好奇地凑过来。

她突然出声，谢芳华顿时惊醒，想起了这是什么地方，她猛地回头，一把拉住了秦怜要走到窗前下望的身子，对她低声道：“是你哥哥！快走！”

秦怜啊了一声。

“快点儿！”谢芳华伸手推她。

秦怜顿时手足无措，不敢置信：“真……真的……是我哥哥？他……回来了？”

她说话都结巴了起来，忽然也想到了这里是什么地方，若是她哥哥上来，知道她死拉硬拽着未来的嫂子来逛小倌楼，估计会劈了她。

“我还骗你不成？”谢芳华瞪了她一眼。

“那赶紧走啊！”秦怜反手拉她。

“他看见我了，你赶紧走吧。”谢芳华站着不动。

“你不是没跟他说话吗？黑灯瞎火的，也许他看错了呢。只要离开这里，就能跟他来个死不认账。”秦怜快速地拿定主意，“快走！难道你也想被他收拾？”

自然不想！秦铮那个臭脾气，发起火来还了得？谢芳华点点头，觉得有道理，当机立断，二人一致从来的地方打开门，快速地冲下楼。

那老鸨本来打算收了金子退场，却不防二人突然如惊弓之鸟一般匆匆打开门跑了，她有些呆愣，连忙出声喊二人：“两位姑娘，你们怎么走了？”

秦怜和谢芳华自然是不答话，转眼就冲下了小楼，顺着长廊往外跑。

老鸨回转头，看着屋内的二人：“这……这是怎么回事？”

那两名男子对看一眼，齐齐眯了眯眼睛，其中一人懒洋洋地道：“我们也想知道怎么回事。她拔了我辛辛苦苦种的名贵玉兰，想一走了之？做梦！”

话落，他忽然站起身，足尖点地，只听屋中的珠帘轻纱一阵清响，他人已经追下楼。

老鸨又是一惊，呆呆地转头看向另一个人。

那个人忽然站起身，走到刚刚谢芳华站着的地方，向下看了一眼，回头对老鸨招手：“红姑，你过来看一眼，你可认识下面那个人？”

老鸨立即走到窗前，向下看了一眼，顿时吸了一口凉气，连忙低声道：“这人是英亲王府的铮二公子！”

男子回转头，打量着下面的一人一骑。

二人对视了片刻，秦铮忽然冷笑了一声，双腿一催马腹，一人一骑离开了原地。

男子回转头，也慢慢地笑了：“这样便不难猜出那两位姑娘的身份了。一个是她的妹妹，另一个……”

“是他的未婚妻！”红姑立即张大嘴巴，不敢置信地道，“原来是忠勇侯府的小姐！”

男子啧地一声：“南秦京城真的是蛮有意思的，看来我果然来对了。”

“您……”红姑看着男子，“您刚刚和铮二公子打了照面，依奴婢所见，您还是赶紧换个地方吧。铮二公子可不好惹，若是让他知道您……”

“他不好惹我才来的。”男子回转身，看着那盆被折断了一根主枝干的玉兰花，勾了勾唇。

“水公子追下去了，我得去门口看看。”红姑恭敬地道。

男子摆摆手，没有追出去的意思。

红姑连忙转身跑下了楼。

谢芳华和秦怜二人气喘吁吁地跑出翠红楼，刚出了门口，正巧秦铮一人一骑也停在了翠红楼门口。

二人的脚步同时一顿。

秦怜睁大眼睛看了秦铮一眼，顿时吓得躲在了谢芳华身后。

紧跑慢跑，累了个半死，原来已经被守株待兔了！

秦怜几乎是在谢芳华身后捶胸顿足，跑出大门口的举动实在是失策，应该找个姑娘的房间猫起来，他哥哥不近女色，一定不会去姑娘的房间翻找！

她觉得自己刚刚真是蠢透了！

谢芳华看着秦铮，见他勒住马缰绳，端坐在马上，居高临下地看着她们，清俊的脸上没有丝毫表情，一双眸子比黑夜还深，明明浑身散发着令人惧怕的冷冽之气，但不知为什么，她偏偏觉得好笑。

逛青楼被抓包，自古以来不是男人才是欲哭无泪的那个吗？如今竟调过来了！

谢芳华揉揉额头，实在忍不住，低下头，笑出了声。

秦铮看着她，忽然眯了眯眼睛。

秦怜伸手捅了捅谢芳华的后背，都这个时候了，她觉得都暗无天日了，谢芳华竟然还有心情笑？指不定怎么被他吊起来打呢！她可没心情笑。

谢芳华也觉得不应该笑，可是三更半夜的，她和秦怜实在是不该出现在青楼门口。她被秦怜捅得后背心有些疼，于是伸手背到后面抓住秦怜不安分的手，然后抬头看了秦铮一眼，秦铮的眼底自然是没有笑意的，她咳嗽了一声，开口："你怎么这个时候回来了？"

秦铮冷眼瞅着她，没答话，须臾，越过她，看向她身后，冷冷地喊："秦怜！滚出来！"

秦怜身子一哆嗦，立马扯开谢芳华的手，扭头就往青楼里跑。

"你敢给我再走一步，信不信我让你这辈子都出不了这个地方！"秦铮寒着脸吐出一句话。

秦怜的脚步戛然而止，整个人都僵了。好半晌，她回转身，瞅了秦铮一眼，笑嘻嘻地跑上前："哥哥，怎么是你？你怎么半夜三更回京了？"

秦铮沉沉地看着她。

"你是不是刚进城？难怪芳华姐姐要拉我出来遛弯，我被她拉着满京城转了一圈，刚转到这里，我都转不下去了。问她什么原因她也不说，一直拉着我转悠，原来是知道你要回来，特意等你啊。"秦怜噼里啪啦地道。

谢芳华扭头看着秦怜，秦怜只管笑嘻嘻地看着秦铮，她一时无语。

皇宫里待惯了的女人都是这样睁着眼睛说瞎话连眼皮都不眨一下的吗？

她算是领教了！

秦铮忽然笑了一声："她特意出来等我？"

“是，是，就是知道你要回来，出来等你！”秦怜伸手捅谢芳华。

秦铮也看向谢芳华，似乎等着她回答。

谢芳华有一种掰断秦怜手指头的冲动，秦怜却在她后面画圈圈，快速地写了一句话，意思是：好姐姐，救救我，渡过了这关，以后你说什么我都听你的。谢芳华深吸了一口气，有些困难地对着秦铮点了点头。

秦铮的眸子眯成一条缝，盯着她：“你确定？”

谢芳华看着他的样子，忽然想起他竟然背着她向她爷爷告状，使得爷爷口口声声训她不孝，顿时仰起脖子，瞪了他一眼：“废话！我不等你，没事三更半夜的出来转悠什么？”

秦铮哦了一声，坐直了身子，看着面前的牌匾，似笑非笑地道：“这里是父王以前常来的翠红楼，你三更半夜等我等到青楼来？”

谢芳华脸一红，看他手中依然捏着那株兰花，有些理直气壮了：“若不是等你，我怎么知道你突然路过，怎么拦你？这里……这里临街，正好能看到从城外进城的人。”

秦铮低头瞅了一眼自己手里的玉兰，眸光动了动，挑眉问：“这么说，你当真是想我心切？”

谢芳华的脸烧了一下，怎么也点不了头。想他心切？这么直白的话，亏他问得出口！

“芳华姐姐自然是想你心切的。”秦怜见谢芳华不答话，连忙上前相帮，口中如滚珠一般地往外倒她知道的消息，“昨日皇叔将她召进宫去，要给你们俩退婚，芳华姐姐没答应，将皇叔给驳回去了。”

谢芳华一怔，转头看向秦怜。当时只有皇帝、英亲王、秦浩还有一个吴权在，秦怜并不在灵雀台，她怎么知道的？

秦铮攥着马缰绳的手忽然一紧，直直地盯着谢芳华：“当真？”

谢芳华一时无言。

“可不是当真吗？我是你亲妹妹，还能骗你不成？皇叔昨日早就作了打算，要召芳华姐姐进宫，趁你不在，退了婚事，可是没承想，芳华姐姐不买账。”秦怜见谢芳华向她看来，得意地道，“我在皇宫里若是没有生存之道，早就完蛋了。直到我们出宫平安过了一日，皇叔都没下旨取消婚事，自然是你给当场驳回了，否则，你还没出灵雀台，皇叔的圣旨恐怕就下了。”

谢芳华看着秦怜，顿时对她有些刮目相看了。

秦铮的眸光倏地亮了亮，灼灼地定在谢芳华脸上，一瞬间，低沉的声音忽然变轻了：“为什么……没有答应皇叔取消婚事？”

谢芳华转回头，剜了他一眼：“婚姻大事，岂能儿戏？是说订就订，说取消就取消的吗？”顿了顿，她道，“我们才被圣旨赐婚一个月！”

秦铮看着谢芳华，眸光深幽，沉默不语。

谢芳华被他看得受不住，偏过头：“你看着我干什么？难道我说错了？”

秦铮忽然向天空看了一眼，然后又收回视线，忽然对谢芳华伸出手：“上来。”

谢芳华看着他。

“上来。”秦铮又说了一遍，见她还不动，干脆打马上前一步，一把从地上捞起她，让她坐在了他身前。

谢芳华回头瞅他。

“坐好别动。”秦铮揽住她的腰，扳正她的身子，待她坐稳，催马就要离开。

“喂，哥哥，我呢？”秦怜见秦铮要将自己扔在这里，顿时出声。

“你不是爱来这里吗，还走什么？”秦铮瞥了她一眼，不再理会，放开马缰。

秦怜一噎。

秦铮身下的坐骑刚踏出一步，翠红楼门口的角落里忽然冲出一道人影，一根绳索突然缠住了马腿，本来要发足奔跑的马顿时止步，不安地踢动蹄子。

秦铮眸光一寒，勒住马缰绳，看着挡在前方的人，见是个二十上下的年轻男子，身穿艳丽的软袍，容貌有一种柔韧之美，夜色下，他站在那里，风吹来，看起来颇具风情。

“拔了名贵的玉兰，什么也不交代，就想走？”男子站稳身子，目光落在谢芳华的脸上。

谢芳华看着这个人。自从她跟随秦怜进了小楼，便感觉出楼内二人不一般，但是没想到武功如此高，刚刚突然蹿出来拦住马，姿态几乎是行云流水，没有一定的武功造诣，是做不到的。

她偏头看了秦铮手中依然拿着的兰花一眼，伸手扶额。早先在小楼上，乍然看到秦铮，一时情急，随手就拔了人家的兰花。她放下手，对着男子歉然道：“不好意思，你的兰花的确是我拔的，你是要我赔偿你一株，还是要金银？”

男人哼了一声：“我这株玉兰是天下间独一无二的莲花兰，一株十万金。”

“爷给你十万金。”秦铮看了一眼手中的兰花，对着男子道。

男子脸色一冷：“我只要我的兰花，谁稀罕你的十万金！”

秦铮眯起眼睛：“这位仁兄看起来不像是南秦人士？”

男子笑了一声：“英亲王府的铮二公子向来眼高于顶，惯常眼里看不到他人，只这么一眼，便能看出我不是南秦人了？”

“只是一眼便不能看出了？”秦铮冷笑，“这位仁兄尊姓大名？不要赔偿，只要一株被拔掉的玉兰，而这玉兰既然被拔出，自然是不能活了，莫非是要揪住不放了？”

“铮二公子好毒的眼睛，我的确不是南秦人。大名没有，倒是有个别号，这翠红楼的老鸨给起的，叫作云水。”那人动了动手里的长绳索，看着秦铮，“秦楼楚馆，青楼勾栏，向来不问出处，既入了红粉之地，便是红粉中人，官府都管不着的，铮二公子难道要因为我不是南秦人，就要抓了我吗？没这个道理吧。”

“男伶？”秦铮看着他。

男子点点头，笑得轻佻：“铮二公子原来也知道男伶，到底是见识广的贵胄公子。”

秦铮沉沉一笑：“我倒从来不知晓青楼楚馆里有这般武功好且胆子大敢肆意逼迫人的男伶妓子。”

“无父无母，走投无路，自小就被卖进了红粉之地，游荡了多年，学了防身术，男子自然不比女子，铮二公子何至于如此奇怪？”男子话落，目光放在谢芳华身上，抖动着手中的绳索道，“这株兰花是我辛辛苦苦养护了十年的稀世兰花，冤有头，债有主，谁拔了我这稀世的兰花，便留下来给我当兰花吧！”

谢芳华此时眼睛也眯了起来，这是要让她留下来给他当兰花了？

秦铮脸色彻底沉了下来：“拿人抵花？你的胃口可真大！”

“大吗？在下可不觉得。我十年辛苦养成的花，自然不能这么白白地死了。”男子丝毫不惧地看着秦铮，“一个女人赔给我，已然是亏了！”

秦铮忽然抽出腰间的宝剑，轻轻一甩，长剑出鞘，一道寒光闪过，没看到他如何出手，拴住马腿的长绳已经裂断。

待男子反应过来时，绳索已然崩开，剑风凌厉，他被迫倒退了三步。

男子看着手中的绳索一惊。

“她是忠勇侯府的小姐，你要得起吗？”秦铮带着杀气地看着他，“既然十万金你不要，那么你的命爷要了！”

话落，他忽然从马上跃下，长剑划了个弧度，对准男子的眉心刺去。

明明是简单的一剑，但是在秦铮手中使来，像是灌注了千钧，一击必杀。

男子飞速躲闪，手中的半截绳索也同时挥出，但还是不及秦铮的剑快，只听哧的一声，他的肩膀被长剑擦着边划出一道口子。他还来不及站稳，秦铮的第二剑已经到了他的眉心处。

“不！”红姑从翠红楼跑出来时，便看到秦铮的第二剑毫不犹豫地对准云水的眉心，她惊恐地叫了一声。

小楼上，没下来的那名男子倏地挑开帘幕向门口看来，顿时脸色一白，可惜距离太远，他想营救也是不及。

一瞬间，云水早先咄咄逼人的目光已经不见，转为不敢置信。

千钧一发之际，谢芳华忽然飞身下了马，一跃而至秦铮身边，握住秦铮的手，将长剑生生顿在了离云水眉心一寸处。

时间似乎在这一刻静止了那么一下。

秦铮慢慢地转回头，皱眉看着谢芳华："你干什么？"

谢芳华将他被她攥住的手撤回，又将长剑收入他的剑鞘中，不答秦铮的话，而是冷冷地看着云水，沉静地道："你的兰花死不了，三日后，我还你一株活的。"

云水在鬼门关前走了一圈，后背已经湿透，虽然脸色苍白，但他依旧佯装镇定，闻言看着谢芳华，嗤笑了一声："已经被拔出来的玉兰，你如何还我株活的，再给我找来一株吗？我已经说过了，这是稀世品种，别说整个南秦，就是整个天下，你也未必能再找来另一株！"

"我说能还你一株活的就能还你一株活的，我谢芳华说到做到！你等着就是了。"谢芳华不再看他，拉着秦铮转身。

秦铮虽然脸色阴沉，但没反对。

"若是三日后你还不了我一株活的兰花怎么办？"云水不甘心地道。

"忠勇侯府的谢氏，从来不会头上白担一个'谢'字，言必信，行必果。我若是还不了你一株活的莲花兰，我就给你做兰花。"谢芳华冷声道。

"好，痛快！"云水忽然乐了，"一言为定！"

"自然是一言为定。"谢芳华颔首。

秦铮用力地扯了谢芳华一下，不满地看着她。

谢芳华看向秦铮，扫了一眼他手里一直攥着的兰花，凑近他，一改冷静冷情，在他耳边轻声道："你小心一些，别真将这破兰花掐断了，我回头可是要把它重新栽活赔给人的。本来我拔了人家兰花就是不对，人家不要金银要兰花也是爱花如命情有可原，自然不能让你再杀人，否则明日满京城甚至满天下的人都知道我逛清倌楼了。"

"你还敢说你逛清倌楼？"秦铮顿时磨牙。

谢芳华无辜地看着他："你真当是我愿意来逛？"

秦铮想起秦怜，看向站在门口已经傻了半天的亲妹妹，脸色更难看了。

"时辰不早了，我们先回府吧。"鉴于秦怜说只要过了这一关，以后都听她的话，谢芳华便也不计较了，拉着秦铮来到马前。

"回哪个府？"秦铮收回视线，不再理秦怜，翻身上马，重新伸手拉谢芳华坐在马上。

"自然是忠勇侯府。"谢芳华道。

秦铮点点头，伸手揽住她的腰，一夹马腹，坐骑向忠勇侯府而去。

云水得了承诺，再没有理由拦阻他们二人，当然也拦阻不住。

不多时，那两人一骑便走得远了。

侍画、侍墨待二人走远，从暗处现身，请秦怜回府。秦怜自然再没心情胡闹了，乖乖地跟着二人离开了翠红楼。

三人离开后，翠红楼门口静了下来。

云水抿唇看着秦铮和谢芳华离开的方向，脸上看不出情绪。

红姑从震惊中回过神来，连忙提着裙摆跑到云水身边，他肩膀上被剑划开的那道口子很深，不停地流着血，她面色发白，紧张又庆幸地道："幸好忠勇侯府的小姐拦住了铮二公子的剑，否则……"

"否则如今我就死了是不是？"云水收回视线，伸手摸了摸眉心。

红姑点点头："刚刚铮二公子的剑风太凌厉，奴婢是全然没办法从他手下救下您的。"

若是谢芳华不拦着，他现在真的已经被秦铮杀了！

想起刚刚那一幕，红姑就觉得后怕。

若是这位公子刚进南秦京城便死在翠红楼，她也得陪着死！

云水忽然笑了一声："英亲王府的铮二公子果然有本事，怪不得在南秦京城横着走了这么多年，骑在左相的头上左相都不敢惹。"话落，他有些恼怒，"我的武功在他的手下竟然仅仅过了一招半！"

这才是奇耻大辱！

比被谢芳华拔掉那株玉兰还让他觉得该死！

经过方才那番惊变，红姑心中也是又惊又骇。

南秦京城所有人向来评价铮二公子都是靠着德慈太后和英亲王妃疼宠纵容，手中攥着德慈太后娘家王氏和英亲王妃娘家清河崔氏，以及英亲王在他八年前出事之后给他的一支暗卫好几股力量，才可以嚣张到连左相也不敢惹，原来在这些外在的势力和光环笼罩下，他成功隐藏了自身的本事。

他的武功竟然如此之高！

想想她在南秦京城待了这么多年，几乎从来没有见到英亲王府铮二公子亲自出手过。

这是第一次，却足够颠覆以往她听到的所有关于他的传言！

另外，忠勇侯府的小姐更是让她震惊，她从马背上飞身而下，几乎是顷刻间便拦住了铮二公子的宝剑，堪堪定在了距离水公子眉心一寸处。铮二公子当时是决计要杀了水公子的，下手自然是丝毫不留情，力道也非寻常人能及，她却能稳稳地阻止。

说明什么？

只能说明她的武功不在铮二公子之下！

这些年来，忠勇侯府的小姐和英亲王府的铮二公子几乎是两个极端：一个张扬轻狂，横行京城内外，几乎每日都能听到他如何如何；一个则是多年困居忠勇侯府海棠苑，日日缠绵病榻，忠勇侯府方圆几十米都能闻到浓郁的海棠香和药味。除了有那么一次传言说忠勇侯府的小姐重病怕是没救了，急白了老侯爷和世子的头发，无数名医问诊均无效外，再没传出别的风声。

可是如今，这个武功高绝的女子，竟然是忠勇侯府的小姐！

她背后冒出一层冷汗，这么多年来，自认为掌握了南秦京城明里暗里许多东西，此时却发现，她在南秦京城白混了。

“秦铮、谢芳华……”云水拿着手中半截绳索冷冷地哼了一声，“我倒要看看三日之后，她如何还我一株活的莲花兰！”

红姑回过神，看着云水肩膀的伤口，小声道：“您赶紧回小楼，奴婢这就派人去请大夫过来给您包扎。”

“不用请大夫，让言轻给我包扎！老子差点儿被人杀了，他倒是在楼上待得跟没事人儿一样，可恶！”云水转身进了翠红楼。

红姑抬头看向小楼，只见小楼的窗户开着，言轻站在窗前，夜色太黑，小楼灯光太暗，看不到他脸上的神色，她想起言轻公子是懂医术的，连忙也转身回了翠红楼。

因是三更半夜，两方谁也不想闹大惹来别人的闲话，于是不约而同地封锁了消息。

云水很快便回到小楼，推开门，对着言轻没好气地道：“我差点儿死了！”

“看到了。”言轻回转身，看了他一眼，“当初师父督促你好好学艺，可是你自认为可以了，便没有耐性继续学了。如今总算是知道人外有人，天外有天了吧？”

云水恼怒：“你若是追下去，秦铮不见得是你的对手！明明是你养的兰花，爱得跟命根子似的，却任由那女人拔了扔出去，拦也不拦。后来她堂而皇之离开，你挡也不挡，是何道理？我若是没命了，就是你害的！”

言轻笑了笑：“我本来想明日之后派人去忠勇侯府讨要兰花，那时秦铮手中接住的那株兰花已经枯死了，我去讨要的话，忠勇侯府的小姐再拿不出一株来赔偿我，那么我就可以好好地想想怎么让她赔偿了。”话落，他顿了顿，有些遗憾地道，“可惜你追了下去，让她有机会拿着兰花回去培养了。三日之后，若是真还回来一株活的，我便再无法揪着她不放了。”

云水睁大眼睛，愤愤道：“她有本事救活稀世名品莲花兰？这么娇贵的东西，都拔出来了，还活得了吗？”

“我跟你说过多少遍了，你做不到，不一定别人做不到。”言轻叹了口气，对云水招手，“过来坐好，我给你包扎。”

云水气闷地坐在了地上。

红姑此时也追来了小楼，连忙道："两位公子，我去打水来。"

言轻点点头。

红姑不多时便打来清水，言轻拿出药箱，为云水清洗包扎。

虽然没伤到骨头，但伤口也是极深的，云水皱着眉头忍着疼，后知后觉地道："真是小看秦铮了，与传言不同！"

言轻看了他一眼："自然是不同的。月前漠北戍边之事，你也见识到秦钰的手段了，秦铮和他斗了这么多年，几乎齐名，就该知道，秦铮不同于传言。若自身没有本事，别说让左相不敢惹，就是驾驭他手中那几大势力也是做不到的。"

"接下来怎么办？我这一剑可不能白挨！"云水指指肩膀。

言轻利落地给他包扎完，站起身，对红姑摆摆手，红姑收拾干净水渍退了下去，他负手立在窗前看着忠勇侯府的方向道："据说皇后被人从鬼门关救回来了。"

"嗯？什么时候？"云水一怔。

"就在前几日，宫卫传来的消息。"言轻道。

云水面部绷紧："我们离开时，据说皇后也就剩下一口气拖着了，如今怎么又被人救回来了？到底是个什么样的神医？"

"神医？"言轻笑了一声，"他可不是什么神医，不过医术也与神医一般无二了。"

"谁？"云水看着言轻，"看样子你认识？"

言轻点点头："自然是认识的，是我小舅舅，你的小叔叔！"

云水睁大眼睛："他不是去年回家一趟，脚都没落就走了吗？今年这是抽了什么疯，怎么又回去救皇后了？他难道不知道皇后与小姑姑势不两立？他不帮着自己的亲姐姐，帮着一个外人做什么？"

言轻摊摊手："这就只能问他自己了。"

"他是不是和那癫疯僧人待得久了，染了疯病，还是说变成了悲天悯人的慈悲心肠？否则怎么就会脑子不好使去救皇后？"云水道。

"他去年回去，我见了他，他可不是染了疯病，更不是慈悲心肠，脑子好得很，本事也高得很。"言轻道。

"去年我出京城办事，没遇到他，我回京后，他已经走了。我们玉家直系一脉，小叔叔是唯一的独子，他不向着玉家，竟然……"云水有些恼怒，十分不解，"难道小姑姑就没有拦着？"

"母妃这些年视皇后如眼中钉肉中刺，她本来和父皇青梅竹马，可是偏偏父皇娶了个谢凤，以摆脱玉家的钳制。这就罢了，偏偏谢凤嫁入北齐后，父皇对她无比钟爱，一直护着，哪怕她病入膏肓，瘦成了一把枯骨，父皇也不嫌弃，竟然亲自伺候汤药在床前。”言轻叹了口气，“父皇求医心切，一直不放弃治好她，如今小舅舅要去救她，母妃怎么拦得住？估计这回皇后被救好了，母妃该被气病了。”

“这到底是为什么？”云水看着他。

“我也想知道。”言轻揉揉额头，“天色太晚了，休息吧。”话落，他向一间内室走去。

云水动了动手臂，触动伤口，疼得他倒抽了一口凉气，然后去了另外一间内室。

小楼的灯在二人歇下后熄灭了。

红姑看到小楼的灯熄灭，松了一口气。她有一种感觉，她的翠红楼的寿命也快到尽头了。

秦铮和谢芳华两人一骑很快就来到了忠勇侯府。

忠勇侯府朱红的大门紧紧地关着，门前的麒麟静静地立着，里面极其安静。

谢芳华看着大门，对秦铮道：“还是去后门吧。这样进去会闹出动静，也会惊动爷爷和哥哥。”

秦铮点点头，打马去了后门。

后门也是极其安静。

秦铮和谢芳华下了马，谢芳华要上前叫门，秦铮一把拽住她，低声道；“翻墙吧。”

谢芳华回头瞅着他。

秦铮揽住她的腰，轻轻一跳，便跃上了高墙，又揽着她轻轻跳进了墙内，然后拉着她向海棠苑走去。

二人轻手轻脚地回到海棠苑，没惊动任何人。

进了房间，谢芳华甩开秦铮的手，走到桌前拿起火石准备掌灯。

秦铮忽然拦住她的手，拿掉她手里的火石，一把将她拽到怀里，紧紧地抱住，然后低头，准确无误地找到她的唇，吻了下来。

谢芳华一惊，伸手推拒，但他挺拔的身躯如铁石一般纹丝不动，她只能伸手捶他。

秦铮抓住她的手，感觉到她的挣扎，在她的唇瓣上用力地一咬。

谢芳华咝了一声，紧闭的唇瓣受不住疼痛张开，秦铮抓住机会，长驱直入。

他的吻火热缠绵，狂热急促，怀抱的热度也是惊人的烫手。

谢芳华哪里承受得住他如此，很快便感觉招架无力，呼吸紊乱，几欲窒息。

不知过了多久，直到谢芳华感觉全身所有的力气都被他抽尽的时候，他才慢慢地、不舍地放开了她。

谢芳华浑身无力，被他扶着，在他怀里娇喘吁吁。

秦铮搂着她，也缓缓地平复喘息，同时静静地注视着怀中的她。

过了许久，谢芳华恢复了力气，伸手推他，他依然不动，她嗔怒地道："你一身尘土味，难闻死了，还不赶紧放开我？"

"难闻？"秦铮皱眉。

谢芳华哼了一声。

秦铮更是搂紧她，低头作势又要吻下去："你竟敢嫌弃我？"

谢芳华偏头，躲了两次却躲不开，只好伸手捂住了他的嘴，又好气又好笑，声音不觉变得轻巧娇软："您是谁啊？英亲王府的铮二公子，多么钟灵毓秀的人物，谁敢嫌弃您？别说一身尘土味，就是掉在泥坑里滚三滚，也有的是姑娘稀罕！"

秦铮拿开她的手，也忍不住笑了："那姑娘你呢？你稀罕不稀罕？"

"不稀罕！"谢芳华果断地道。

秦铮又作势要吻下去。

谢芳华只能又拦住他，这回却拦不住了，又被他吻住。他将她口中的香甜品尝了一番，才意犹未尽地放开她："现在呢，稀罕不稀罕？"

谢芳华气喘不已，答不出话来。

秦铮轻笑，伸手点了点她的额头："说话啊你！"

谢芳华瞪着他。

秦铮看到她一双美眸似嗔似恼，屋中虽然没掌灯，但还是能隐隐约约看到她粉颜娇红。他忽然很想看得更清楚些，于是伸手拿起了桌案上的火石，噌地点燃了罩灯。

屋中顿时明亮起来。

谢芳华早先绾的男子发髻因为秦铮一番动作已经披散开，身上的男装不知何时被秦铮给扯烂，里面轻薄的衣衫也被解开几颗纽扣，姣好的身段玲珑秀美，此时软软地倚在他怀里，似乎世间所有的风情都聚在了他的怀中。

他本来消退的火焰在看到这份独有的明媚时，噌地又喷涌出来，眸光也渐渐变了。

谢芳华敏感地觉得不能让他再这样下去，当即伸手捂住了他的眼睛，用话语使他清醒："刚刚那株破兰花呢？我再不栽培它，怎么在三日后还给人家？难道你真想我给人家去做兰花？"

果然这话最有效用，秦铮心中升起的欲火在想起云水时被悉数浇灭，他一把扯掉谢芳华的手，放开她，恼怒地道："他做梦！"

谢芳华暗暗松了一口气，刚刚秦铮的眼神实在是让她害怕，她咳嗽了一声："既然不想让他做梦，就别再给我捣乱了。"

秦铮瞪了她一眼，伸手一指桌案上扔着的兰花："你真有办法？"

"现在是有办法。"谢芳华点头，"若是过了明日，它死透了，我就没回天之力了，所以，你真的不能再打扰我。”话落，她听到外面有动静，知道是侍画、侍墨回来了，便对外面问，“怜郡主呢？可带回来了？”

“回小姐，怜郡主带回来了，半路上就睡着了。”侍画、侍墨有些无语，没见过这位郡主这样的，竟然能在半路上睡着。

谢芳华闻言有些好笑：“将她带去隔壁的房间睡吧。”

“是！”二人颔首。

“去给我找一个花盆来，再装一盆泥土。”谢芳华想了想，看了秦铮一眼，又吩咐道，“去打一桶热水，放到西暖阁。”

“放什么西暖阁，放到你这屋里来！”秦铮没等二人答话，对外面吩咐。

谢芳华颦眉：“这是我的房间，你放我房间来做什么？是要给你洗尘土的。”

“我自然知道是你的房间。”秦铮瞅着她，一屁股坐在椅子上，端起桌子上的茶，一口气将一壶茶喝尽，然后放下茶壶，对她道，“从昨日早晨到现在，一日一夜，从郾城回来，我跑死了两匹马，你确定要将我赶出去？”

谢芳华一怔，随即想起昨日午时哥哥传给她的信笺，说他刚从郾城出发。她皱眉，不解地看着他：“你竟然纵马跑了一日一夜？做什么这么急着回京？”

秦铮忽然扬高声音：“你竟然问我？你不知道我为什么急着回京？”

谢芳华想了想，猜测道：“你得到皇上要逼我退婚的消息了？”

秦铮嗤笑一声：“若是得到消息，我管他什么沈妃、沈氏，早就回来砸了他的灵雀台了。”

“既然不是这个，那是为了什么？”谢芳华感到很奇怪。

秦铮啪地将一封信件拿出来，摊开在桌案上，指着最后几个字给她看：“你现在说我是为了什么？”

谢芳华看着“等你回京”四个字，心跳了跳，一句话也说不出来了。

她没想到因为这四个字，秦铮马不停蹄只用了一日一夜就从郾城跑回了京城。

跑死了两匹马！

三更半夜进了城！

他……

“你这是什么表情？爷做错了？”秦铮瞅着她，脸色难看，“原来不是要等我回来？”

谢芳华深吸一口气，指了指面前的字迹，对他道：“你没看到前面几句话？我的意思是，你处理完这些事情，再回京，我……等着你。”

秦铮哼了一声：“如今我什么也没做，却回来了，你不高兴？”

谢芳华剜了他一眼：“我不高兴什么？我看起来像是不高兴吗？”话落，她偏头，静静地平复情绪，然后又转回头，见他眸光深邃地看着她，叹了口气，软声道，“我只是没想到你会因为这四个字马不停蹄地赶回来。马都跑死了两匹，你的身体吃得消？”

秦铮倏地乐了，难看的神情散去，笑意蔓延开来：“我可以理解为你这是心疼我吗？”

谢芳华揉揉额头，这个人什么时候能不这么……

“嗯？”秦铮看着她，一副非要盯着她问出个结果的架势。

“是，我是心疼你！”谢芳华白了他一眼，训斥道，“任性妄为，肆意得可以！没累死你算是你命大。”

“嗯，我的确命大。”秦铮赞同地点点头，“这些日子没被你折磨死，还能活着见到你，不是命大是什么！”

谢芳华不满：“我什么时候折磨你了？”

“你敢说你没折磨我？”秦铮冷哼一声，“左一句云澜哥哥，右一句云澜哥哥……”

“停停停！你带着两个人轻装简行去鄢城，云澜哥哥还派了他身边最高的隐卫去保护你，你对他意见再大，也该气消了吧？”谢芳华打断他，她可不想刚一见面就跟他吵架。

秦铮果然没了话，沉默了一下，敲敲桌面，问她：“是你请求他派的人？”

谢芳华点点头。

秦铮忽然笑了：“怪不得。”话落，又扬眉，轻狂骄傲地道，“爷哪里用得着他的人保护？”顿了顿，见谢芳华瞪着他，话锋一转，“不过，既然是你因为担心紧张我而请求他派人的，他也做到了，这个情我就领了。”

第三章

同床共枕

京　门　风　月

侍画、侍墨不多时便找来了一个花盆，里面装了满满一盆泥土。

谢芳华拿过兰花端详了片刻。兰花被摧残后，又被秦铮的马鞭夹住，拿回来后又扔在桌案上这么久，已经有些蔫了，不过幸好根茎还是活的。她松了松花盆里的泥土，用中指在土中戳出一个洞，将兰花栽了进去。

栽好之后，谢芳华又给它浇了些水，然后将它摆放好。

“这样就行了？”秦铮自小看惯了英亲王妃栽种各种花草，可没有这样简单。

谢芳华摇摇头。

“小姐，热水烧好了，是抬去西暖阁，还是……”侍画在门口又轻声问。

“自然是抬进这个房间！”秦铮回头冲着门口瞪了一眼。

侍画不敢得罪这位公子爷，站在门口不动，等着谢芳华发话。

“抬进屋子里来吧。”谢芳华摆摆手。

侍画应声去了。

秦铮勾了勾唇：“还算你有良心！”

谢芳华白了他一眼，若是没良心，她根本就不会三更半夜让他来她的房间。

不多时，侍画、侍墨抬着一桶水进了屋，放到了里间的屏风后。

二人摆放妥当出来之后，谢芳华催促秦铮：“快去洗！”

“我想看看你到底用什么办法弄活这株破花。”秦铮坐着不动，看着谢芳华。

谢芳华对他皱眉：“有什么好看的！”

“好奇心重，不行吗？”秦铮催促她，“快点儿！”

谢芳华犹豫了一下，对他警告："你看可以，但不准妨碍和阻止我。"

"你要做什么？"秦铮闻言顿时警觉起来。

"不是什么大事，你别妨碍我就行了。"谢芳华转回身，拿出一把匕首，在中指上轻轻一划，鲜血顿时流了出来，谢芳华立即将手放在莲花兰上方，让鲜血滴在莲花兰上。

秦铮的脸色顿时沉了下去。

寻常的花，花瓣和枝叶不会吸收鲜血，这株花却在鲜血滴在它上面的一瞬间将其给吸收了！

"血能管用？"秦铮沉着脸道，"你早说，用我的血不就行了，割自己的手做什么？"

谢芳华摇摇头："你的血不管用，我的血才管用。"

"为什么？"秦铮伸手拿过匕首，朝中指划去。

谢芳华立即挥手打开他："你干什么？我说了你的血不管用。"

"不试试怎么知道！"秦铮不听劝，拿开她的手，用匕首一划，鲜血流了出来，他立即学着谢芳华将血滴到莲花兰上。

可是他的血落在莲花兰上之后兰花根本就不吸收，只凝成一滴血珠，滚落到花盆中的泥土里。

秦铮的脸色霎时难看了几分，扭头问谢芳华："这是为什么？"

谢芳华看着兰花，对他一笑，轻声道："我常年服药，我的血某种程度上来说是药材了。"

"不对！我曾经服用了雪莲，又服用了外公给的灵芝丸。"秦铮摇头，"绝对不是这个原因！你没看到吗，你的血它立即吸收了，而我的血根本就渗不进去。"

"你追问这么多做什么？我的血能救活这株兰花难道不好？难道三日后我给人家做兰花去就好了？"谢芳华伸手推他，不想再跟他多说，"一株兰花而已，用不了我多少血，你快去洗洗你的一身土味！"

秦铮抿着唇站着不动，不知道在想什么。

谢芳华见他不走，也不再管他，继续让滴下的血被兰花的每一处枝叶吸收。

过了片刻，本来蔫了的兰花鲜活起来，像是被喂食了人间美味的小孩，欢快地吸收着她的血。

秦铮的眉头一寸寸拧紧，又过了片刻，他似乎看不下去了，终于转身去里屋的屏风后沐浴了。

谢芳华见他离开，暗暗松了一口气，被这尊大佛眼睛都不眨地盯着，她实在难以忍受。

对于她的血能养花，上辈子她便知道了。

不止能养花，任何草木，以及还有一线生机能救的人或者动物，只要喂了她的血，大多数都能救回。

这是一个秘密，上一辈子，谢氏灭门后，她被云澜哥哥救下，只有他一人知道，而这一辈子，如今，秦铮也知道了！

他那么聪明，想必已经想到她的血脉。

当然，这血脉不是来自谢氏和忠勇侯府。

若是她猜得没错，大约是传自她娘吧。

也就是魅族。

想到魅族，便想到紫云，想到谢氏米粮的老夫人，想到……谢云澜……

谢芳华闭了闭眼睛，却感觉手指的血流得不顺畅了，她伸手用力地挤了挤，血又痛快地流了出来。

里屋屏风后传来轻轻的水响。

又过了片刻，她见这株玉兰彻底活了，便罢了手，拿绢帕将手包裹了，转身去衣柜拿了一套男装，扔去了里屋，挂在了屏风上。

她自己换了一件轻软的睡袍，坐在椅子上等着秦铮出来。

大约一盏茶后，秦铮从里面走了出来，头发湿透，冒着水汽。他在谢芳华面前坐下，对她指了指头发，有些倦倦地道："你帮我弄干吧，我没力气了。"

谢芳华看着他眉心笼着浓浓的疲惫的模样，想着他马不停蹄地跑了一日一夜，寻常人如何受得住？她点点头，轻轻催动功力，为他弄干头发。

秦铮静静地坐着，目光落在那盆鲜活的莲花兰上，一言不发。

片刻后，谢芳华将他的头发弄干，对他道："西暖阁的房间已经收拾好，你……"

"不去！"秦铮打断她的话，伸手拉起她，向着床走去，"我就睡在这里！"

"那我去西暖阁。"谢芳华道。

"你也不准去！"秦铮霸道地将她拽上床，抱着她躺下。

谢芳华无奈："秦铮……"

"又不是没在一张床上睡过……"秦铮感觉到她的不满，嘟哝了一句。

"可这里是忠勇侯府！"谢芳华道。

"那又如何？"秦铮闭上了眼睛，疲惫至极地道，"你若是想我做些什么，尽管再说话，我大约还是能有点儿力气的，不介意提前——"

"你睡吧，我不吵你了！"谢芳华连忙打断他的话。

秦铮轻轻哼了一声，感觉到她乖巧下来，安静地任由他抱在怀里，这才满意地睡去。

他是真的累坏了，很快便发出了均匀的呼吸声。

谢芳华看着他，清俊的眉目，挺秀的鼻梁，雕刻般的精致容颜，即便睡着了，这张俊美得不像话的脸上也带着那么一丝轻狂和倔强，这是一个骨子内外都骄傲的人。

这样的人……

多少京中闺秀恨不得让他停下多看一眼的人……

他却只为了她一句“等你回京”而日夜兼程纵马赶回……

她慢慢地闭上眼睛，身边均匀的呼吸声让她的心也渐渐安稳下来，不多时便跟着他一起睡了过去。

第二日清早，谢墨含缓步来到了海棠苑。

侍画、侍墨蹑手蹑脚地迎了出去，悄声询问：“公子，您大清早来找小姐可是有事？”

谢墨含停住脚步，声音温和：“昨日秦铮可是回京了？”

二人对看一眼，知道海棠苑的动静自然是瞒不住公子的，齐齐点头。

“如今呢？在妹妹房间？”谢墨含问。

二人点点头。

“睡在了妹妹房间？”谢墨含蹙眉。

二人看向谢芳华里屋垂下的帘幕，一起压低声音道：“昨日太晚了，小姐本来给铮二公子准备了西暖阁，但是铮二公子不去住……”

二人正说着，房门打开了，谢芳华从里面走了出来，她看了一眼谢墨含，缓步向门口走来。

侍画、侍墨二人住了口。

谢芳华来到门口，懒洋洋地喊了一声：“哥哥。”

谢墨含点点头，打量了她一眼，低声问：“妹妹，秦铮怎么昨日半夜突然回京了？”

“他是看到了我给他写的信，便日夜兼程纵马赶回来了。”谢芳华揉揉肩膀和胳膊。被秦铮抱了一夜，她动一下，他就抱得更紧，无论如何也不松手，导致她如今浑身僵硬。

谢墨含闻言惊愕地道：“那临汾城李猛……”

“没处理。”谢芳华摇头，“他实在累坏了，还在睡着，等他醒来再说吧。反正他已经回来了，秦钰若要动手也早就动手了。”

谢墨含点点头，犹豫了一下，盯着她的脖颈小心地问：“你们昨夜，没如何吧？”

他毕竟是当哥哥的，即便对亲妹妹关心，问出口也觉得难为情。

谢芳华心思通透，立即明白了谢墨含指的是什么，立马伸手揪住衣领，脸腾地红了，扭过身子，羞恼地道：“哥哥，你在胡想什么！他骑了一日一夜的马，还能做什么？再说我们一日没大婚，我就不会……我是那么不知羞不懂闺仪的人吗？”

谢墨含咳嗽了一声，也觉得自己想多了，不过看到妹妹脖颈上明显的印记，他不想多想都不行，但是见她羞恼了，他赶紧赔不是：“你别气，我自然知道我的妹妹什么样。”话落，他叹了口气，“我是不放心秦铮。他是什么样的人，我清楚得很。”

谢芳华一时无语，秦铮的确有不让人放心的理由。

想想昨日，她的脸更红了，若不是她及时用话语让他清醒，制止了他，指不定如何……

“是哥哥不对，你别气了。”谢墨含再次赔不是。

谢芳华有些抹不开面子，但到底是亲哥哥，她只得转回头，红着脸，又气又笑地道：“你也没不对，我没气你。”话落，她不想再纠缠这个让她脸发烧的问题，压低声音问，“哥哥，翠红楼你可知道是谁开的？”

谢墨含一怔，看着谢芳华：“你怎么问起红粉之地？”

谢芳华一把将他拉住，往海棠亭走去。

谢墨含知道她有话要说，跟着她进了海棠亭。

随后，谢芳华低声将昨日的事情简略地说了一遍。

谢墨含静静听罢，眉头轻皱：“秦铮说追你出来讨要兰花的那个人不是南秦人？”

谢芳华点点头。

“你看那人相貌如何？”谢墨含问。

谢芳华想了一下，凑近谢墨含，在他耳边低低地说了一句话。

谢墨含听罢，睁大眼睛，不敢置信地看着谢芳华，脸上露出惊异和凝重之色：“妹妹，你确定你没看错？”

谢芳华摇摇头：“哥哥，我的眼睛是在无名山练了八年练出来的，你说，我能看错吗？”

“若是……”谢墨含沉吟，“他们来南秦京城为了什么？”

谢芳华摇摇头：“这恐怕要好好地查查了。”

谢墨含抿唇，忽然又问：“姑姑如何了？你那边去的人可有消息传回来？”

谢芳华摇头：“消息应该这两日就能传来。去救姑姑的人医术高绝，只要姑姑还有一线生机，一定能将她从鬼门关拉回来。”

谢墨含点点头，沉重地道：“偌大的谢氏，族亲数以万计，可是我们真正的亲人，也就是爷爷和姑姑了，姑姑一定不能出事。我如今还瞒着爷爷，没有让他知晓。”

“会有好消息的，我相信。”谢芳华的目光越过海棠亭，看着西北方的天空。

谢墨含也向西北方的天空看了片刻，对谢芳华道：“我这便安排人去查！”

“让查的人小心谨慎一些，别被他们发觉。”谢芳华嘱咐。

谢墨含点点头，嘱咐秦铮若是醒来就派人去喊他，便缓步出了海棠亭。

谢芳华又在海棠亭里待了片刻，才回了房间。

秦铮依然睡着，怀中抱着的是她给他塞的枕头，此时好梦正酣。

谢芳华来到床前看了他片刻，睡熟了的他像个孩子，让她不由得有些好笑。谢芳华离开床前，走到菱花镜前看了一眼，脖颈上有他昨日第二次欺负她时落下的吻痕，有一两处印痕极深，露着脖子的衣服根本遮不住，怪不得哥哥见了会胡思乱想。她回头瞪了秦铮一眼，走到衣柜前选了一套高领的衣裙去了屏风后。

不多时，谢芳华换了一身衣服出来，再去镜前细看，总算是遮挡住了明显的粉红痕迹。

这时，隔壁房间的门打开了，秦怜站在门口伸了个懒腰，忽然想起了什么，噌噌地奔着门口来，因为门是虚关着的，她一下子就推开了房门。

在房门要发出巨大的响声时，谢芳华及时出手拦住了门，避免它撞在墙壁上，又转头拦住秦怜，对她压低声音道：“急匆匆的做什么？别吵醒你哥哥！”

秦怜一呆，看着里面，因为门打开，风进来，吹起床前的帷幔，可以清晰地看到秦铮睡着的脸，她惊讶地伸手指着秦铮：“他……他睡在你的床上？”

谢芳华想否认，但是事实摆在这里，她一时无言。

“他……你们还没有大婚，便睡在了……一起？”秦怜似乎被骇住了。

谢芳华的脸烧了一下，实在受不了她这副样子，一把将她拽出去，同时紧紧地关上了房门。她就知道让秦铮睡在她房间里不是一个好主意，谢芳华瞪了秦怜一眼：“我只不过是将床借给他一半而已，你想什么呢？”

“借一半……”秦怜回过神来，忽然看着谢芳华，嘻嘻一笑，“好姐姐，你这明显就是有事。我在皇宫长大，每次哪个宫的娘娘、贵人或者嫔妾被皇叔宠幸了，都恨不得不穿衣服，露着身子，好让满皇宫的人都知道她被宠幸了，哪怕是最低调的人，也会露着脖子。”顿了顿，她指着谢芳华，“你看看你，你还捂得这么严实……”

谢芳华一时间脸色红如火烧，伸手拍掉她的手：“反正不是你想的那样！”

“那是哪样？”秦怜笑嘻嘻地拉长音，瞧着她，“噢，我知道了，就算我哥没将你怎么大样，但也将你怎么小样了一下，是不是？”

“秦怜！”谢芳华顿时竖起眉头，危险地眯起眼睛，“昨夜你死拉硬拽让我去那种地方，我替你担下了，可是我觉得我真不应该纵容你，使得你越发不像样子。为防你以后再犯，不如我让你哥哥好好地给你松松皮，如何？”

秦怜顿时噤声，想起昨夜哥哥的样子实在吓人，幸好谢芳华保下了她，哥哥才没理她，若是今日再得罪了谢芳华，两个人加在一起，她估计真会叫天不应叫地不灵了。秦怜咳了一声，讨好地走上前，挽住谢芳华的胳膊：“好姐姐，我可没嘲笑你，我就是觉得，嗯……里面那个男人，你看上他哪儿了？脾气臭，性子差，横行霸道，肆意胡来……嗯……你们还没大婚，万一你后悔了，不想嫁他了，岂不是被他占了便宜，亏死了。”

谢芳华闻言被气笑了，伸手推开她：“秦铮怎么有你这样的妹妹！”

秦怜垮下脸：“应该说我怎么有他这样的哥哥！”

谢芳华轻哼了一声，对她道：“你哥哥从郾城骑快马回来，跑了一日一夜，跑死了两匹马。如今他睡着了，你别吵到他，一边玩去吧。”

“好姐姐，你这是在心疼我哥哥？我好奇死了，他怎么就这么入你的心？”秦怜打趣地看着谢芳华，“若是被我娘知道，估计高兴死了。”

“我这就派人去请王妃回京，接你回英亲王府。”谢芳华道。

“不要！忠勇侯府好玩得很，我还没待够。”秦怜立即摇头，“你休要赶我！”

“那你就别捣乱，别闹动静，一边玩去！”谢芳华转身往房里走。

“你不陪我玩吗？”秦怜瞪眼，不高兴地道，“按照惯例，没过门的媳妇儿不是都应该先讨好公婆和小姑子吗？你怎么这样！”

谢芳华揉揉额头，忽然回身对秦怜道：“你不是喜欢温酒煮海棠吗？”

“一个人没意思！”秦怜道，“你又不陪我。”

“其实，我哥哥的芝兰苑里尽是名贵兰花，温酒煮兰花想必也不错。”谢芳华道。

秦怜眼睛一亮，顿时感兴趣地道：“算了，我不用你陪着我了，你陪着我哥哥吧，我这就去找谢世子！”话落，她立即转身蹦蹦跳跳地出了海棠苑。

谢芳华想着谢云继反正也是闲来无事，两个人若是继续打架，只会在芝兰苑打，由着哥哥烦心去吧。她转身回了屋。

侍画、侍墨对看一眼，想着小姐真坏，这回世子估计该头疼了。

谢芳华进了房间后，发现秦铮竟然醒了，正懒洋洋地躺在床上看着房顶，她跟着抬眼看了一眼房顶，走过去，问他：“秦怜吵醒你了？我将她打发走了，你继续睡吧。”

秦铮从房顶收回视线看向她：“我昨日从中午之后就一直没吃饭。”

“饿了？”谢芳华立即道，“我这就吩咐厨房端早膳来。”

“我想吃你做的。”秦铮道。

谢芳华看着他，心想要求可真多，对他道：“在忠勇侯府，我从来没下过厨。”

“那我不管，就是要吃你做的！”秦铮看着她。

谢芳华揉揉眉心，沉默了片刻，无奈地点头：“那你再睡一会儿。我去做，好了喊你。”

秦铮点点头。

谢芳华转身出了房门。

秦铮看着房间关上，伸手拽住帷幔，轻轻甩了甩，勾起唇角，露出笑意。

海棠苑内有小厨房，但是寻常除了煎药或者煮些茶水外不用于做饭。

谢芳华出了房门便往小厨房走。

侍画、侍墨跟在她身后，连忙道：“小姐，您需要什么，只管吩咐奴婢们一声就是了。”

谢芳华摇摇头：“秦铮要我亲自下厨，你们帮不了。”

二人齐齐一怔，铮二公子霸占了小姐的房间，又让小姐给他做饭做菜？

谢芳华进了小厨房。

二人对看一眼，连忙跟了进去。

小厨房内自然没有多少食物，侍画进去看了一眼后，立即道：“小姐，您要做什么？我去大厨房取。”

谢芳华想了想，吩咐了几样，侍画连忙跑出了海棠苑。

侍墨立即将所需的物事洗刷干净。

不多时，侍画取了东西回来，谢芳华洗净手，开始做菜。

虽然好一阵子不下厨了，厨艺有些生疏，但做起来还是有条不紊。

侍画、侍墨在一旁赞叹地看着。

大约用了半个时辰，四菜、一汤、一粥做好，谢芳华洗了手，端着饭菜回房。

她走远了之后，侍画悄声对侍墨道："小姐是不是将糖和盐放错了？"

侍画摇头："是吗？我没看清楚。"

"我看着像是放错了。"侍画道。

"那你怎么不提醒小姐？"侍墨瞅着她。

"我也不确定啊。"侍画摊摊手，"若是真放错了，铮二公子也只能将就着吃了。"

侍墨捂着嘴笑了一声，凑到侍画耳边："这些日子听听言说了不少听音姑娘的事儿，似乎说过听音姑娘盐糖不分……"

侍画也抿嘴笑起来："原来再聪明的人也是有缺点的……"

谢芳华自然不知道这二人在背后取笑她，端着托盘回了房间后，将饭菜放在桌案上，来到床前叫醒秦铮。

秦铮被喊醒，却不睁开眼睛，而是倦意浓浓地抓住她的手，依旧在床上躺着。

谢芳华只能伸手将他拽起来："不是饿了吗？赶紧起来吃，吃完再睡。"

秦铮慢慢地睁开眼睛，嗅了一下屋中的香味，满意地放开她的手，吩咐道："去给我打水来，伺候爷梳洗！"

"还没睡醒吧你！"谢芳华伸手，用力地点点他额头，"吩咐谁呢？"

秦铮忽然一笑："我竟忘了，这里可不是落梅居，爷指使不动你。"

谢芳华剜了他一眼，对外面喊："打一盆清水来！"

侍画、侍墨连忙停止了互相咬耳朵，不多时便端了一盆清水进来。

谢芳华转身坐去桌前等着他："公子爷，自己伺候自己吧。若是不想动，我让人去喊听言。"

"你不伺候我的话，爷谁也不用！"秦铮站起身，自己去洗脸。

谢芳华不理他，转头看向窗前书案上的那盆兰花，见它花繁叶茂，一夜之间全然恢复了生机。

其实用不了三日便可以将这盆花还回去，不过一夜之间也太耸人听闻了。

"小姐，这花好香啊！"侍画走过来，嗅了嗅，咦了一声，"这花怎么和小姐身上的香味一样？难道在小姐的房中待了一晚上便染上香味了？"

侍墨闻言也走了过来，凑近花，嗅了嗅，奇怪地道："这花的确和小姐身上的香味一样，好奇怪。”

谢芳华一怔。

秦铮此时已经梳洗完，也走过来，二人立即让开。他走到书案前，也低头闻了闻，脸色顿时寒了下来。

谢芳华想着大约是因为用自己的血喂养，使得这花染上了自己身上的香味，虽然她闻不出来，但这三人都闻到了，那应该就是了。

“你做的好事！”秦铮瞪着谢芳华。

谢芳华也有些头疼，若不用她的血喂养，这株花便没办法活了，她有些懊恼：“我看到你时太震惊，情急之下随手就拔了这株花拦你，哪里想到竟然是稀世名品莲花兰。”

“如今你说怎么办？别告诉爷你要将这盆带着自己味道的花给人送回去！”秦铮听到她说当时太情急，脸色缓和了些。

谢芳华想了片刻，对他道：“我开一副方子，给它喂药吧。用药水养上三日，应该就没有别的味道了。”

秦铮哼了一声，算是同意了，然后坐到桌前拿起筷子。

谢芳华当即提笔写了一副药方递给侍画：“按照这副方子煎药，凉了端来。”

侍画点点头，拿着药方子走了出去。

侍墨守在门口，随时听候两人的传唤。

谢芳华看了秦铮一眼，见他低着头吃饭，也不理她，只是偶尔皱一下眉，她也拿起筷子。

刚吃了两口，谢芳华便发现四盘菜里有两盘菜将糖和盐放错了。

可是秦铮一声没吭，那两盘菜已经被他吃下去了一半。

她咳嗽了一声，想说什么，但见他吃得香，便住了嘴，跟他一起吃了起来。

一顿饭都没什么言语，安静地吃罢，秦铮放下筷子，拿起茶壶倒茶，茶壶却是空的，他回头向门口看了一眼。

侍墨连忙进来拿着茶壶下去了。

侍画正选好了药拿回来，碰到侍墨，便悄声问：“铮二公子说太甜或者太咸了吗？”

侍墨摇摇头：“铮二公子全都吃了，一顿饭什么也没说。”

侍画低呼一声：“铮二公子果然不是寻常公子，糖和盐放错了都能吃下，不言语半声！我觉得小姐若是真嫁了他，他会对小姐好的。”

侍墨点点头。

二人交谈了两句，便各干各的事情。

片刻后，侍墨将茶水端进屋，然后将碗筷收拾干净，退了下去。

谢芳华看了一眼窗外的天色，问他：“还继续睡吗？”

秦铮懒洋洋地斟了一杯茶喝着："皇叔若是知道我回京了，定然会派人来喊我进宫。"

提到皇帝，谢芳华蹙眉。

"不过爷累死了，哪里也不想去。"秦铮将茶盏放下，向着床走去，对她道，"无论谁来，你都给我推了。"

他话音刚落，人还未走到床上躺下，侍书就匆匆进了海棠苑，对里面禀告："小姐，英亲王府的大管家来，说知晓铮二公子昨日回京了，他奉王爷之命来喊铮二公子回府。"

秦铮仿佛没听见，踢了靴子，上了床，躺下继续睡。

谢芳华看了秦铮一眼，也知道他太累了，便对外面道："你去回话，就说铮二公子纵马一日一夜从郾城赶回来，跑死了两匹马，实在太累了，睡着了怎么也喊不醒。待他醒了，便让他回去。"

"是！"侍书应了一声，回去回话了。

秦铮放下帘幕，安心地睡去。

正如秦铮所料，又过了没多久，侍书又来禀告，皇帝的大总管吴公公前来请铮二公子进宫。

谢芳华吩咐他依照回复英亲王的原话回复吴公公。

侍书又出了海棠苑。

半个时辰后，侍画端着煎好晾凉的药进了房间。

谢芳华伸手接过，将一碗汤药顺着花枝淋下，灌入泥土里。

"小姐，这样真的管用吗？"侍画低声问。

"喂养三日后应该会管用，至少药味不会消退。"谢芳华吩咐侍画，"将花端出去晒一会儿太阳，待泥土干了，再用汤药浇灌，这三日里就由你来照看它。"

侍画点点头，小心地抱着兰花下去了。

谢芳华因为秦铮昨日一直抱着她，并没有睡好，侍画下去后，她便躺在软榻上补眠。

临近晌午，侍书又跑进了海棠苑，对谢芳华禀告："小姐，英亲王妃从北山林回京了，没回英亲王府，先来了忠勇侯府，车辇快到咱们府门口了，应该是知晓铮二公子昨日回京了，特意赶了回来。您看……"

谢芳华想着英亲王妃今早得到消息知道秦铮回京，自然是坐不住了。她想了一下，对侍书道："你将早先说的原话告知王妃，若是她要进府，便请进来。"顿了顿，又道，"去芝兰苑告知怜郡主一声。"

侍书应了话，又跑了回去。他一边出海棠苑一边想，只要是小姐回府，他这个世子身边的书童便会变成小姐的跑腿。

侍书离开两三盏茶后，外面依稀有脚步声向海棠苑走来。

侍画向外看了一眼，对谢芳华道："小姐，是英亲王妃来了。"

谢芳华点点头，整理了一下衣裙，迎了出去。

英亲王妃由翠荷、翠莲两个婢女陪着，并没有见到秦怜的影子。十多日的山林生活，让她看起来比在英亲王府时年轻了许多，眉眼也极其明亮，不见曾经的晦暗。

谢芳华给英亲王妃见礼。

英亲王妃笑着抓住她的手，对她开口便是训斥："你们两个死孩子，明明说好了到京城看花灯，竟然跑去了平阳城。这还不说，竟然一走十多日，如今闹了这么多事儿出来！"

谢芳华也不反驳，笑着听着。

"臭小子呢？听说睡死过去了？"英亲王妃拉着她手，一边往里走，一边问。

谢芳华将他如何赶回来，跑死了两匹马的事儿说了一遍。

"不爱惜自己的身子，急个什么！"英亲王妃骂了一句。

进了屋后，她松开谢芳华的手，直奔床前，见秦铮睡得香，毫不客气地伸手照着他的脸就拧。

英亲王妃的手刚碰到秦铮的脸，秦铮就一偏头，躲了过去，随即睁开眼睛，人也醒了。见是英亲王妃，他皱眉："连您儿媳妇都知道心疼我累了，不吵我，您是我娘吗？来了就吵醒我，还要下重手！"

英亲王妃顿时横眉怒目："死小子，你说，你到了平阳城后，为何将华丫头扔在青楼里，让谢氏米粮的公子接了去照顾，而你自己跑去平阳县守府好吃好喝？竟然还说华丫头爱慕秦钰那小子，跟她发脾气。风言风语都传进京城了，连我在山林的院子里住着都听到了。"

秦铮皱眉，抬眼看向谢芳华，见她并没有跟着英亲王妃进屋，而是站在门口，那模样像是要离战火远远的。他想起平阳城的事情便是一肚子气，没好气地道："哪里是我不管她，是她……"他顿了顿，"她不用我管！"

英亲王妃闻言回头瞅了谢芳华一眼，谢芳华自然不知道说什么，只能对英亲王妃笑笑。

英亲王妃照着秦铮的脑袋就狠敲了一下："强词夺理！丫头乖巧得很，是你爱生事儿！"话落又质问他，"我问你，你急着跑回来做什么？"

秦铮被打了一下，因为是他娘，他只能受了，没好气地道："皇叔要逼她退婚，我自然不干，赶着回来。"

英亲王妃皱眉："他还想着让你们退婚？"话落，她看向谢芳华。

谢芳华想着反正昨日她在灵雀台的事情已经不是什么秘密了，秦怜知道，英亲王当时也在，早晚也会让英亲王妃知道，于是点点头，平静地道："我给推了。"

话落，她将灵雀台的前后经过与二人说了一遍。

“皇上可真是看不得我有个好儿媳妇！”英亲王妃有些恼怒，“如今活该他的宫里宫外后妃儿子斗成一锅粥！”话落，她又变了脸，笑着一拍手，赞扬谢芳华，“推得好！”

秦铮向谢芳华看去，此时的眸中暖如春水。

谢芳华被他看着，脸有些红。

“臭小子，几辈子积来的福气！这次念你纵马回来累成这副样子，我就饶了你，下次你再欺负华丫头，我定不轻饶！”英亲王妃又挥手打了秦铮一下，“你听到了吗？”

秦铮白了他娘一眼：“听到了！娘的话我敢不听吗？”

“你听就好！”英亲王妃离开床前，走到桌边坐下。

谢芳华这时才走进屋，给她倒了一杯茶。

“这屋里怎么有一股兰花的香味？”英亲王妃喝着茶问。

谢芳华想着果然是爱花之人，她已经让侍画将花拿出去了，她竟然还能闻到。她刚要解释，秦铮忽然插嘴：“这里距离芝兰苑不远，芝兰苑满院子的兰花，您闻到兰花味有什么稀奇的？”

“也是。”英亲王妃顿时笑了，不疑有他，“我来了忠勇侯府好几次，还没去过世子的芝兰苑。听说怜儿住进忠勇侯府来了，如今在祸害芝兰苑？”

谢芳华点点头，将昨日进宫被皇后请去的经过说了一遍。

“皇后困了怜儿这么多年，如今总算是看开将孩子还我了！”英亲王妃听罢笑了笑，却没什么欣喜的情绪，“可到底不是在我身边长大，就算如今还给了我，也弥补不了这么多年的缺憾。”

谢芳华隐约知道皇后当初抚养秦怜的目的，除了气不过皇帝心里有英亲王妃外，还是为了她的儿子。然而这么多年来，偏偏秦铮和她儿子无论如何都互相看不顺眼，也是出乎她当年的意料。

“一个不省心的捣蛋鬼，还回来有什么好？”秦铮嗤笑一声。

英亲王妃顿时被气笑了，狠狠地瞪了秦铮一眼：“混小子，你就省心？真不知道你们俩都随了谁。”

秦铮摆摆手：“既然您回京了，就快些将她接回去。”

“你这是赶我走了？你呢？”英亲王妃看着他。

“我要住在忠勇侯府。”秦铮道。

谢芳华瞪着秦铮。堂堂英亲王府的二公子，住在忠勇侯府算怎么回事？

英亲王妃也大为不满：“你和华丫头没大婚，你住在忠勇侯府算什么？传出去岂不是坏了华丫头的闺誉？”

“反正她以后也要嫁给我，闺誉不闺誉的，理会那么多做什么？”秦铮不以为然。

英亲王妃一时无语。

谢芳华立刻道："不行！"

"你说了不算！"秦铮霸道地道。

谢芳华一噎，刚要跟他理论，福婶就进了海棠苑。

"小姐，老侯爷知道王妃回京了，来了咱们府，已经午时了，老侯爷请王妃、铮二公子和您一起过去荣福堂吃午膳。"福婶来到门口，笑呵呵地道。

"瞧瞧我多会赶！赶在饭点来到府里，还要劳动老侯爷。"英亲王妃笑着站起身，对外面道，"我这就过去。"

福婶应了一声，笑呵呵地等在门口。

英亲王妃回头对秦铮道："我看你这样子是睡醒了，精神得很。昨夜回京到现在还没去给老侯爷请安吧？赶紧去吧。"话落，对谢芳华笑着道，"住不住在这里，他说了不算。回头我问问老侯爷，老侯爷若是同意，就依了他；若是不同意，我就捆了他回英亲王府。"

谢芳华闻言只能点头，心里却想着她爷爷如今看秦铮跟心肝儿似的，这事儿玄乎。

英亲王妃话落，出了房间。

谢芳华特意落后了一会儿，压低声音警告秦铮："你不准在我爷爷面前卖乖讨巧，昨夜到今日，我伺候了你半夜又半日，你别太得寸进尺！"

秦铮对她扬唇一笑："娘都说了要听爷爷的，到时候谈起这件事情，我不说话总成了吧。"话落，他耸耸肩，"但若是我不说话爷爷也因为喜欢我而留我住几日，你不能怪我。"

谢芳华哼了一声。

二人一起出了房门。

英亲王妃已经由福婶领着出了海棠苑，秦铮和谢芳华落后了一段距离。

正是三月，阳光明媚，哪怕是午时也是不冷不热，春风吹来，暖意融融。

秦铮睡饱了，一改昨日的疲惫，春风中显得清秀俊挺，行止随意洒脱。

谢芳华走在他身边，也被他极好的心情感染了。

"下午我们去南山坡放风筝吧。"秦铮走着走着忽然道。

"你倒是有闲心。"谢芳华瞥了他一眼，"皇上和王爷都在找你，你以睡觉的理由推脱了。下午不睡了，却不进宫，不回府，而是拉着我去放风筝，是何道理？"

"我管他们是何道理，我的道理就是道理！"秦铮不屑地扬眉。

谢芳华觉得这个人还是睡着的时候比较可爱，醒了便是这般张扬、不可一世的模样。她轻哼道："你的道理是道理，就自己去，我可不愿意被你拉着成为众矢之的。"

秦铮撇撇嘴，训斥谢芳华："规矩毛病多！"

谢芳华不再理他。

前方英亲王妃路过芝兰苑时，一个人从里面跑了出来，将英亲王妃抱了个满怀：“娘，您总算回京了，有坏人欺负我！”

英亲王妃乍一见没认出来，因为这个姑娘披头散发，衣服上不知道沾染了什么东西，黑一块红一块绿一块的，听到她的话，英亲王妃才睁大眼睛，看着怀里的人：“怜儿？”

“娘，是我啊！”秦怜放开英亲王妃。

英亲王妃这才看清她的脸和她的衣服一样，黑一块红一块绿一块的，若不是她的声音，实在让人难以辨认，英亲王妃顿时皱眉：“你这是怎么了？”

秦怜一跺脚，回头指着芝兰苑：“都是他！那个浑人害的我！”

英亲王妃看向芝兰苑内，见里面缓步走出一个人，面容俊美，姿态风流，她自然是认识的，挑眉：“云继？”

谢云继衣冠整齐，身上不染一丝杂色，出来之后，见到英亲王妃，彬彬有礼：“王妃好！”

“这孩子说你欺负她，怎么了到底？”英亲王妃怀疑地打量着谢云继。传言谢氏盐仓公子云继，性情风流，惹得不少闺中女儿爱慕，但还算洁身自好，并没有惹出红粉乱事。

谢云继看了一眼秦怜，揉揉额头：“王妃明察，在下冤枉。我这几日住在忠勇侯府，常去芳华妹妹的海棠亭温酒煮海棠，怜郡主跟我抢海棠酒，我躲开她，在芝兰苑温酒煮兰花，她却又跑来芝兰苑跟我抢兰花抢酒，抢不过，便说我欺负她。”

“是这样？”英亲王妃回头看秦怜。

秦怜恼怒：“同是在忠勇侯府借住的人，他能去海棠亭，我凭什么不能去芝兰苑？谢世子都没说什么，凭什么我来了他就赶我？”

“你说对了，同是在忠勇侯府借住的人，我在海棠亭时，芳华妹妹都没说什么，凭什么你去了就赶我？”谢云继反驳。

秦怜一噎。

英亲王妃听罢这两句争执，算是明白了，顿时被气笑了，伸手点点秦怜的额头：“原来不怪云继，你还恶人先告状！看看你像什么样子！赶紧去给我梳洗了，然后随我回府！”

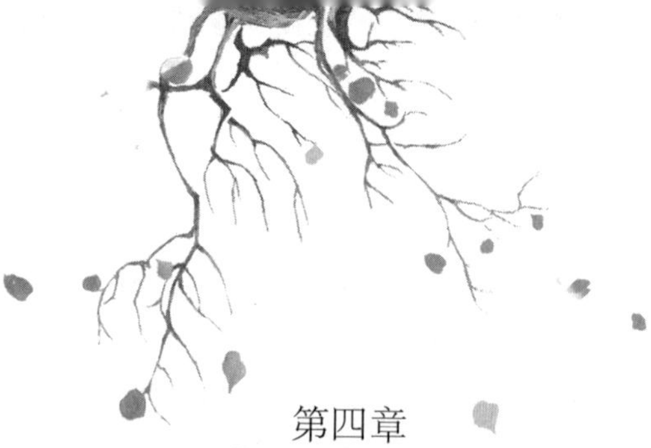

第四章

忽闻喜讯

京　门　风　月

英亲王妃训斥了秦怜一句，然后招呼谢云继跟着她一起去荣福堂。

秦怜懊恼地跺了跺脚，对着英亲王妃大声道：“我还没在忠勇侯府住够，不回去！”

英亲王妃闻言气得笑了，停住脚步，回头看着秦怜道：“你和你哥哥一个样，都嫌弃咱们家不好，一个两个都不回去！”

秦怜瞪眼：“我哥哥也不回府？”

英亲王妃见秦铮和谢芳已经走到近前，没好气地道：“随你们高兴，不愿意回府，以后都不用回去了。”话落，她向前走去。

秦怜挠挠头。她觉得在忠勇侯府住得很舒服，看不见皇宫里那些讨人厌的女人，也没有英亲王府那些侧妃小妾庶女，整座忠勇侯府雅致至极，安静至极，没有闲杂人等，住进来之后，就不想走了。

虽然有个讨厌的谢云继，但是她也不想走！

“看看你像什么样子，跟疯子没两样了！还不赶紧去梳洗？丢人现眼！”秦铮走上前，看到秦怜的模样，皱眉训斥。

秦怜瞪眼，恼怒地道：“你的样子好看？你昨日的样子更难看！”

“那也没有你难看！”秦铮冷哼一声。

“你……”秦怜气急，“谢云继欺负我，你是我亲哥哥，不帮我就算了，还落井下石！”

“有本事你就欺负回去，没本事的人才告状。”秦铮绕过她，向荣福堂走去。

秦怜一噎。

谢芳华看了秦怜一眼，堂堂英亲王府怜郡主，教养在皇后身边，尊贵堪比公主，礼仪出众的人儿，今日的样子实在是狼狈。秦铮虽然嘴毒，但是有一句话算是说对了，跟个疯子没两样。她也不忍再看秦怜，摇摇头，跟着秦铮向荣福堂走去。

秦怜看那二人不管她就这么走了，生气地大声道："你也欺负我，还亲哥哥呢！"

秦铮听了，不咸不淡地道："你也知道我是你亲哥哥？长兄如父，我代替父王教导你，谁欺负你，有本事就欺负回来，没本事就自己受着。"

秦怜嘟起嘴，这回彻底没了声。

那二人不多时便走得远了。

秦怜跺了跺脚，磨了磨牙，好半晌，恨恨地道："谢云继，你给我等着！"

秦铮和谢芳华到荣福堂的时候，英亲王妃和谢云继已经跟忠勇侯聊上天了。

忠勇侯因为谢氏米粮老夫人故去的事情气色不太好。

英亲王妃感慨地道："当年宫里的德慈太后、这府里的老夫人、谢氏米粮的老夫人，人人称赞，如今都去了。"

"都去了也好，死了一了百了。"忠勇侯道。

"老侯爷您可要保重身体，不为别的，就要为您的孙子孙女。"英亲王妃劝慰道，"您可是他们的支柱！"

"孩子长大了，我也老了，只剩下一把老骨头，还抵什么用？"忠勇侯摆摆手。

"您怎么就不抵用？我要娶华儿，还就得您给我做主呢！否则人人都跟我抢媳妇儿，我就一只手，不见得抢得过。"秦铮正好迈进门槛，闻言接过话。

"你个臭小子！三更半夜赶回京，什么事儿这么急？"忠勇侯见到秦铮，笑骂了一句。

"想华儿了。"秦铮理所当然地道。

谢芳华在他身后，不由得脸一红，啐了一口："不要胡说八道！"

秦铮回转头，站在门口看着她："我是胡说八道？"

谢芳华想起他快马加鞭赶回来就为了那句"等你回京"，顿时一噎，红着脸伸手推他："挡着门口做什么，赶紧进去！"

"又不是什么丢人的事儿，用得着藏着掖着？这里又没有外人，我想你就是想你了。"话落，秦铮大模大样地走了进去。

谢芳华的脸几乎要烧起来了，狠狠地瞪了他一眼，走了进去。

"这个死孩子，动不动就欺负华丫头。"英亲王妃笑了起来，"前些日子我听说他们两个打架了，哎呦，给我急得跟什么似的，恨不得都揪到身边问个清楚。如今见到面了，看到他们好得跟一个人似的，我真是白操心了！"

“嗯，的确是让人不省心！”忠勇侯点点头，“打架也不赖铮小子，就赖这个死丫头！”

“哪里不赖他了？老侯爷您就向着他！看把他美得跟什么似的！所以才敢无法无天背后欺负华丫头！”英亲王妃板起脸，“再有下次，我一定不饶他！”

“你们妇人家，爷们有爷们的主张，别总是指责爷们的作为！”忠勇侯训了英亲王妃一句，拍板道，“这件事情铮小子根本就没有错！”

英亲王妃顿时没了言语。

谢芳华狠狠地瞪了忠勇侯一眼。

秦铮倏地乐了，笑逐颜开，三两步便走到忠勇侯身边坐下，对他笑盈盈地道：“还是爷爷向着我！我就说了，您若是不在，还有谁给我伸冤？您也看到了，我娘眼里已经没我这个儿子了。”

忠勇侯哼了一声：“就事论事，这件事情你没错，我才向着你，以后的事儿你也要没错才好。”

“那是自然！”秦铮点头。

“秦怜那小丫头呢？”忠勇侯接过这茬儿询问。

“那个臭丫头把自己弄得一团糟，回去梳洗去了，咱们不用等她了。”英亲王妃道。

“那就吃饭吧。”忠勇侯摆摆手。

一旁一直没说话的谢墨含、谢云继都走到桌前坐下。

秦铮拿起酒壶，给忠勇侯斟满酒。

谢芳华立即道：“爷爷吃着药呢，不能喝酒！”

秦铮抬头看了谢芳华一眼：“我看爷爷精神得很，年纪大了，不能总是拿药灌，要锻炼身体，酒少喝点儿，出点儿汗，病就能全好了。”

“对对对！给我倒上！”忠勇侯连连点头。

“对什么对！”谢芳华一把夺过酒壶，“吃药期间喝酒是大忌。”

“就喝一点儿没关系。”秦铮道。

“不行！”谢芳华将酒壶放在自己身边。

“这个混丫头！”忠勇侯伸手指着谢芳华，对英亲王妃道，“你看看，她才是无法无天的那个人。学了点儿医术，就管起我来了。”

“孙太医也不主张吃药期间喝酒，都怪臭小子胡闹。您就忍忍吧，我觉得华丫头说得对。”英亲王妃笑着道。

忠勇侯哼哼两声。

秦铮叹了口气：“爷爷，不喝酒便不喝吧。吃完饭，我陪着您下棋。”

“嗯。”忠勇侯点头，“也只能下棋解闷了。这一天天的，闷得慌。”

福婶带着人将饭菜一一摆放妥当，众人执筷。

饭菜吃到一半，秦怜走了进来。她已经换了衣裙，梳洗了一下，又恢复了郡主的端庄模样。

谢云继见到她，翻了个大大的白眼，然后继续吃饭。

秦怜给忠勇侯请了安，坐下来后，隔着桌子，狠狠地踩了谢云继一脚。

谢云继皱了皱眉，便跟没事人一样，继续吃饭。

秦怜也算是小小地报了个仇，自然不会再闹腾找茬儿，于是安静地坐下来吃饭。

饭后，英亲王妃对秦怜道：“你先跟我回府，你的院落这些年一直空着，待我将你安置妥当，你若是还愿意来忠勇侯府小住，到时候再来。”

秦怜想了想，也知道自己是英亲王府正儿八经的郡主，这回彻底从皇宫出来，搬回府里住，必须巩固在府里的地位，自然不能在忠勇侯府含糊地待着，毕竟英亲王府内侧妃、姨娘、庶姐、庶妹一大堆呢。她点点头：“好吧，听您的，我跟您回府。”

英亲王妃点点头，看向秦铮：“你呢？”

秦铮看了英亲王妃一眼，堂而皇之地道：“爷爷最近心情不好，他酒不能喝，又要吃药，多辛苦，我留下来陪他下棋遛弯解闷。”

谢芳华正喝茶，险些一口茶喷出来，她抬头瞪着秦铮，他可真会找理由。

忠勇侯连连点头：“嗯，就让铮小子陪我几日吧。”

英亲王妃也瞪了秦铮一眼：“老侯爷，您不嫌弃他闹腾？”

“闹腾点儿好，能给我解闷。”忠勇侯道。

英亲王妃彻底没了言语，对秦铮是又气又笑：“就他这张嘴，当年就将太后哄得心花怒放，如今又在您面前甜得跟蜜一样。他是来缠着华丫头的，您可不要上了他的当！”

“有您这样拆儿子台的娘吗？”秦铮无语地看着英亲王妃。

英亲王妃哼了一声。

忠勇侯却大笑道：“缠着臭丫头也没错，谁娶媳妇儿不得卖些乖，讨些好？”话落，他摆摆手，“行了，你这个当娘的不乐意见他，我可乐意有人陪我下棋，你回府去吧。”

英亲王妃无奈，只能警告秦铮两句不准过分胡闹，带着秦怜出了荣福堂。

谢墨含和谢芳华一起送她们出府。

秦铮坐着陪忠勇侯喝茶，连屁股都没抬一下。

忠勇侯府门口，英亲王妃停住脚步，回头攥住谢芳华的手，笑着道：“那个臭小子的心思我知道，一日不将你娶回去，一日不安生。他留下就留下吧，你也不要生气。”

谢芳华摇摇头。

"那就好。"英亲王妃叹了口气，看着忠勇侯府的牌匾，"忠勇侯府传承了几百年，这块牌匾自然是不能摘下来的。虽然我是宗室的媳妇儿，是秦氏的人，但是，论情论义，我都希望忠勇侯府能平平安安。"

谢芳华点点头："会的。"

英亲王妃凑近她，低声道："关于听音，我回府之后寻个机会，帮你销了那个身份。"

谢芳华眨眨眼睛，笑了一下："辛苦您了。"

英亲王妃拍拍她的手，上了马车。

秦怜磨磨蹭蹭不太想走，对谢芳华道："你答应我的事情不要忘了啊！等在王府安顿下来，我还要来这里住，我还没住够。"

"好。"谢芳华点头。

秦怜见她答应，才慢悠悠地上了马车。

母女二人离开了忠勇侯府。

谢墨含看着马车走远，轻舒了一口气："总算走了！"

"哥哥是在说秦怜？"谢芳华好笑地问。

谢墨含点点头："这位郡主可真是能闹腾！我的芝兰苑今日一上午便被她和云继弄得不成样子了。"

谢芳华悄悄吐吐舌头。

"你才是那个坏丫头！"谢墨含拍了谢芳华的头一下，"自己求得清静，却把麻烦推给我。"

谢芳华揉揉头，知道早已经被哥哥识破，笑着挽住他的胳膊："哥，芝兰苑就差一位嫂子，若是嫂子在，他们才不敢放肆呢。"

谢墨含失笑："妹妹一日不成家，哥哥是不会成家的。"

"什么道理！"谢芳华啐了一句，"回头我空闲了，就给你选妻。"

"事情这么多，你哪里有空闲的时候？"谢墨含揉揉她的头，低声道，"午膳之前我得到消息，李猛的私生子的确落在了四皇子手里。"

谢芳华眯了眯眼睛："秦钰动作果然快！"

"拿住了那个孩子，接下来，他怕是该从李猛处入手了。"谢墨含叹了一口气。

"我稍后想想办法，一定不能让他得逞。我们好不容易抹平了柳氏，怎么能在这里功亏一篑！"谢芳华道。

谢墨含点点头："万不得已，只能从李猛这里掐断。"

谢芳华沉默不语。这是最坏的后果！

二人回到荣福堂，里面没人，福婶笑呵呵地道："铮二公子陪着老侯爷去后园子下棋了，走时吩咐了，说世子、小姐您二人回来，就去后园子找他们。"

谢墨含看向谢芳华。

谢芳华点点头。虽然秦铮回来了，但对付秦钰未必没有办法，她得问问他。

二人一起去了后园子。

到了后园子，果然见二人坐在水榭里下棋。一老一少，一边说着话，一边下着棋，远远看去，甚是和谐。

谢墨含失笑："比我和爷爷看起来还像祖孙俩。"

谢芳华也有些好笑："不知道他哪里来的讨人欢心的本事。"

"有些事情，他只是不想去做，他若是想去做，比谁都做得好。"谢墨含道，"这么多年，我见过他做得最认真的事情，就是对你了，着实不易。"

谢芳华脚步顿了顿，不再说话。

二人一起进了水榭。

秦铮见谢芳华进来，对她招手，懒洋洋地道："你过来看看，我和爷爷这一局棋谁能赢。"

"自然是我！"忠勇侯道。

秦铮嗤笑一声："爷爷，虽然我陪着您下棋，但我可不会因为您是爷爷就让着您的。"

"臭小子！"忠勇侯胡子翘了翘。

谢芳华走到秦铮身边坐下。

谢墨含在忠勇侯身边落座。

"嗯？"秦铮等着谢芳华说话。

"看着棋势像是你赢，但你未必不会行差一步，所以，不到最后落子那一刻都不作数。"谢芳华道。

"臭小子，听见了吧？"忠勇侯哼了一声。

"听见了，华儿的意思是，虽然我们如今有圣旨赐婚，但不到大婚入洞房那一刻，我都不能掉以轻心。"秦铮煞有介事地点点头。

谢芳华的脸腾地一红，他也真好意思说！她忍不住抬起胳膊撞了他一下。

"也是有些道理。"忠勇侯认同地颔首。

谢墨含看着二人，无奈地笑着摇摇头，对秦铮道："秦钰拿捏住了李猛的私生子，你可有什么办法？"

"办法？"秦铮漫不经心地转着手里的棋子，"不能用就弃了，还需要办法？"

"李猛我还想用，毕竟他在临汾镇待了多年，临汾是要地。"谢芳华看着他。事情到了如今的地步，很多事情她也不用瞒着秦铮了，毕竟他前往郾城处理沈妃和沈氏的事情，已经是再明白不过地表示帮她了。

“我已经吩咐青岩去做了，但是秦钰身边也有个月落，我总不能为了个李猛而将手中的东西都折了。能救则救，不能救就毁了。”秦铮道。

谢芳华闻言觉得他说得的确不错，不能为了李猛而折损太多，那就得不偿失了。

谢墨含点点头，忽然问：“云继呢？”

“一定是温酒煮兰花去了。”谢芳华抿着嘴笑，“秦怜这个捣乱的走了，他岂不是很惬意？”

谢墨含无奈地摇摇头。

四个人有一搭没一搭地说着话，一局棋下完，果然是忠勇侯输了。

输了的人自然是不服输，拉着秦铮继续下。

秦铮忽然悄声对谢芳华道：“我觉得留下来也不是个好主意，现在还能反悔走吗？”

谢芳华忍着笑：“搬起石头砸自己的脚，你活该！你若是敢现在跑，你看爷爷还喜欢你不。”

秦铮叹了一口气：“为了娶媳妇儿，也只能忍着了。”

谢芳华刚要再取笑他两句，一只鹰飞进了荣福堂的后园子，盘旋了一圈，落在了谢芳华的肩膀上。

谢芳华看到这只鹰一喜，连忙站起身，走出水榭。

秦铮落子的手一顿，抬头瞅了她一眼，将她脸上毫不掩饰的惊喜神色尽收眼底，抿了抿唇，不太高兴地落了子。

“臭小子，媳妇儿不是拴着就能拴住的！”忠勇侯道。

“我知道，可是总得先拴着变成了媳妇儿，才能再说别的。”秦铮的眼睛不离谢芳华。

忠勇侯闻言大笑了一声：“你将来若不是我孙女婿，我老头子都会觉得这辈子白活了，竟然看走了眼。”

“不会让您看走眼的。”秦铮摇头。

忠勇侯闻言点点头。

谢墨含知道这只鹰是谢芳华用来和一个人专门通信的，自从她回府，这只鹰出现过几次。见谢芳华从鹰腿上拆开信笺后，看了片刻便笑了，他就知道定然是好事了。

不多时，谢芳华看罢信，抬脚向外走去。

“你要去哪里？”秦铮喊住她。

“我去回信，一会儿就回来。”谢芳华道。

秦铮点点头，并没有阻止。

谢芳华抬脚出了后园子。

她的身影消失在门扉处时，秦铮转头对谢墨含问：“你可知道言宸这个人？”

“言宸？”谢墨含挑眉。

秦铮点点头。

谢墨含想了一下，点点头，据实以告：“是从妹妹口中听说过这个名字。她说是她最信任的人，医术极其好。”顿了顿，他看了忠勇侯一眼，见他凝神想着棋路，又隐晦地道，“月前，妹妹请他去北齐看了姑姑的近况。”

秦铮自然得知了北齐皇后病重的消息，闻言点点头：“你对言宸知道多少？”

谢墨含看着他，也不隐瞒：“我只知道妹妹对他十分信任，他显然也有极大的本事能让她信任。据说，她去无名山之后，几次死里逃生，都是因他相助。五年前，无名山发生了一场动乱，便是他们联手制造的，那个人趁机出了无名山，带走了一批人，下山后建立了一个组织，为妹妹回京铺路。”

秦铮的眉头皱了起来：“还有呢？”

“还有，据妹妹说，他与她不一样，妹妹是自愿去无名山，他是被人陷害去的。”谢墨含道，“我知道的，也就是这些了，你若是想知道更多，自己问她吧。”

秦铮揉揉眉心：“北齐皇宫可不是谁都能进去的，也不是谁都能靠近皇后的。”

谢墨含点点头。

秦铮不再说话，面无表情地看着棋盘，不知道是在想棋路，还是在想别的。

言宸的来信很简单，就是告诉谢芳华，她的姑姑已经救回来了，如今他已经离开北齐，踏上了南秦的地界，不多久便能进京了。

燕亭不想回来，就换了一重身份，留在了北齐。

谢芳华推测这封信应该是言宸到漠北时写给她的，而鹰大约飞了三日到京城，也就是说，如今言宸已经离开漠北三到四日了。换句话说，言宸的速度要是快的话，七日之后应该能到临汾镇。

若是言宸到了临汾镇，秦钰不识得言宸，对突如其来的人没有防备，那个孩子言宸也许能得手，而若是抢到了那个孩子，秦钰便没了把柄。

这样一想，谢芳华立即给言宸回了一封信，请他在临汾镇落脚，处理这件事情。

虽然他从北齐不远万里赶回来，立即处理这件事情分外棘手，但也只能辛苦他了。

因为，目前除了他，再无旁人能从秦钰手中夺回那个孩子。

秦铮既然回了京，已经在皇帝和众人的视线之内，便没办法再出去了。

云澜哥哥因为老夫人去世，沉浸在悲痛中，自然没办法再处理这件事情。

言宸回来得正好！

将信写完折好，绑在鹰腿上，看着鹰飞走之后，谢芳华返回后园子，整个人都觉得轻快了些。

后园子内，秦铮向谢墨含询问了一番关于言宸的事情后，便再未说话。

水榭内，气氛有些沉重。

谢芳华回到水榭后，看了忠勇侯、谢墨含、秦铮一眼，奇怪地问："怎么了？"

忠勇侯思索着棋路，自然不理会她。

谢墨含向秦铮的方向努努嘴。

谢芳华的目光落在秦铮脸上，见他面无表情地转着手中的棋子，乌黑的眸子深不见底，她稍稍思量一番，便明了了原因，揉揉额头，原来这是又发脾气了。

只是这回发得无声无息。

她慢慢地坐在他身边，不再说话，看着他和忠勇侯下棋。

棋局受执棋人的心情的影响，渐渐偏向艰深。

谢墨含也不说话，坐在一旁看着。

大约两盏茶后，忠勇侯一推棋盘，气得胡子都翘了起来："混小子，你走的这是什么棋路？有你这样下棋的吗？"

秦铮抬起头，看着忠勇侯："爷爷，我这棋路走得是偏了点儿，但是这难道不是在下棋吗？"

忠勇侯闻言将手里的棋子一扔，瞪眼道："这是偏了一点儿？你看看你，都偏到天边去了！"

"天似乎没边。"秦铮道。

忠勇侯一噎，摆手："不下了！不下了！再这样下下去，我老头子一把年纪也被你带出魔性了。"

"我留下来是为了陪您下棋，您如今不下了，您说，那我再陪您做什么？"秦铮也放下棋子，相较忠勇侯气得吹胡子瞪眼，他则是慢慢悠悠的。

忠勇侯哼了一声："先解决了你和这臭丫头的矛盾再说！我累了，回去歇着，明日你不魔怔了，我们再下！"

扔下一句话，忠勇侯走了。

谢墨含咳嗽了一声："我回去看看云继把我的芝兰苑祸害成什么样了。"

扔下一句话，他也走了。

谢芳华坐在原地不动，看着桌上乱糟糟的一盘棋，爷爷觉得这盘棋偏到没边了，为什么她却觉得这盘棋很好，下到这里不下了可惜呢？

她看向秦铮。

秦铮懒洋洋地靠在椅子上，看着桌上乱糟糟的棋，看不出来在想什么。

她一时拿不准他心里的想法，便也不开口。

过了片刻，秦铮忽然扭头看着她，声音低沉："爷爷刚刚说的话是什么意思？"

他认真地盯着她时，看起来分外端凝，她低下眼睫，平静地道，"爷爷说我们有矛盾，让我们先解决矛盾，等你不再魔怔，再陪他下棋。"

"我们有矛盾？"秦铮扬眉。

谢芳华偏开头："我觉得没有，你觉得有吗？"

"我也觉得没有！"秦铮又扭回头，看着棋盘道，"这么一盘好棋，爷爷偏说是我魔怔，他果然老了！"

谢芳华忽然笑了："嗯，他一个老头子，确实是眼花头晕，已经到了看不出来好坏棋的地步了。我陪你下完吧，怎样？"

"好啊。"秦铮颔首。

谢芳华坐在了忠勇侯的位置上。

棋盘上本就只乱了零星几颗棋子，二人都有着过目不忘的本事，所以很快便恢复了原状。

本来该忠勇侯落子，他没落子便甩袖子走了，所以由谢芳华落子。

秦铮凝眉看着她。

谢芳华寻思了片刻，慢慢地落下一子。

秦铮忽然嗤笑："若是爷爷在，会说你才是最没边的那个人。"

谢芳华摇头："我不觉得。天不是没边吗，棋可不止一面。"

"有道理。"秦铮弯了弯嘴角，思索片刻，也落下一子。

于是，二人你来我往，将下到一半的棋一步一步地走了下去。

半个时辰后，一局棋落幕。

谢芳华一推棋盘，不满地道："还是输了！你耍诈！"

"兵不厌诈。"秦铮也一推棋盘。

谢芳华对他瞪眼："别以为我没看见你趁我喝水的间隙偷梁换柱了！"

"可是你也趁我喝水的间隙暗度陈仓换了我的棋子。"秦铮扬眉。

谢芳华又气又笑："你换了两次，我换了一次！"

"既然都是作弊，一次两次有何区别？"秦铮看着她。

"无赖！"谢芳华站起身，离开水榭。

秦铮也站起身，跟了出去，见她脚步有些快，问她："你走那么快干什么？"

"不想和你这个无赖走在一起！"谢芳华回了一句。

秦铮忽然一把拽住她，从后面将她整个人抱住，脑袋枕在她的肩膀上，低声问："不想和我这个无赖走在一起？可是你已经和我有婚约了，这不是比走在一起更严重的事儿？嗯？”

谢芳华失笑，伸手打他。

秦铮挨了两下，对她道：“福婶做的饭菜不好吃，晚膳我要吃你做的。”

“我输了棋没心情做饭！”谢芳华赌气地道。

秦铮眨眨眼睛，忽然一笑：“输了棋的人没心情做饭吗？”顿了顿，“那赢了棋的人做饭吧，怎样？”

谢芳华脚步一顿，怀疑地问：“真的？”

“假的。”秦铮扭头向前走。

“男子汉大丈夫，君子一言，快马一鞭，出尔反尔你还是男人吗？”谢芳华抬脚跟上秦铮，不放过他。

“我是不是男人，你不是最有发言权吗？”秦铮头也不回。

谢芳华一噎。

二人一前一后出了荣福堂的后园子。

福婶本来正要进园子，见二人走出来，连忙笑呵呵地问：“铮二公子，小姐，您二人晚上想吃什么？奴婢好给您二人做两个爱吃的菜。”

“晚上有人做，福婶不用做我们两个的份儿了。”秦铮回头瞅了谢芳华一眼道。

谢芳华也点点头：“嗯，晚上有人做，您不用做我们两个的份儿了。”

福婶讶异：“谁做？小姐，您吗？”

谢芳华不答话，对她道：“你去问问云继哥哥爱吃什么，给他做一些爱吃的好了。”

说话间，二人脚步不停，一起出了荣福堂。

福婶愣愣地站了半晌，直到二人走得没影了，也没明白二人话里的含义。

一路再无话，秦铮和谢芳华回到了海棠苑。

秦铮径直向主屋走去。

谢芳华一把拽住他：“去厨房！”

秦铮摇头：“君子远庖厨。”

“你不是君子！”谢芳华伸手推他，“赶紧的，去厨房！”

秦铮看着她：“你还真让我做？我来忠勇侯府小住，是客人。”

“有你这样比主人的派头还大的客人吗？”谢芳华扬眉，威胁道，“若是你不去给我做饭，今晚我就不准你再住在海棠苑！”

“你说错了，应该不准我住进你的闺房。”秦铮纠正她一句，然后顺了她的意去了小厨房。

谢芳华见他去了，转身向主屋走去。

侍画、侍墨对看一眼，齐齐跟上谢芳华，悄声问："小姐，我们可否去小厨房给铮二公子帮忙？毕竟若是找什么食物，铮二公子不能自己去大厨房找啊。"

谢芳华摆摆手。

二人见小姐应允，一起去了小厨房给秦铮帮忙。

谢芳华回到房间，懒洋洋地躺在软榻上，闭目养神。

不多时，小厨房传来一股饭菜的香味，说明秦铮已经做上了。

香味顺着敞开的窗子飘进屋，谢芳华暗暗想着，怪不得在英亲王府时秦铮爱"奴役"她，等着别人做好饭菜自己吃的感觉实在是难以形容。

又过了片刻，饭菜的香味更浓郁了。

虽然外面的天色还早，午膳吃得也不少，谢芳华却觉得有些饿了。

她忽然很想看看秦铮是怎么做饭的，于是站起身，出了正屋，走向小厨房。

到了小厨房后，她倚在门框上往里面看，只见侍画、侍墨一个在烧火，一个在洗菜择菜，秦铮这位公子爷只管站在锅前把着铲子，模样不像是大厨，倒像是在锅里画画。

清俊挺拔，实在赏心悦目。

秦铮知道谢芳华来了，回头瞅了她一眼，继续做自己的事情。

侍画、侍墨百忙之中只看了谢芳华一眼，便一点儿也不敢怠慢地做着秦铮吩咐的事情。她们是怎么也想不到铮二公子竟然会下厨，她们自小舞刀弄剑，这做菜的事儿，也是不会的。

"做什么好吃的？好香啊！"谢云继熟悉的声音传来。

谢芳华转过头，便见一道身影从墙外跳了进来，正是谢云继，还将她的一株美人蕉给踩了，她不满地道："有门不走，跳什么墙，我的花都被你踩了！"

"一株普通的美人蕉而已。"谢云继拍拍从墙上蹭到的土，走了过来，"谁在做饭，这么香！"

"没谁！"谢芳华伸手关上了小厨房的门。

谢云继仔细地看了她一眼，忽然笑了："芳华妹妹，你可不能没心肝，过河就拆桥，昨日你为了秦怜将我赶出了海棠苑，我可什么都没说，今天在这儿做好吃的，你还要藏着掖着？"

谢芳华瞪了他一眼："谁藏着掖着了？"

"那你见我来了关门做什么？"谢云继盯着她。

"我是怕你吓跑了我好不容易请的大厨。"谢芳华道。

谢云继啧啧了一声："你不说我也知道里面做饭的人是谁。"顿了顿，他大发感慨，"英亲王府的铮二公子亲自下厨啊，可真是耸人听闻的大事！你说，我要不要帮你传得满京城皆知，让所有人都重新认识认识铮二公子？"

“我看你可真是闲得没事情做！”谢芳华白了他一眼。

“我可不是没事情做吗？”谢云继叹了口气，“秦钰的隐卫在外面等着揪我，我打不过，不能出去，但在这忠勇侯府里又没个人可玩，好闷啊！”

“你昨日在我海棠苑就和秦怜打架，今天在哥哥的芝兰苑又将人家欺负成那个样子，你还没事情可做？”谢芳华看不过他睁眼说瞎话。

“可是如今她走了啊！”谢云继摊摊手，“现在不是开始闷了吗？”

“所以你就要帮秦铮传传名声？”谢芳华知道谢云继的性子，风流倜傥，这么多年，大约没碰过硬钉子，这一回，秦钰手下的皇室一等隐卫可真是让他碰了一回硬钉子。

谢云继勾唇一笑：“咱们谢氏的姑爷，能文能武，上得厅堂，下得厨房，这是让多少闺中小姐背地里嫉妒死你的事儿啊，传出去，也是好事。”

谢芳华哼了一声：“你若是不怕秦铮将你放锅里炒了，你就只管去传！”

谢云继唔了一声：“这事儿得好好想想。”话落，他似乎真的认真思索了一下，然后问，“秦铮的铲子有他的剑厉害吗？”

谢芳华好笑地反问：“你觉得呢？”

“我觉得……”谢云继看着关闭的小厨房的门，半晌，才说，“他做的菜一定还不错，应该不次于玲姨。他曾经破坏了我的阵法，又端走了我的野味，我蹭一顿饭，不为过吧？”

谢芳华想了想，的确不为过，便对里面喊：“秦铮，多做一个人的饭出来。”

秦铮在里屋没答话。

“听到你未来媳妇儿的话了吗？给我多做一份！”谢云继也对里面喊。

谢芳华闻言使劲踩了谢云继一脚。

谢云继哎呦了一声，抱着脚没了声。

“嗯，听到了！只要堂哥以后有个做堂哥的样子，一顿饭算什么！”秦铮在里面回道。

谢云继抽了抽嘴角：“我自然有堂哥的样子！”话落，他放下脚，敲了一下谢芳华的脑袋，“臭丫头，有人给你做饭，好好地等着就是了，做什么这般没出息还出来站着吹冷风守门框？走，跟我回房间等着去！”

话落，他优哉游哉地抬脚往正屋走。

谢芳华又气又笑，站着没动，继续靠在门框上等着。她一直觉得自己有出息的事情做得多了，偶尔没出息一次，也没什么，是不是？

谢云继走了两步，见谢芳华没跟上，摇摇头：“唉，女大不中留！”然后进了屋。

谢芳华当没听见。

大约过了两盏茶的时间，小厨房的门从里面推开，谢芳华让开门口，秦铮从里面走了出来。

虽然在厨房被油烟熏了一番，但他一点儿油污没沾，依旧俊逸秀雅。

谢芳华看了他一眼，笑着问：“做了几个菜？”

“六个。”秦铮道。

谢芳华眨眼：“这么多！”

“不是有蹭饭的吗？”秦铮听到脚步声，回头瞅了一眼，慢声道，“还不止一个。”

谢芳华转头看去，只见谢墨含也进了海棠苑，她失笑：“哥哥也是闻到味儿来的？”

“将爷爷一个人扔在荣福堂，实在有些不忍，不过他还没从那盘棋上回过神来，不告诉他也罢。”谢墨含笑着道。

那盘棋啊……谢芳华缓缓地笑了：“我和他下完了。”

谢墨含哦了一声，讶异地道：“那样的棋，你们竟然下完了？谁赢了？”

“耍赖的人赢了，所以，他下厨补偿我。”谢芳华笑道。

谢墨含看了秦铮一眼，见秦铮也不反驳，他了然地笑了。

侍画、侍墨从厨房里端了托盘出来，上面摆放着秦铮做好的六个菜，色香味俱全。

“有口福了！”谢墨含道。

“比糖和盐不分的人强。”秦铮道。

“嫌弃我糖盐不分的话，以后都归你做！”谢芳华佯装嗔怒。

“没嫌弃，我在说事实。”秦铮向正屋走去。

谢芳华想到今日早上有两盘菜她都将糖和盐放错了，他却一声不响地吃了，不由得笑了。

谢墨含走在后面，看着谢芳华绽开的真心的笑容，又看了一眼已经进屋的秦铮，也露出了笑意。

当晚，秦铮自然又住在了谢芳华的闺房，虽然同床共枕，但到底守礼，没做什么。

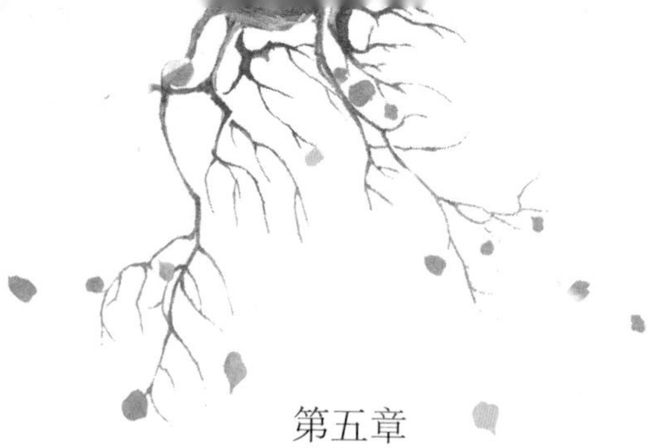

第五章
劝慰云澜

京　门　风　月

第二日一早，谢芳华是被一双眼睛盯醒的，她慢慢地睁开眼睛，果然见秦铮正偏着头看着她，一双眸子如暖春的泉水一般，清澈纯净，她整个人似乎被罩在了他的眸光里。

谢芳华与他对视片刻，又闭上了眼睛：“你早就醒了？”

秦铮嗯了一声，嗓音清润。

“睡醒了还赖床做什么？”谢芳华翻了个身。

“还不是怕吵醒你。”秦铮懒洋洋地道，“还是睡着的你比较可人。”

谢芳华无语，她也觉得睡着的他看着更舒服。她抬眼看了一眼天色，见已经大亮，对他道：“是你去小厨房做早膳，还是让福婶做好端来？”

“你去做早膳！”秦铮哪个都不选。

“为什么？”谢芳华反问。

“我小住在忠勇侯府的这几日里，你负责做早膳，我负责做晚膳，午膳我们一起去陪爷爷吃。”秦铮道，“若是你不做早膳，晚膳我也不做了。”

谢芳华想了一下，昨日的晚膳秦铮做得的确好吃，但还是让她很不舒服，因为她辛苦学的厨艺竟然没他的厨艺拿得出手，但这就是事实。有人天生就是来打击人的，秦铮就属于这种人。她点点头，同意了：“好吧。”

“那你快去吧！”秦铮开始催她起床。

谢芳华推开被子，下了床，去屏风后换了衣服，然后走出来梳洗。跨出门槛的时候，她忽然觉得有什么不对，看向还躺在床上的人：“你还不起床？”

“再睡一会儿，早膳好了喊我。”秦铮嘟哝了一声，又闭上了眼睛。

谢芳华无语地看着那个赖床的人，出门去了小厨房。

秦铮真的又睡了。

半个时辰后，谢芳华从小厨房出来，回到房间，见秦铮还睡着，于是走到床边喊他。

秦铮悠悠醒来，抓住她的手，轻声道：“若是每日早上你都喊我起床，这辈子想想便有滋有味。”

谢芳华瞪了他一眼：“想得美！”

“不是只想想，是一定要变成事实。”秦铮睁开眼睛，坐起身，伸手一把将她抱进怀里。

“你干什么？赶紧去梳洗吃饭了！昨日你懒了一天，今日皇上还会放任你？一会儿估计又会派人来喊你，你还能再拖着不进宫？”谢芳华伸手推他。

“就抱一会儿！”秦铮固执地抱着她。

谢芳华闻到他身上在落梅居浸染出的隐隐梅香，曾经不适应，但被他屡次缠着，已经适应了，只能无奈地任他抱着。

秦铮感觉到她的乖顺，勾了勾嘴角，过了片刻，才不舍地放开她，去梳洗。

谢芳华转身凝视了他片刻，然后转回身，将帷幔挂上，将被褥叠起。

秦铮梳洗妥当，侍画、侍墨也端来早膳。

二人刚吃了几口，侍书便进了海棠苑，对里面禀告：“小姐，宫里的吴公公又来传话给铮二公子，说今日他若是再不听召唤进宫，皇上就亲自来府里。”

谢芳华闻言看了秦铮一眼，想着秦铮可真是能耐，当年的德慈太后和英亲王妃联手疼宠他，将他宠成了怎样无法无天的性子，才会成为如今普天之下唯一能让皇上亲自来请的人。

“行，知道了。你告诉他，我一会儿就进宫。”秦铮漫不经心地对外面道。

侍书应声，转身出了海棠苑。

“沈妃和沈氏的事情，你是怎样处理的？”谢芳华低声问。

“还能怎么处理，自然是将秦钰拿住的人给杀了，把痕迹给抹平了。没有把柄证据，沈妃和沈氏还能有什么事儿！”秦铮道。

谢芳华知道他虽然说得轻巧，但办起来一定不简单，不过既然没事了，她也就不细问了，只道：“你进了皇宫小心一些！”

秦铮忽然笑了：“你是怕皇叔杀了我？”

谢芳华摇头：“杀了你倒不至于，但是给你找些麻烦还是可以的。”

“放心吧。如今已经是三月，距离汛期没有多久了。临汾桥毁了，一旦降下暴雨，对周遭数千亩良田和百姓来说便是大灾。他如今除了彻查法佛寺失火，还要彻查临汾桥被毁，还要立即找到能工巧匠，重新修筑临汾桥，赶在汛期前完工。他事情这么多，哪里还顾得上找我的麻烦？”秦铮道。

谢芳华想想也是。

“不过你能担心我，证明心里已经有我了。”秦铮给她夹了一筷子菜，满面春风。

谢芳华瞪了他一眼。

“那只猫呢？”秦铮忽然想起回来还没看到过她在平阳城临走时他送的那只猫。

谢芳华想了一下：“当日晚上，在城门口，我下车了，那只猫没下车……”她不确定地道，“在云澜哥哥那里吧。”

秦铮闻言顿时对她不满：“我送你的猫，你怎么能随意扔掉？”

“没扔掉，应该就是在云澜哥哥那里。”谢芳华一边回忆一边对他解释，“那日谢氏米粮很多人围在城门口迎接云澜哥哥，哥哥单独到城门口接我，场面乱糟糟的，我乍然见到哥哥，便忘了那只猫。我下车前，它在云澜哥哥的车里睡觉。”

秦铮哼了一声：“拿我送你的东西不当回事！若是谢云澜送你的，你一定不会忘。”

谢芳华闻言皱眉：“那只猫本来也不是你的，是你从平阳县守夫人手里夺来的。你怎么好意思？我还没说你呢！”

“那有什么不好意思的？”秦铮冷哼一声，“我让他给你找个玩物，他将他夫人的猫送上来，又不是爷逼他的。”

“那只猫确实漂亮！平阳县守夫人不知道会心疼成什么样子。”谢芳华道。

“她用一只猫换个平阳县守平安，哪里还会心疼！”秦铮不以为然，话落，对谢芳华道，“反正我送给你的东西，你不能丢了，稍后你就给我去找回来。”

谢芳华点点头，没有他提醒，她的确已经忘了那只猫了。她品味了一下秦铮的话，难道秦铮在平阳城时是想对平阳县守出手的？

二人不再说话。

秦铮吃过早膳便出了海棠苑。

谢芳华在窗前坐了片刻，喊来侍画、侍墨：“去打听一下，云澜哥哥今日在做什么。”

侍画、侍墨应声去了。

不多时，二人便回来了，对谢芳华禀告：“今日是谢氏米粮老夫人故去的第三日，云澜公子昨日夜里给老夫人守灵，昏倒在了灵前，便被送回了自己的府里，如今在他自己的府里。”

谢芳华闻言立即站起身："他怎么会昏倒？"

"据说从老夫人离开后，他一直不吃不喝，身体自然是受不住的。"二人立即道。

"备车，我现在就去云澜哥哥府上！"谢芳华吩咐了一句。

二人点点头。

谢芳华换了一身素净的衣裙，收拾了一番，便出了海棠苑。

途经芝兰苑，谢云继坐在芝兰苑的墙头，嘴里衔着一根草，正哼着小调，一副百无聊赖的模样。见谢芳华脚步匆匆似乎要出门，他立即在墙头喊："芳华妹妹，你要去哪里？带上哥哥我呗！"

谢芳华偏头看了他一眼："我去云澜哥哥的府邸，你要去？"

"云澜啊，听说他昨日夜里晕倒了。"谢云继唔了一声，跳下墙头，"府中实在无聊，我也跟你一起去看看他。"

谢芳华见他真要去，道："你不怕出去遇到谁脱不开身？"

"不是有你在吗？你可以保护我！"谢云继道。

谢芳华想着谢云继说出这样的话竟然不会不好意思。不过，她也觉得，有她在，皇室隐卫不太可能从她手中抓走谢云继。她点点头："那就走吧。"

谢云继闻言立马脚步轻快地跟上她。到了忠勇侯府门口，上了侍画、侍墨吩咐人提前备好的马车，谢芳华吩咐车夫前往谢云澜的别苑。

谢云澜自从脱离出谢氏米粮后，便自己建了府邸。与在平阳城时一样，在郊外的南山上，十分清静。当然，对外是说云澜公子喜欢清静，不喜打扰，加之他身子虚弱，郊外适合静养，因此他脱离谢氏米粮的消息并没有传出去。

马车径直出了南城。

一路十分顺畅，大半个时辰后，便到了谢云澜在京城的府邸门口。

这是一片山林，院落依山而建，与平阳城的一般幽静。

侍画、侍墨先跳下马车，叩响门环。

谢芳华和谢云继挑开帘幕，一前一后下了马车。

门环响了两声后，有人从里面探出头，向外看了一眼，询问："何人？"

"忠勇侯府的芳华小姐，还有谢氏盐仓的云继公子，前来看望云澜公子，劳烦通报一声。"侍画客气地道。

门里那人惊讶了一下，点点头，通报去了。

谢云继倚在车旁，看着南山坡的大片山林，伸手向南一指："过去那座山头有一大片草坡，很多人都在那里放风筝。芳华妹妹，一会儿咱们去那里放风筝吧。"

谢芳华想起秦铮昨日就说要放风筝，她摇头："哪有那个闲空？"

"怎么没有？"谢云继道，"如今还有什么事情使得你没空？"

“有空也没什么心情！”谢氏米粮老夫人临终的话，就如一片云雾，压在谢芳华的心头。她想忽视，但是忽视不得；她想重视，却又无从重视起来，总之，飘飘荡荡，没有着落。

“心情不好都是自己和自己过不去。”谢云继抬头望着蓝天，悠悠地道，“谢氏的将来，无论是好是坏，只要我们做了该做的，便无愧于心。若日日烦恼担忧那些没发生的事情，这日子就没法过了。”

谢芳华笑了一下，没说话。

过了片刻，门从里面打开，风梨匆匆走了出来，对二人见礼：“芳华小姐，云继公子，里面请！”

“云澜哥哥可好？”谢芳华对风梨询问。

风梨摇摇头：“公子虽然一直有准备，但是老夫人去了，他还是伤心至极。”顿了顿，她低声道，“您可能不知道，这么多年来，老夫人在谢氏米粮，哪怕是病着、痛着，哪怕公子不见她、不在她身边，但只要她在，公子就觉得安心，她是公子的支柱。如今这一去，公子整个人的精神就跟被击垮了一样，不吃不喝，任我怎么劝都不管用。”

“如今还不吃不喝？”谢芳华皱眉，她上辈子就知道谢氏米粮老夫人对云澜哥哥的重要性了。

风梨点点头：“公子刚醒不久，我给他端上饭菜，他却一动不动。芳华小姐，就算您不来我也想去请您来劝公子了。”

谢芳华点点头：“我去劝劝他！”

风梨赶忙带着二人进了内院。

内院布置得甚是典雅精致，但谢芳华无心欣赏。

来到一处主院，风梨带着二人径直来到主屋门口，挑开帘幕，请二人入内。

谢芳华抬脚迈过门槛，谢云继也跟了进去。

室内，谢云澜半躺在床上，脸色苍白，桌案上摆着饭菜，屋中一股沉闷的气息。

谢芳华皱了皱眉，走到床边，喊了一声：“云澜哥哥！”

谢云澜抬起头，看了她一眼，朝她和她身后一同进来的谢云继点了点头，声音沙哑地开口：“其实不必劳动你们来看我，我没事，坐吧。”

“你这叫没事？”谢芳华坐在床头，对他道，“赶紧起来吃饭！”

谢云澜摇摇头：“吃不下。”

“吃不下也要吃！”谢芳华伸手拽他，“你昨夜都昏倒了，不吃不喝，铁打的身子也受不住，更何况你的身体本来也不好。”

谢云澜抿唇："若不是因为我，祖母也不会病了多年。"

谢芳华拽着他的手一顿。

"你也知道老夫人是为了你才病了这么多年，那你就争气点儿！她如今可是尸骨未寒，你若是有个好歹，对得起她？"谢云继嗤笑一声，"我一直觉得你比我有出息，如今看来我高看你了。"

谢云澜看向谢云继："我哪里比你有出息了？"

"皇上对付谢氏米粮，想将谢氏米粮吞噬变成皇室米粮，可是你生生从他手里抠出了半个粮仓，这难道不是出息？"谢云继反问。

"保下谢氏米粮，我也是为了祖母，不想祖宗留下的祖母护了半辈子的心血毁于一旦而已。"谢云澜摇摇头。

"不管怎么说，有本事就是有本事！"谢云继摆摆手，"你应该想想，老夫人痛苦了这么多年，如今去了，算是解脱了，你该替她高兴才是。若是你折腾自己，她在天上看着难道不心疼？若说她前半辈子为的是谢氏米粮，那么后半辈子可全是为了你。"

谢云澜抿唇，不再说话。

"云澜哥哥，你如此聪明剔透的人，怎么如今却钻了牛角尖，想不开了？"谢芳华伸手拽他，"快去吃饭！你想想，若是你倒下了，皇上会不会立即对你夺得的粮仓出手，报了你从他手中脱离的一箭之仇？"

谢云澜叹了口气。

"所以，你不能有事！你很重要，你知不知道？"谢芳华见他面色松缓，用力地将他拉下床，拽着他走到桌前坐下，给他盛了一碗粥放在面前。

"因为临汾桥被炸毁之事，皇上如今将目光全放在了临汾桥上，无暇顾及其他，你得赶紧打起精神来。"谢云继坐在一旁的椅子上，敲了敲桌面，"秦钰已经开始对付我了，也就是要对付谢氏盐仓了。我如今躲着他和他的皇室一等隐卫，但是躲得了初一，躲不过十五，你得帮我。"

谢云澜接过谢芳华递到他手里的筷子，点了一下头。

"先别说话了，让云澜哥哥好好吃饭！"谢芳华将谢云澜爱吃的菜挪到他面前，"这几个菜，你都吃一些，然后喝两碗粥。你这几天没吃饭，也不能多吃。"

谢云澜点点头。

"喂，芳华妹妹，我怎么觉得你对他比对我好多了！同是堂哥，怎么区别这么大？"谢云继有些不满地道。

"你的身体好好的，自己能照顾自己，哪里还用别人盯着？若不然，你同云澜哥哥换换身子，我也对你区别对待。"谢芳华嗔他。

"那算了！他那副破身子，也就他不是人挺得住！"谢云继闻言敬谢不敏。

谢芳华试探地对谢云澜轻声道："云澜哥哥，你的身体除了因为没好好吃饭晕倒外，没有什么其他的不适吧？"

"没有。"谢云澜摇头。

谢芳华见他眉心没有紫气，知道焚心没发作，放心了些。

谢云继坐了片刻便坐不住了，问谢云澜："喂，你这府邸里有风筝吗？"

谢云澜偏头看向风梨："有吗？"

"有吧，得去找找。"风梨不确定地回话。

"那你快去给我找找，我要去放风筝，这屋子里待着太闷了！"谢云继摆手。

风梨立即去了。

不多时，风梨找来了一只大风筝，对谢云继道："我们府里有一个扎风筝的伯伯，他负责打扫院子，闲来无事便扎风筝，比外面买的风筝还要好。云继公子，您看这只怎样？是我从一堆风筝里选出来的。"

谢云继接过风筝，上下翻看了一眼，点点头："不错！"说着，他站起身，对谢芳华道，"走，去放风筝！"

"你自己去吧。"谢芳华摇摇头。

"没趣！"谢云继撇嘴，"那你们待着，我去南山坡放风筝，你走时喊我一声。"

"你小心，别被人揪住！"谢芳华道。

"哎呀，也是！"谢云继皱眉，"那你们与我一同去！你们在的话，我就不怕了。"话落，他对谢云澜道，"你快些吃。看你气色这么差，在屋中总闷着也不好。你给老夫人守了三个晚上的灵，也算是尽孝了。接下来便等着七日之后出殡你再去吧，反正你也不喜谢氏米粮府里的气氛。"

"云继哥哥说得也对。云澜哥哥，你就算不放风筝，也出去散散步吧。"谢芳华点头。

"也好。"谢云澜颔首。

三人就此商定。

半个时辰后，谢云澜勉强吃完谢芳华让他吃的饭菜，放下筷子。

谢云继立即拿着大风筝出了房门，谢云澜和谢芳华慢步跟在他身后。

出了别苑的府邸，三人向南山坡走去。

翻过一座山坡，果真如谢云继所说，是一片平坦的大草坡。如今正是刚开始放风筝的时节，已经有很多人在这里放风筝。

谢云继立即选了一处风向好的地方，开始放他手中的大风筝。

谢芳华和谢云澜则选了一处地方坐下来，看着谢云继。

谢云继显然对放风筝不怎么在行，所以放了半晌还是没放上去。他回头喊谢芳华：

“芳华妹妹，过来帮我！”

谢芳华看着风筝。放风筝还是上一辈的事儿，闺阁小姐们最喜欢的，就是放风筝了。她一边站起身，一边嘲笑谢云继：“你好笨！”

谢云澜只能受她嘲笑：“那让我看看你有多聪明！”

“你的风筝太大了。”谢芳华接过风筝，对谢云澜招手，“云澜哥哥，你过来，让云继哥哥拿着风筝，你帮我捯线。”

谢云澜只能站起身。

三人一起果然比一个人利落，很快就将风筝放到了半空中。

正当三人都朝着一个方向看着风筝时，后方忽然响起一个声音：“咦？这不是忠勇侯府的芳华小姐吗？马上就到三日了，我的那盆莲花兰可是养活了？”

谢芳华听到熟悉的声音，慢慢地转头，朝着声音的来源看去。

两日前，虽是深夜，但是她记住了轻水楼画堂里下棋的两个人的模样。

如今，一个人头上戴着斗笠，轻纱遮面，一个人什么也没遮掩，一人拿了一只风筝，正从后方走来。

没遮掩的那人正是那日深夜拦在秦铮马前不让她离开，还让她做兰花的男子。

谢芳华没有立即答话，而是对着二人挑了挑眉。

谢云继和谢云澜闻声同时回头，将二人打量了一遍，谢云继皱了皱眉，谢云澜面色如常，看不出什么情绪。

“芳华小姐这个模样莫不是不认识我二人了？”云水扬眉。

言轻并没有说话。

谢芳华淡淡一笑：“三日还没到不是吗？两位公子如此特别，我即便记性再差，也记得住。”

“三日的确没到，不过我现在就很好奇，芳华小姐是否将莲花兰给养死了。”云水似笑非笑地看着谢芳华。

“没到时间，云水公子担心得太早。”谢芳华淡淡撇开头，不欲多说。

“这两位公子是何人，芳华小姐不介绍一下吗？”云水眸光掠过，打量着谢云继和谢云澜，笑得意味深长，“在下以为以铮二公子对芳华小姐的在意，是不会准许别的男人亲近的，可如今莫不是我眼花了？不是一个，而是两个？”

谢芳华颦眉，脸色微沉：“这两个人是谁，我似乎没有必要向公子你解释。”

“也是。”云水微笑，语气微带轻佻，“毕竟我们不是铮二公子。我只是奇怪，铮二公子怎么没陪着芳华小姐？”

“这位仁兄，你的奇怪真是太多了！”谢云继接过话，向前走了一步，似乎要勾住对方的肩膀。

谢芳华看着谢云继的举动，忽然道：“云继哥哥，他不知道你没关系，你不知道他可不行，他是翠红楼新开的门面轻水楼的公子。”

谢云继要勾肩搭背的手一僵，顿时缩了回来，脸色惊讶：“怪不得闻到一股脂粉味，原来是出自翠红楼新开的门面轻水楼，啧啧！”

云水脸色一寒。

“咦？不对啊，小丫头，你怎么识得他们？”谢云继扭头看向谢芳华。

云水这时忽然讽笑道：“两日前的夜里，忠勇侯府的芳华小姐夜逛翠红楼的轻水楼，可是我们两个人接待的，如何能不认识？”

谢云继一呆，看着谢芳华，似乎不太相信。

谢芳华不搭理谢云继，慢慢地转过身，继续放风筝，同时沉静地道：“三日一到，莲花兰一定送上门，两位公子放心好了。”

“忠勇侯府芳华小姐一诺千金，三日后，若是没有活的莲花兰，你可要记得自己说过的话。”云水笑了一声，抬脚离开。

言轻跟着他抬脚，自始至终，一句话没说。

谢云继看着二人慢慢走远，回转身，靠近谢芳华：“喂，芳华妹妹，你似乎做了什么有趣的事儿，跟哥哥我说说呗。”

谢芳华看着半空中的风筝：“你不是来放风筝的吗？”

“可是我忽然觉得你这件事情比较有趣。”谢云继道。

谢芳华笑了笑，倒也不隐瞒，简略地说了经过。

谢云继听罢后，轻哼一声：“好胆大的清倌，竟然不将秦铮看在眼里，他们是什么来路？”

“像是北齐人。”一直没说话的谢云澜道。

“北齐人？”谢云继眼睛眯了眯。

“南秦和北齐虽然分国而治，但是不封锁商贸，商贾一直互有来往，而秦楼楚馆这等勾栏脂粉之地，是不管南秦人还是北齐人的。”谢云澜看向那两人离去的方向，“京城有北齐人也不奇怪，北齐的皇都也有南秦人。”

“京城有北齐人是不奇怪，但是有胆子大到竟然敢挑衅秦铮的北齐人就奇怪了。”谢云继看着谢云澜，“你不觉得奇怪吗？”

“这要看翠红楼背后的主子是谁了。”谢云澜语气平静。

“翠红楼背后的主子是谁一直以来不都是众所周知的事儿？是岭南裕谦王啊！”谢云继道，“他年少在京城时，喜欢上了翠红楼的红姑，但红姑不愿意跟他去岭南，于是他盘下了翠红楼送给红姑，红姑留在了京城，守着他们的初遇之地。”

“裕谦王？”谢云澜笑了笑，“我看未必。”

谢云继扬眉："难道另有隐情？"

谢云澜不答话，对他道："必须带着风筝跑起来，才能借着风力放得更高。"话落，他将绳线给了谢云继。

谢云继闻言也不再深究，拿着卷线的轴跑了起来。

谢芳华也松开了手。

随着谢云继的奔跑，风筝渐渐地飞上了天空。

谢芳华看着风筝随风颤颤地向高处飞去，对谢云澜轻声道："云澜哥哥，我已经让哥哥去查那两个人了。"

谢云澜颔首："要小心一些！据我的感觉，翠红楼除了和南秦皇室有关联外，还与北齐的皇室有关联，不是个简单的地方。"

"说与南秦皇室有关联倒也罢了，在京城能做到第一青楼，自然不会没有靠山，可是与北齐皇室也有关联，南秦皇室能允许？"谢芳华奇怪地道。

"也许是南秦皇室没有察觉翠红楼与北齐皇室有关联，也许是即便察觉了，也睁一只眼闭一只眼。"谢云澜道，"翠红楼不止有一个老鸨。"

谢芳华点点头。

谢云澜看向跑远的谢云继，抿了抿唇："另外，让云继小心一些。"

谢芳华一怔，瞳孔倏地缩了缩："云澜哥哥的意思是……"

"不止是四皇子秦钰！"谢云澜道，"我看刚刚那两个人，其中一个人头戴斗笠面纱，虽然只露出一双眼睛，但我觉得他乍看到云继时的目光不太对！"

"怎么个不对法？"谢芳华刻意将声音压低了些，靠近谢云澜。

谢云澜寻思了一下："看不太懂，但是应该有杀机。"

谢芳华点点头，忽然道："关于云继哥哥的身世，云澜哥哥，你是知道一些的吧？"

谢云澜颔首。

"他本不该背负属于谢氏的责任，偏偏他虽然不是出生在谢氏，却是养在谢氏。"谢芳华看向跑远了的谢云继，风筝在他的手中越放越高，"当初是我将他找到，拉到我身边，自然要对他承担一份责任。"

"他能被谢氏盐仓的当家人选为继承人，自然不是无能之辈。"谢云澜也看着谢云继，"只是他的身世恐怕会是个麻烦。"

谢芳华抿起嘴角。

二人沉默地看着谢云继，不再说话。

谢云继跑了一圈，将所有的线都放没了，只攥着一个线轴，然后跑回来对着二人道："你们在聊什么？一个个脸色这般沉重！"

“将线给我。”谢芳华对他伸手。

谢云继将线递给她。

谢芳华拿着线轴，向着更高的山坡走去。

谢云继偏头看向谢云澜，胳膊搂着他的肩膀：“嗯？你们在聊什么？”

谢云澜扒开他的手：“在聊你的身世。”

谢云继的身子忽然绷直了：“我的身世？你们知道了什么？”

“你一直暗中在南秦查，可有想过去北齐查？”谢云澜看着他。

谢云继忽然嗤笑：“谢氏忠心为国，哪怕南秦皇室一心要除去谢氏，谢氏也不会反了南秦皇室。谢氏盐仓一直依附、辅助忠勇侯府，同样忠君为国，你觉得他会收留别国的孩子还培养成为谢氏盐仓的接班人吗？”

谢云澜摇摇头。

“你看，连你也觉得不可能。”谢云继笑了一声。

“一个谢氏盐仓也许查不出来，但若是有谢氏米粮和忠勇侯府的势力去查呢？”谢云澜看着谢云继，“这样的话，你还想查吗？”

“若是有谢氏米粮和忠勇侯府的势力去查，应该是不难。”谢云继忽然将手捂在脸上，然后，慢慢地坐在了草地上。

谢云澜站在一旁看着他。

过了许久，谢云继忽然放下手，摇摇头，苦涩地一笑：“我一直执着于查清自己的身世，父亲越是不想让我查，我越是想要查个清楚，慢慢地，多年下来，竟然成了我心中的执念。可是今日，经你一说，我才发现，我也许并不是那么想弄清自己的身世。”

谢云澜不语。

“生在谢氏，小时候要一直训练，学文习武，吃了不少苦；长大了要接管家业，肩负责任。这么些年，一步步走来，我成了谢氏盐仓的继承人，本来觉得，尽我所能，护谢氏盐仓一日是一日，若是皇上要除去谢氏，我已经护不住的时候，就一走了之。”

谢云继看向谢芳华走去的山坡，缓缓地继续道：“可是从去年除夕夜里，见到芳华妹妹，后来我去寻她，跟她一番谈话，见她一个弱女子，一心要肩负起忠勇侯府和谢氏的责任，我便忽然觉得，谢氏盐仓养了我这么多年，不是生于谢氏，但也是谢氏人了，我没有理由不管谢氏，眼看着它灭亡。那时候，她说覆巢之下无完卵，我就突然发觉，也许我不是那么不在意谢氏倾覆，不是那么想要一走了之，不是那么想要摆脱谢氏。”

谢云澜忽然也坐下身，看着天边道：“我曾经也想过，若我不是谢氏的人该多好，但是祖母明明白白地告诉我，我身上流的就是谢氏的血。守护谢氏米粮，是我的责任。”

“所以你就在皇上对谢氏出手时，从他手里夺回了一半的粮仓，给他了一招‘黑虎掏心’？”谢云继拍拍谢云澜的肩膀，“这是你的本事！若是我，做不到。”

“你不是做不到，而是从来没想去做。”谢云澜摇摇头。

“也许。”谢云继不置可否。

谢云澜不再说话。

谢云继也不再说话。

二人同时看向谢芳华。

过了片刻，谢云继忽然讶异地道：“她在做什么？”

“看起来要将风筝放飞。”谢云澜道。

“臭丫头，我还没放够！好不容易放起来的风筝，她干吗要放飞？”谢云继当即要站起身阻止。

“据风梨所说，我府中多的是风筝。她愿意做，必有她的道理，你去了也挡不住。”谢云澜伸手拦住谢云继。

谢云继有些不甘心，但到底没有强硬地阻止，而是重新坐了下来。

不多时，谢芳华果然将风筝放飞了，风筝在天空中，随着风，飘得更高更远了。

她站在山坡上望了天空片刻，然后转身走了回来。

来到近前，谢云继自然不满地向她询问理由。

谢芳华回首看了天空一眼，已经看不到风筝的踪影，她淡淡地道：“云继哥哥，皇室和谢氏，一个如同风筝，一个如同放风筝的人。你说，目前，谁是风筝，谁是放风筝的人？”

谢云继眨眨眼睛。

“风筝想要飞向更高的地方，而放风筝的人手里一直攥着线。”谢芳华平静地道，“在皇室的眼里，谢氏是那根攥着线的人，是放风筝的人。阻碍了风筝飞得更远的路，也就是阻碍了皇室的路，皇室想要唯我独尊，没有谢氏这头猛虎的独尊。”

“有些道理。”谢云继点点头。

“可是在谢氏的眼里，皇室才是攥着线的人。谢氏这只风筝，可放可不放，偏偏，皇室选择的是放。有放，就有挣脱，就会受到外界的阻挠，比如风，比如别的风筝的线的纠缠，比如手劲够不够大、能不能拉回，比如线坚韧不坚韧、会不会断。”谢芳华道。

谢云继哈了一声；“说得对！”

谢云澜微微地笑了笑。

谢芳华扔了手中的空线轴，拍拍手：“我们回去吧。”

二人点点头，一同往回走去。

两盏茶后，三人回到了谢云澜府邸门口。

谢芳华停住脚步，对谢云澜问：“云澜哥哥，从平阳城出来时，秦铮送的那只猫呢，可在你这里？”

谢云澜一怔，有些不确定地回头找风梨。

风梨连忙道：“回芳华小姐，在呢！那只猫如今就在咱们府里，您要带回去吗？”

谢芳华点点头：“秦铮问起了。”

“那我回府去给您取来。您……现在就要离开？”风梨虽然对谢芳华询问，眼睛瞅的却是谢云澜。

谢云澜看向谢芳华。

谢芳华点点头：“云澜哥哥，老夫人去了，也许谢氏米粮已经没有什么你认为值得去在意的人了，也没什么让你觉得可为的事儿了，”顿了顿，她认真地看着他，话锋一转，“但是，谢氏米粮外，还有我，所以，你一定要好好的！”

谢云澜眸光动了动，沉默片刻，点点头：“好！”

“我和云继哥哥回去了，你好好休息，不要再想了。七日出殡，我会去送老夫人一程。”谢芳华抿了抿唇，慢慢地道。

谢云澜颔首。

谢芳华转身上了马车。

谢云澜对风梨摆摆手，风梨连忙去抱那只猫。

“不止芳华妹妹，还有我！”谢云继捶了谢云澜的肩膀一下，也上了马车。

过了片刻，风梨将那只猫抱出来，放进了车里。

那只猫看到谢芳华，立即委屈地靠近她，见她没驱赶，在她身上蹭了蹭，然后，慢慢地挨着她趴了下来。

谢云继嗤笑一声：“果然是秦铮送的东西！”

谢芳华笑了笑，对谢云澜道别，吩咐起程回府。

侍画、侍墨立即坐在车前，一挥马鞭，马车离开了府邸。

谢云澜目送马车远去，直到走得没了影，才慢慢地转身回府。

风梨跟在他身后，悄声道：“公子，据说老夫人去的那日，皇上招芳华小姐进宫，似乎要给她退了和铮二公子的婚事，芳华小姐没同意，回绝了。”

谢云澜脚步一顿。

“芳华小姐是喜欢铮二公子的吧。”风梨有些怏怏地道。

谢云澜抬脚，继续向府内走去，走了几步之后，声音平静地对风梨道：“去谢氏米粮府邸传话，就说七日出殡，芳华小姐会去送老夫人一程，让府内的人有个准备。”

“是！”风梨转身去了。

第六章

情之一事

谢芳华和谢云继的马车刚走出不远，便被斜侧方驶过来的一辆马车拦住。

侍画、侍墨看着拦在前方的这辆马车的车牌，回头对车内低声道：“小姐，大长公主府的马车拦住了咱们。”

谢芳华正靠着车壁想事情，闻言嗯了一声。

谢云继奇怪地问：“大长公主的马车拦住咱们做什么？”话落，他伸手挑开帘幕，向外看去。

只见对面的马车车帘被人从里面挑开，露出一张美人脸。

谢云继正巧看到，眨眨眼睛，忽然笑了：“原来是金燕郡主！”

金燕跟谢云继有过两面之缘，微微点了点头，看着他询问：“前面车里可有坐着芳华妹妹？”

谢云继回头看了一眼：“芳华妹妹，美人找你呢。”

谢芳华伸手挑开帘幕，探出头，看向金燕：“金燕姐姐可有什么事情？”

金燕看了谢云继一眼，抿了抿唇：“芳华妹妹，可否借一步说话？”

谢芳华揣测了一下她找自己的目的，慢慢地点点头。

“这里荒郊野外的，不是谈话的地方，不如我们去城里的茶楼小坐一会儿吧。”金燕道。

谢芳华点点头。

金燕放下帘幕，对车夫吩咐了一句，马车便走在了谢芳华的马车的前面。

侍画、侍墨回头看了一眼，见谢芳华放下帘幕，立即赶车跟上。

谢云继纳闷地悄声道："你和她关系很好吗？她为什么要找你叙话，而且像是特意拦在这里等着你？"

谢芳华摇摇头："见过一两次面而已。"

"好奇怪！"谢云继看着她，"她有什么事儿，你猜猜。"

谢芳华笑了一下："用不着猜，她是为了秦钰。"

谢云继噢了一声，恍然道："我是有听闻金燕郡主喜欢四皇子秦钰。"话落，他哈地一声，"难道是来警告你，让你别跟她抢秦钰？"

谢芳华白了谢云继一眼。

谢云继咳了一声，似乎发现了什么好玩的事儿，啧啧道："一会儿你跟她去茶楼坐，选一个位置好点儿的地方，让哥哥我也在背后听听。"

"无聊！"谢芳华叱了他一句。

谢云继点头，叹了口气，"供认不讳"："我可不就是无聊吗？"

谢芳华不再理他。

半个时辰后，大长公主府的马车在一座茶楼门前停住。

谢云继探出头看了一眼，忽然笑了："这家茶楼是我开的，每个房间里都有一面镜子墙，偷听最合适不过，她可真会选！"

谢芳华觉得让他偷听也没什么大不了的，好笑地瞪了他一眼，下了马车。

金燕站在门口等着谢芳华，见她走到近前，明媚的阳光从空中洒下，照在她的身上，衬得她清丽绝艳。多年以来，李如碧和她并称为"京城双美"，可是如今连她自己都觉得，李如碧和她都差了谢芳华一截。可是，究竟差在哪儿，她自己也形容不出来。

也许是容貌，也许是气质，也许是底蕴……

总之，差之毫厘，失之千里。

"走吧。"谢芳华对她淡淡点头。

金燕收起眼中的情绪，慢慢地颔首，抬脚进了茶楼。

二人一前一后进去后，谢云继才慢慢地下了马车，也进了茶楼。

金燕选了一处二楼靠窗的位置，二人坐下来之后，小伙计上了茶水糕点就退了下去，侍画、侍墨以及金燕的婢女守着门。

金燕看着谢芳华，开门见山："芳华妹妹，我请你来，是想问问关于四皇子的事情，希望你据实以告。"

谢芳华端起茶品了一口，淡淡一笑："郡主无需客气，有什么只管问，我知无不言，言无不尽。"

"我喊你芳华妹妹，你称呼我郡主太过见外了，若不介意，就喊我一声'金燕姐姐’吧。”金燕握住杯盏，十指的蔻丹色彩鲜艳。

谢芳华点了点头。

“我听从平阳城传出来的传言，说你……你爱慕四皇子？”金燕盯着谢芳华。

谢芳华失笑：“果然世界上没有不透风的墙，这才多少日子，平阳城的些许传言竟然传到京城来了。”

“这么说是真有此事了？”金燕面部绷紧。

谢芳华点点头：“的确是有这么一回事，但是与你听到的大约有偏差。”

金燕看着她：“怎样的偏差？”

谢芳华简略地道：“事情起源于秦铮带我去平阳城看花灯。看完花灯后，我听闻了四皇子要回京的消息，而平阳城是必经之地。我就询问秦铮若是我们晚几日回京，是否会在平阳城碰到四皇子。四皇子从皇子贬为庶民去了漠北，再从漠北立了军功恢复皇子身份回来，也是个传奇了，我就是好奇想见见真人而已。没想到惹恼了秦铮，他非说我爱慕四皇子，一气之下，将我扔下，自己住去了平阳太守府。”

“这样？”金燕不太相信，“这样说，你并不爱慕四皇子？”

谢芳华沉静地道：“我是忠勇侯府的女儿，谢氏忠勇侯府世代钟鸣鼎食，诗书礼仪传家，我大病多年，身体虽然说不上好，但是闺仪还勉强当得上一个‘好’字，既然与秦铮有了婚约，我怎么还会去爱慕四皇子？”

金燕闻言点了点头，轻轻舒了一口气，紧绷之色退去，也挂上了笑意：“这么说，原来是秦铮表哥吃醋了。”

谢芳华笑了一声：“他可不是吃醋，他是听到秦钰的名字就炸毛。”

金燕捂着嘴一乐：“是了，秦铮表哥和秦钰表哥从小就互相看不顺眼，你在秦铮表哥面前这般说想见秦钰表哥，他自然是要着恼的。”

谢芳华揉揉眉心：“事情就是这样，你还有什么别的要问的吗？”

金燕点点头：“我听说秦钰表哥的马车是与你一起回城的，临汾桥被炸毁时，他真没受伤？”

谢芳华摇头：“毫发无伤。”

金燕又舒了一口气：“他可查出谁是凶手了？”

谢芳华摇摇头。

“他可说了什么时候能回京？”金燕又问。

谢芳华再摇摇头：“这事儿要看皇上的旨意，谁也说不准。”

金燕的脸色黯了下来。

谢芳华打量着金燕，情使人憔悴，与除夕那日相比，她似乎又瘦了些。

“以你的聪明，应该能看出我喜欢秦钰表哥，所以实在忍不住过来拦住你打扰一番，让妹妹见笑了！”过了片刻，金燕抬起头，对谢芳华歉然地一笑，满目忧思。

谢芳华心下暗叹，情之一事，她是真不太了解，不知道它如何能让一个人到茶饭不思的地步。她回以一笑：“不打扰！”

“芳华妹妹，你可知道，其实我是很羡慕你的。”金燕看着她，忽然道。

谢芳华看着她，不觉得自己有什么值得别人羡慕的，尤其还是金燕。谢芳华虽然是忠勇侯府唯一的嫡女，千金小姐，尊比公主，但是谁都知道忠勇侯府是皇帝的眼中钉，岌岌可危；而金燕是大长公主府的嫡女，不会和大多数公主一样为了政权而联姻，她可以选一个称心如意的夫君。只是可惜，她明明生活在蜜罐里，什么也不缺，会过得无忧无虑，却偏偏喜欢上了秦钰，因为喜欢秦钰，才会感到未来渺茫。

“我不是羡慕你的身份。你大病多年，没有一具好身子，按理说，我不该羡慕才是。”金燕对她微笑，“可是，偏偏秦铮表哥喜欢你、在意你，不惜和皇上舅舅抗争翻脸也要娶你，这才是让我羡慕的地方。”

谢芳华扯了扯嘴角，没说话。

“不止是我羡慕，这京中多少闺阁小姐都羡慕得不行。除了李如碧，除了燕岚，还有很多人。那些人，哪怕是去英亲王府的落梅居做妾，也心甘情愿。”金燕道。

谢芳华依旧不说话。

“可是他偏偏放出话，立誓陪你碧落九泉，只娶你一个。”金燕握住茶盏，攥紧，“若是秦钰表哥能如此对我，我会觉得死也无憾了！”

谢芳华抿了抿唇。

金燕看着谢芳华，她说了这么多，可是对方面上看不出丝毫欣喜、得意或是动容。她忽然撇开头：“你不喜欢秦铮表哥吧？”

谢芳华手指动了动，没答话。

金燕忽然笑了起来：“你看，我们两个人，我喜欢的人，不喜欢我，我愁肠百结；你不喜欢的人，喜欢你，你无动于衷。”

谢芳华低下头，看着杯盏里的茶水，浅碧色的茶水一圈圈荡开。

“今日皇上舅舅召了秦铮表哥进宫吧？”金燕看着她，“据我所知，皇后娘娘似乎也在今早召了李如碧进宫叙话。”

谢芳华晃动着茶盏的手一顿。

金燕忽然露出笑意：“看来你也不是对秦铮表哥无动于衷。”顿了顿，她道，“今日我拦住你，询问你秦钰表哥的事情，感谢你知无不言，没有不耐烦，陪我叙这一番话，我便回以谢礼，提醒你一句，皇后娘娘可是个什么手段都能使出来的人，否则也不会稳坐中宫这么多年。柳妃和沈妃多年明争暗斗，还是没斗倒她，除了她有个好儿子外，就是她自己的手腕镇得住。”

谢芳华看着金燕，目光凝重了几分。

“李如碧恰恰对秦铮表哥心有所属已久，情已深种，而皇上舅舅呢，本来就不喜欢你们的婚事。若是皇后娘娘和李如碧合起来做些什么，他自然是睁一只眼闭一只眼，甚至喜闻乐见。”金燕看着她，“所以，今日的皇宫，可谓是龙潭虎穴。秦铮表哥向来不近女色，虽然聪明绝顶，但是不屑于下作伎俩，恐怕也想不到会有人将某些下作伎俩用在他身上，所以……可想而知！”

谢芳华忽然放下茶盏，眸光微变。她今早便觉得皇上不会轻易饶了秦铮，却疏忽了皇后。是的，她协助了柳妃和沈妃，皇后一定是察觉了，既然如此，又如何会不出手？

谢芳华看了一眼外面的天色，快到晌午了。她腾地站起身，对金燕道：“金燕姐姐，多谢你今日茶水相请，改日我请你，失陪了！”话落，她快步出了房门，下了楼。

侍画、侍墨见小姐突然冲出来，脸色微沉，二人立即跟在了她身后。

金燕的婢女不明白里面发生了什么，赶忙进了雅间，见金燕完好地坐在那里，才松了一口气。

金燕偏头看向楼下，只见谢芳华极快地上了马车，忠勇侯府的马车奇快地离开了茶楼，她忽然笑了一下：“原来有的人只是隐藏得深而已，并不是如传言所说的不在意。”

“郡主，您没事吧？”婢女走上前，小心地问道。

“我能有什么事儿。”金燕放下茶盏，站起身，“我只是想要秦铮表哥死死地抓住谢芳华，那么，秦钰表哥即便以后有心争夺谢芳华，也得不到。”顿了顿，她低声道，“只要他得不到，我便有机会。”

婢女点点头。

金燕慢慢抬脚，出了茶楼。

一坐上马车，谢芳华便吩咐侍画、侍墨：“立即去皇宫！”

侍画、侍墨也不询问，连忙快马加鞭向皇宫而去。

午时，街上人潮涌动，马车穿街而过，引来不少人瞩目。

翠红楼的轻水楼上，云水忽然道：“言轻，你看，那是忠勇侯府的马车吧？”

言轻走到窗前，只看到马车的影子，点点头。

“怎么跑得这么急？忠勇侯府出了什么事情？”云水揣测地问。

“马车是向着皇宫的方向而去的，不一定是忠勇侯府出了什么事情。”言轻道，“若是想知道，去查一下。”

云水点点头，转身去了。

言轻站在窗前，看向外面，手边是一盆泥土。曾经，这里面栽着一株莲花兰。

两盏茶后，谢芳华的马车来到了宫门口。

谢芳华下了马车，一把将车里趴着的猫抱起，来到宫门口。

有守卫宫门的人立即从墙头下来，自然是认识谢芳华的，对她见礼："芳华小姐，您这是……要进宫？可有旨意？"

谢芳华拿出一直不曾用过的随时进宫的宫牌，对守卫道："前两日来时，见皇后娘娘身体不好，宫中也无甚解闷的东西，我今日特意送了一只乖巧的猫来给她解闷。"

宫人看到宫牌，又听到这个解释，自然没理由不放行，立即放了她进去。

侍画、侍墨自然跟了进去。

谢芳华进了宫之后，见四下无人，对侍画和侍墨道："你们现在一个人立即去玉芙宫，一个人立即去倚翠宫，就说皇后对秦铮出手，请两位娘娘一起去拖住皇上。还有，告诉她们，若是救了秦铮，皇后便得逞不了，她们也是有好处的；若是救不了秦铮，那么她们也讨不了好。"

"是！"二人立即去了。

谢芳华站在原地目测片刻，将皇宫的各个方位都看了个遍，脑中则飞快地寻思。秦铮进宫是为了见皇帝，皇帝可能在三处地方见他：一处是御书房，一处是灵雀台，一处是御花园。

秦铮进宫的时候，皇帝还没下朝，不可能大老远地跑去御花园召见他。御书房呢，又不方便皇后派女人去做什么，毕竟那是女人的禁地。那就只剩下一处——灵雀台，而灵雀台是通往皇后寝宫的必经之地。

谢芳华想到此，立即向灵雀台而去。

途中遇到一个小太监，谢芳华装作迷了路，抓住小太监问："你有没有看见铮二公子？"

"铮二公子？"小太监看谢芳华衣着华丽，虽然不认识她，但猜测应该是哪位小姐或者贵人主子，他点点头，"半个时辰前，铮二公子去了灵雀台，您是……"

秦铮果然去了灵雀台。

谢芳华立即丢下他，向灵雀台走去。

不多时，她到了灵雀台，径直冲了进去。

灵雀台里面空无一人，桌案上摆着没撤去的茶点、果盘。她扫了一圈，没见秦铮，四周也没什么动静，她心下不由得一沉。

灵雀台若是没有秦铮，他去了哪里？

她强迫自己冷静下来，目光一处处扫过灵雀台四周，忽然闻到一股隐隐的药香味。这药香味她很熟悉，正是外公给秦铮的灵芝丸，只要拿出来，就会散发出一股清香。

她立即细嗅，药香味是从西北方向传来的，那里是御花园。

她无暇走灵雀台的台阶，甩出天之锦，顺着灵雀台的台柱子跳了下去。

灵雀台有十几丈高，天之锦摩擦台柱子发出沙沙的轻响，须臾之间，谢芳华轻飘飘地落在了灵雀台后的地面上，然后立即顺着香味传来的方向追去。

三月的御花园，春暖花开，各种花香扑鼻。

幸好谢芳华在无名山八年里苦学医术和毒术，对花粉、药粉练就了极其敏锐的嗅觉。

她沿着御花园通幽的小径七拐八拐，走了大约半盏茶的时间，来到了后花园的西北角。这里有一排假山，因距离冷宫近，荒草丛生，无人打理。

假山后，有人在说话。

谢芳华脚步一顿，细听之下，正是李如碧的声音。

李如碧声音颤抖，似乎带着一丝浓浓的惧怕："……你将唯一的一颗解药给我吃了，我若是走了，你会死的，这里根本就没有别人来救你。"

她话落，没有听到别人的声音，谢芳华驻足静听。

"秦铮，让我救你好不好？药效只有一个时辰，如今已经过去大半个时辰了，若是再没有人救你，你真的会死的！"李如碧似乎一边说着，一边抬脚上前，山石后有她走动发出的声音。

"我已经说过，你赶紧走！你若是不走，我就杀了你！"秦铮的声音极其沙哑，吐字极其艰难，似乎极力压制着什么。

"你宁可自己死，也不要我？"李如碧忽然有些恼怒，"我什么也不求！哪怕救了你，这件事情从今以后不再提起！我不会让任何人知道，更不会让谢芳华知道，你和她还是一样有婚约，你还是可以娶她，我不会以此逼迫你娶我，难道你还不满意吗？非要一心求死？你要知道，哪怕你死了，皇后今日也不会让你毫发无损地踏出这座皇宫的！"

"那又如何？我即便死了，也不要你！"秦铮似乎动了动剑鞘，声音里有一种冰冷和杀意，"我将唯一的药给你，让你走，是念在法佛寺你哥哥救我一命之情，不想毁了你。若是你执迷不悟，那么，我只能杀了你。"

"就算不是我，我给你找个宫女来，可好？"李如碧的声音已经微带祈求。

"除了谢芳华，我谁也不要！你要找，就将她给我找来吧！"秦铮道。

"那你就杀了我吧！"李如碧恨恨地道，"我找不来，也不会走！你不让我救你，那你就先杀了我。能与你死在一处，我也……"

她话音未落，一道长剑出鞘的声音似乎刺破了山石，发出嗜血的长鸣。

剑尖直直地刺向李如碧的心口。

李如碧忽然闭上了眼睛，面色一片死灰。

这时，谢芳华手中的天之锦忽然甩了出去，叮的一声，打开了秦铮的长剑，同时，她脚下踢出一颗石子，打中了李如碧的睡穴。

李如碧软软地倒在了地上。

秦铮手中的长剑承受不住偌大的劲道，哐当一声，脱手掉在了地上。

秦铮怔了一下，看着打开他的剑又缩回去的天之锦，不确定地开口："华儿？"

谢芳华绕过假山，走到前面，一眼便见到秦铮半靠着假山倚在山石上，李如碧昏倒在他三米之外。这处假山甚是隐秘，一块巨大的山石下有一个洞，里面有锦绣被褥露出边角，不知道是有人早就安置在这里的，还是临时安置在这里以方便这两个人的。她脸色一沉，怒道："谁是你的华儿！"

她话音刚落，秦铮忽然三两步便来到她的面前，盯着她看了片刻，似乎在确认，半晌后，似乎终于确定了，一把将她抱在了怀里。

他的身上热度灼人，让谢芳华的身子颤了颤。

"我……我中了'锁情引'……"秦铮的手抱得极紧，片刻后，他克制地低声道。

谢芳华面色一变，"锁情引"她知道，是目前天下间最烈的春毒，一旦中了"锁情引"，一个时辰内不解的话，会导致全身的骨头崩裂，七窍流血，最后血液流尽而死。她心中恼怒："你不是说这皇宫里没人敢对你下手吗，你怎么中了这个东西？"

"我……"秦铮要说什么，却似乎承受不住怀中的温香软玉，从谢芳华的肩上将埋着的头抬起，准确无误地吻住了她。

他的唇的热度同样灼人，似乎要将人点燃。

谢芳华心中恼怒得无以复加，富丽堂皇的皇宫中尽是肮脏的手段，皇后母仪天下，端庄贤淑，人人称颂，实际上却是心狠手辣。

这是要杀了秦铮？

皇上是否也在暗中纵容认可，推波助澜了一把？

否则，单凭一个皇后，她不觉得奈何得了秦铮，还将他逼迫到了这个地步。

秦铮怎么会无缘无故从灵雀台到了这荒僻的距离冷宫最近的假山？

皇宫是皇上皇后执掌江山的核心，一旦布下龙潭虎穴，纵然秦铮有千般能耐，也奈何不得！

谢芳华越想越恨，一把推开秦铮，怒道："我早上就告诉你，让你小心一些，你呢？骄傲自大，自以为是，认为无人敢对你下手。如今呢？你告诉我，这般下作的春毒，如何解？"

秦铮眼睛发红，里面浓浓的欲火似乎要将他整个人都烧着了，但是他武功高深，难得眼底还保有一丝清明。被谢芳华推开，他的身子晃了晃，低声道："外公给的灵芝丸，在郾城时，舅舅没用完，剩了一颗，赵柯又还给了我，唯一的一颗，我给了那个女人，如今……"他顿了顿，再也难以支撑，"'锁情引'除了千年雪莲、千年灵芝、千年人参外，再无药可解，如今再向哪里去寻这几样……”

“怎么无药可解，不是还有女人吗？”谢芳华抬脚踹了他一脚。

“你……”秦铮的身子又晃了晃，忽然又上前一步，紧紧地抱住她，“除了你，我谁也不要……”

“你做梦！”谢芳华又伸手用力地推开他，转头向外走，“你就当我没来，自生自灭吧！你刚刚不是还一心求死吗？”

她刚走两步，秦铮从后面紧紧地抱住她，声音哑到极致：“你若是不来，我真的会死……”

“我若是不来，你死了很英雄是不是？”谢芳华挣了两下没挣开他，看着前方，恼怒地道。

“我没得选择！”秦铮摇头，“我自己出不去皇宫！”

“你不是很有本事吗？你就没想过，你若是死了，你娘怎么办？她还活不活了？”谢芳华挥手给了他一巴掌，打在了他的脑袋上，然后使劲地跺了一脚，气恨地道，“你又不是女人，学什么女人立什么贞节牌坊！要个女人比死还难？”

秦铮的头上脚下虽然都狠狠地挨了两下，但也没放开抱着谢芳华的手，只是眼中的清明渐渐被欲火笼罩，他闭上眼睛，身子因为强力的抵抗而轻颤：“谢芳华，要个女人是不难，但是我只想要你。若是因为要了个女人便弄脏自己，与你再无缘分，那我是有多失败，连一样想要的都抓不住，那样的话，不如死了的好。”

谢芳华身子一震，一时无言。

“我说过，我只要你。这一辈子，只要你。哪怕是死，也只要你。不是……开玩笑的。”秦铮吐出一句话，欲火已经将他湮没，他的唇在谢芳华的脖颈处游弋，手已经去解她的衣衫，同时轻喃，“我受不住了，怎么办……”

谢芳华回转身，看着秦铮，他的眸子已经被欲望覆盖，看不见平常的乌黑，脸色异常潮红，连拂过她的脸的发丝都是烫的。若是再没有解药，他真会丢了命。

在她回转身的这一刻，秦铮的吻落在了她的唇上，手熟练地滑入了她的衣衫内。

谢芳华被烫得轻哼了一声，只这一声，似乎刺激了秦铮，他的吻疯狂起来。

谢芳华的身子抖了一下，忽然听到远处有脚步声向这边传来，她面色一变，立即捶了秦铮一下，趁着他的唇瓣离开的时候，低声道：“有人来了！”

秦铮似乎听不见了，只想将她抱在怀里，做他想做的事情。

谢芳华听着像是皇后的声音，她脸色一沉，眸光扫过自己和秦铮，如今两人衣衫凌乱，地上还躺着李如碧，若是被发现，以后她和李如碧都不用做人了。皇后即便不对秦铮和李如碧出手，她和秦铮这般白日宣淫，若是被很多人看到，不仅她这个忠勇侯府的小姐没脸，整个忠勇侯府也没脸，整个谢氏也没脸，皇后的目的也达到了八成。

想到此，她厉喝了一声：“秦铮！”

秦铮动作一顿。

“你忍耐些，我们必须离开此地！皇后带着人来了，很多人！若是被人看到，即便你娶了我，我以后也会被天下人耻笑说忠勇侯府的女儿没闺仪，白日宣淫！”谢芳华在他耳边严厉地道，“皇后的目的也算达成了！”

秦铮满是欲望的眸光破裂出一道缝隙，神志勉强拉回了一丝清明，他强忍着欲望点了点头。

谢芳华知道他是用强大的自制力支撑着，心下感到稍许安慰，这等关头，他还能听进去话，实属不易。她立即整理好自己的衣带，又快速将他的衣服拢好，便揽住他准备离开。

她带着秦铮刚走两步，回头看了一眼李如碧，犹豫了一下，还是抽出天之锦，将地上躺着的李如碧瞬间卷到身边，然后带着二人，一起跳出了假山。

这一排假山后，就是冷宫。

如今唯一的去处，就是冷宫了。

谢芳华带着二人快速向冷宫奔去。

冷宫附近因为常年无人打理，都是荒草，有的地方的杂草有一人多高。

她刚走出不远，就听到迎面也有人走来，听声音，像是皇帝，她面色一寒。

前面是皇帝，背后是皇后，前后夹击，这是无路可走了！

谢芳华的眉峰拧成了一根线，她不是已经让侍画、侍墨去搬柳妃和沈妃的救兵了吗，如今这是怎么回事儿？难道那二人没出手相救，还是没拦住？

她正想着，只听前方传来一个娇媚的女声：“皇上，宜贵嫔已经被贬来冷宫一年了，您怎么今天想起她了？而且已经午时了，您连午饭都不吃就匆匆来这里，让臣妾好伤心啊！”

“就是，皇上！臣妾姐妹二人这么多年尽心伺候皇上，本来以为在皇上心中能有一席之地，如今看来还不如宜贵嫔这个只进宫一年就被贬入冷宫的人！”又一个委屈的女声传来，带着哭腔，“臣妾不活了！”

“柳妃、沈妃，你们二人这是做什么？哭哭啼啼的，像什么话！你们两个不是也出现在这里，你们又是来做什么的？”皇帝的声音传来。

“皇上您忘了？这里靠近林太妃的宫殿啊！臣妾二人是准备去陪太妃一起用午膳的，这些日子，太妃担忧八皇子，茶饭不思。可是臣妾二人刚走到这里，就看到您匆匆来了。”早先说话的那个女子是柳妃，她此时回道。

“是啊！皇上，宜贵嫔去年犯了罪，已经在冷宫住了一年，她何德何能让您亲自来冷宫看她？”沈妃似乎用绢帕捂着脸在哭，“臣妾知道自己已经人老珠黄，不得皇上爱宠了，但您若是找一个新进宫的美人，臣妾二人也就不说什么了，结果您大中午的，不用午膳，甘愿龙体有损，也要来这冷宫，宜贵嫔到底有什么好，让您如此惦记？”

“朕是突然想起一件事情，要问宜贵嫔！”皇帝有些下不来台，“朕问了她就走！”话落，他的语气已经有些不耐烦，“好了，好了，你们二人既然是要陪太妃用午膳，赶紧去吧，免得让太妃等着！”

柳妃和沈妃刚要再拦，皇帝脸一板：“你二人难道还想管着朕去哪里不成？朕去哪里，还非要向你们交代？”

二人身子一震，齐齐后退了一步。

“来人，送她们去林太妃那里用午膳！”皇帝一挥手，下了命令。

吴权连忙上前：“两位娘娘，皇上心里自然是有您二人的，否则也不会跟您二人缠了半路了，但皇上是真的要问宜贵嫔一些事情，问完了就回去，您二人赶紧去陪太妃用午膳吧！”

柳妃和沈妃对看一眼，有些不甘心地齐声道：“臣妾告退！”

皇帝摆摆手，大踏步继续向前走去。

谢芳华知道柳妃和沈妃的确是尽心了，但是后宫妃子毕竟能力有限，如果皇帝一心想要做，的确不是她们拦得住的。她目测了一下方位，现在唯一的路，只有去最近的林太妃处了。

她当即拿定主意，从左侧顺着荒草走向林太妃的宫殿，这样就避开了皇帝和皇后。

幸好谢芳华武功高，即便带着两个人，杂草也只有些许抖动。

她这边刚刚离开，下一刻，皇帝已经来到近前，他四下看了一眼，忽然对身边的吴权问：“前面什么人在说话？”

吴权伸长脖子瞅了一眼：“回皇上，那一排假山后好像有人。”话落，他对身后摆摆手，“快去看看，是什么人在吵吵！”

一个小太监立即应声，连忙跑向那一排假山。

不多时，那小太监回来禀告：“回皇上，是皇后娘娘。”

皇帝哦了一声：“她怎么在这里？”

“皇后娘娘似乎在找什么人。”那小太监道。

“走，过去看看！”皇帝大踏步向那一排假山走去。

吴权跟在皇帝身后，看向前方，眼中现出些许担忧。

不多时，皇帝来到假山处，只见皇后身边围着一群人，而皇后正在发怒。

见皇帝来到，皇后对皇帝见礼，一行人呼啦啦地跪了一地。

皇帝看了一眼四周，除了皇后和她身边的一众宫女太监，没见到什么别人，他眸光一沉，威严地道：“皇后，你怎么在这里？发生了什么事？”

皇后脸色发青，回话道：“臣妾听小太监禀告，说有人在这里白日宣淫，行龌龊苟且之事。臣妾管理后宫，如何能忍受这种肮脏之事秽乱后宫，所以前来查看。一看之下，果然里面有被褥等物，这实在是大胆！”

“哦？可有人？”皇帝也有些怒了。

皇后摇摇头，气怒道：“没见到人！”

皇帝眸底闪过一丝失望，威严地询问：“那个小太监呢？他既然禀告，可是看到什么人在此胡为了？”

皇后身后的一个小太监立即跪在了地上：“回皇上，奴才看到那两个人隐约是……”他身子颤抖，“奴才没看准，不敢乱说！”

“说！朕恕你无罪！”皇帝看着他。

那小太监闻言立即道：“奴才看到的那两个人隐约是英亲王府的铮二公子和右相府的李如碧李小姐。”

“什么？”皇帝忽然拔高了声音。

皇后开口道：“臣妾就因为听到这个消息，才急匆匆地赶来了这里，这可不是小事儿。”

“你可看准了？”皇帝沉声问小太监。

小太监点点头，然后又摇摇头：“奴才看着像是，但是……奴才也不敢说一定就是……当时离得还是有些远……”

“荒谬！秦铮今日是来皇宫了，但他难道没出宫？”皇帝喝道。

“皇上，臣妾刚刚在来的路上派人去宫门问了，说铮二公子没出宫。不但铮二公子没出宫，右相府的李如碧李小姐也没出宫。”皇后有些恼怒，“臣妾这才不疑有他，过来查看。”

“右相府的李如碧李小姐怎么也进了宫？”皇帝皱眉。

“是臣妾召她进宫的。臣妾想给钰儿缝制衣服，听说右相府的李小姐善于描花样，便召进宫来让她帮我描两幅花样子。”皇后道，“如今李小姐从我宫里出来快大半个时辰了，宫门的士兵却说没出宫，这岂不是有事？”

皇帝听罢点点头，挥手：“来人！立即搜索整座皇宫，给朕去找这两个人！”

“是！”立即有人领了命令，下去搜查了。

皇宫的禁卫军一旦得到命令，整座皇宫都被笼罩在严密的搜查中。

谢芳华刚靠近林太妃的宫殿，便听到四周传来搜查的声音，她的眼睛眯了眯，想着皇帝的动作可真快。她抿了抿唇，见秦铮已经濒临崩溃，便伸手点开了李如碧的穴道。

李如碧悠悠醒转，睁开眼睛，却看到谢芳华，顿时一惊，不敢置信地看着她。

谢芳华不跟她废话，看着她的眼睛，冷静地道：“李小姐，如今皇上命令全皇宫搜索你和秦铮。据我猜测，若是找到你们在一起，那么，你们就算没做什么也是做了什么，假山底下那些被褥就是证据。”

李如碧面色发白，她不只看到了谢芳华，还看到了紧紧抱着谢芳华的秦铮。

“你不想他死的是不是？秦铮本来能服药自救，但是念在你哥哥的份儿上，将解药给了你，救了你。否则，他服了药离开皇宫，而你没有解药，就会丑态毕露。为了维护右相府的清贵门楣，你只能一死了。”谢芳华一字一句地道。

李如碧身子一软，坐在了地上。

谢芳华看着她：“这里是林太妃的寝宫，我将你带到这里，你该知道怎么做。”话落，她带着秦铮转身，清冷地道，“秦铮我就带走了。若是不想毁了你自己，毁了右相府的一世清名，你是聪明人，知道怎么做对你自己好。”

话落，谢芳华带着秦铮离开。

她刚走几步，李如碧忽然在她身后问：“你爱他吗？”

谢芳华脚步一顿，向前方看了一眼，宫阙楼台，重重叠叠，辉煌庄严中有一种压迫和窒息之感，她沉静地道：“不是每个人的心都只为爱活着。”话落，她一个翻身，带着秦铮翻过林太妃宫殿的高墙，消失了。

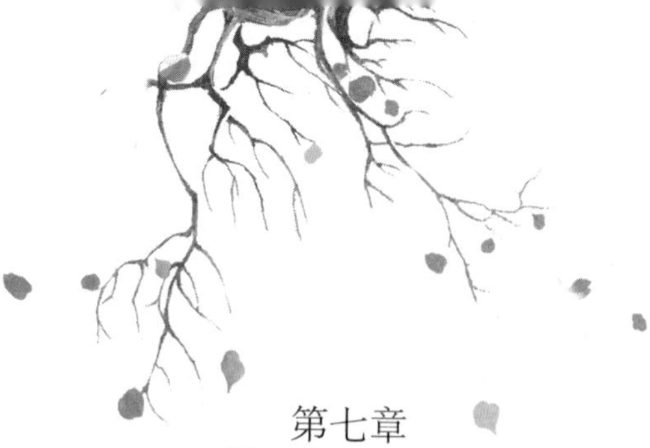

第七章
彻查到底

京　门　风　月

谢芳华会武功？

她竟然会武功？

李如碧亲眼看着谢芳华带着秦铮顷刻间便跃过了高达数丈的宫墙，心底一震，不敢置信地睁大眼睛。

谢芳华的武功应该极其高超，数丈高墙也能轻松跨越。

她忽然捂住眼睛，泪流满面。

她本来一直觉得，谢芳华有什么好，无非是有一个忠勇侯府小姐的身份，无非是长得美，无非是有着几百上千年的谢氏底蕴，才能尊比公主。

甚至方才面对秦铮，哪怕他要杀了她，宁可自己死，也不让她救他时，她依然觉得，除了身份，她没有任何地方不如谢芳华。

可是如今，亲眼看着谢芳华轻而易举地带着秦铮离开，武功之高，神态之镇定，容色之冷清，还清晰明了地对她点明利弊，让她无言以对，连羞愧都觉得无力，她才真正明白，她不如谢芳华。

至少，脱离了右相府小姐这一重身份，她什么也做不了。

可是脱离了忠勇侯府小姐的身份，谢芳华照样能自己带走秦铮。

“李小姐，皇宫禁卫马上就会搜查到这里来，您还是赶快进林太妃的宫殿吧！”侍画、侍墨从林太妃的宫殿内出来，看到李如碧，其中一人立即道。

李如碧立即放下手，抬眼看向二人。

“林太妃那里我们已经提前一步给您打过招呼了，您只需要说从皇后宫里出来，前来拜见林太妃就成。”侍画、侍墨齐齐出手，不给李如碧任何犹豫的机会，将她轻轻一举，扔进了林太妃的宫殿内，然后立即离开了原地。

李如碧刚落入墙里，墙外便有禁卫军来到。

李如碧听到大批的人来到，闭了闭眼睛，当即镇定下来，掏出绢帕抹了抹脸，咬着牙跑向林太妃的寝殿。

一个老嬷嬷从林太妃的寝殿出来，见到李如碧，一把将她拽住：“李小姐，快跟我来！”

李如碧点点头，跟着这个老嬷嬷进了一间寝殿。

二人刚进入，禁卫军便涌入了林太妃的寝宫。

即便是奉了皇命搜查，但因为皇上一直敬重林太妃，禁卫军还是多了一份谨慎，脚步也放轻了，进来之后并没有立即搜查，而是大声道：“属下奉皇上之命，查找铮二公子和右相府的李小姐，敢问太妃可曾见过？”

有人前去寝殿内禀告。

不多时，林太妃由一个老嬷嬷扶着走了出来，她看了一眼禁卫军，忽然讶异地道：“你们是奉了皇上之命找铮二公子和右相府的李小姐？出了什么事？”

那人摇摇头：“属下也不知，只是奉了皇上命令，要找到这二人。”

林太妃点点头，平和地道：“铮二公子我没见到，右相府的李小姐倒是在我这里。”

那人一怔。

“今儿早上，哀家听说皇后召了右相府的李小姐进宫，要给四皇子描花样缝制衣服，我想起八皇子也该缝制春裳了，便派人去喊了李小姐来，如今李小姐在给我描花样。”林太妃看着那人询问，“皇上如今在哪里？”

“皇上在御花园西北角。”那人回话。

“御花园西北角？那是冷宫的地方啊。”林太妃纳闷，“他怎么去了那里？”

那人摇摇头。

“席嬷嬷，去将李小姐请出来。”林太妃吩咐身边的老嬷嬷。

那老嬷嬷应了一声，向里面去了。

不多时，李如碧从里面缓步走了出来，端庄娴雅，娉娉婷婷，行走间闺仪出众，哪有半丝慌乱无措的模样？她出来后，同样纳闷地问：“太妃，听说皇上派人找我，为何？”

“我也想知道为何。”林太妃对她摆摆手，“走，据说皇上就在不远处，既然找你，你便赶紧去拜见吧。我也跟着你去看看，到底出了什么事。”

李如碧点点头。

林太妃被老嬷嬷扶着下了台阶。

那人看着李如碧，有些讶异，还是不确定地问林太妃：“太妃，铮二公子当真不在？”

林太妃顿时有些恼怒：“哀家一把年纪，还说谎话骗你不成？你若是不信，你就搜查！”

那人立即后退了一步。他不好搜查林太妃的寝宫，但是无论如何也不相信秦铮不在，只得回头对身后一个人使了个眼色，那人立即意会，快步离开了林太妃的宫殿，他则连忙道：“太妃请止步！皇上若是知道属下大晌午的打扰太妃，一定不会饶了属下。您就不必劳动了，属下派人去请示皇上。距离这里不远，皇上也许会来见太妃您。”

林太妃闻言止住了脚步，冷哼一声：“你这是不相信哀家这里没有铮二公子了？”话落，她一甩袖子，恼怒地道，“那好，哀家就在这里等着你禀告皇上！”

那人连忙后退了一步，垂下头，不敢再言语。

林太妃看向门口，一脸怒气：“哀家的宫殿就这么大，你现在就去给我搜，不用等皇上来了！”

那人摇摇头。

“哀家命令你，搜！”林太妃撸掉手上的金镯子，对着那个人打了过去。

那人自然不敢躲，头上挨了一下，对身后一摆手：“尊林太妃命令，搜！”

身后的禁卫军立即冲进寝宫四处进行搜查。

林太妃挺直脊背站着，李如碧挨着林太妃，脊背也不由得挺直了些。

这时，柳妃和沈妃来到林太妃寝宫，见此情况骇了一跳。柳妃立即惊呼：“哎呦，这里怎么了？”

沈妃也惊呼了一声，看向正堂门口站立的林太妃，连忙走上前：“太妃，这……这是怎么了？”

“哀家也不知道是怎么了！这些人说是奉了皇上之命要找铮二公子和李小姐，”林太妃恼怒地道，“哀家说这里只有李小姐，是被我请来描花样给倾儿做春裳的，可是他们偏偏不信，那么哀家就让他们搜！若是搜出个铮二公子来，哀家的脑袋就赔给他们！”

“太妃言重了！”那人的冷汗顿时流了下来，“属下等人也是奉了皇上之命，事急从权！”

“好一个事急从权！”林太妃冷笑一声，“哀家在这宫里活了几十年，看惯了多少事儿，还从来没有在我这里出过什么事急从权的事儿，今日哀家也算见识了！”

那人闻言垂下头，不再言语。

“太妃别气！”柳妃缓步来到林太妃身边，埋怨道，“今日皇上不知道是怎么了，大晌午的不好好待在宫里用膳，偏偏跑去了冷宫，说是要见一年前已经被贬入冷宫的宜贵嫔，如今这怎么又找起铮二公子和李小姐了？”

“李小姐不是在这里吗？”沈妃也是纳闷，“皇上找他们做什么？好奇怪！”

二人话落，一起看向李如碧。

李如碧摇摇头，低声道：“我从皇后娘娘的寝宫出来后，就被太妃跟前的席嬷嬷请来了太妃的宫里，一直描花样到现在。这些人突然来了说要找我和……铮二公子，我也不晓得发生了什么事情。”

“皇上呢？”柳妃问。

那人没答话。

“问你话呢，哑巴了吗？”沈妃对着那人大怒，扬手将手中的镯子也甩了出去。

沈妃的手劲自然比林太妃的手劲大，那人的额头上顿时起了一个大包。他暗叫了一声倒霉，今日轮到他值班，这差事就落在了他的头上。后宫的娘娘们向来都是碰到了最好绕远走，一个也别得罪，尤其是宫中的老太妃，他被打了也只能受着，敢怒不敢言，还得赶紧回话：“皇上如今在冷宫附近的假山处。”话落，他不想再被打，又补充了一句，“皇后娘娘也在！”

林太妃闻言讶异地问道：“皇后竟然也在？”

柳妃和沈妃对看一眼，同时佯装讶异：“看来真出了大事儿了！皇后姐姐不在凤鸾宫里养腿伤，怎么也到了冷宫？”

“是啊，皇后姐姐的腿伤刚好了一些，可是还没好利索。前两日听说临汾桥出事，又因为担心四皇子病了一场。如今劳动她，一定是大事。”沈妃看向李如碧，“李小姐，你到底做了什么？”

李如碧摇摇头，压下心慌，镇定地道：“我也正奇怪，我没有做什么啊。”

“算了妹妹，你看李小姐这样迷惑，看来也是不懂。”柳妃看了李如碧一眼。

沈妃住了口。

“都别说了，吵得我头疼！”林太妃揉揉额头，“等这些人搜查完了，看看皇上来不来。不来我也要去问问，这是出了什么大事儿，闹得鸡犬不宁的。”

二人一起点点头。

又过了一盏茶的时间，所有的禁卫军都回到原地，对那领头人摇摇头禀告：“没有见到铮二公子！”

那领头人后背浸了一层冷汗，连忙告罪：“打扰太妃了！”

林太妃冷冷地哼了一声。

这时，外面有人高喊：“皇上驾到！”

林太妃、柳妃、沈妃三人站着没动，其余人顿时齐齐跪在了地上。

片刻后，皇帝当先走了进来，身后跟着由婢女搀扶的皇后，二人身后则跟着一群近身伺候之人。

皇帝进来之后，一眼便看到了林太妃身边的李如碧，便紧紧地盯着她。

李如碧本来已经跪在了地上，低垂着头，但还是感觉到了来自皇上的目光极其具有压迫感，她咬了咬牙，袖中的手紧紧地攥在了一起。

皇后自然也看到了李如碧，脚步一顿，眼底一沉，直直地盯着她。

李如碧感觉身上有千斤重，她本来心底升起了一丝怯意，但忽然想到秦铮哪怕死也不要她，心瞬间如沉入了深渊。

右相府的清贵门楣不允许出现一个伤风败俗丑态毕露的女儿！

秦铮若是不用那唯一的一颗药救她，她实在难以想象中了春毒的她现在会成什么样子！

整座皇宫的人也许都会看到！

皇后今日召她进宫，她也没想到茶水里有问题。她虽然喜欢秦铮，爱慕秦铮，情根深种，但是从没想到要用这种方法来得到他！

用了这种方法，就算秦铮要了她，以后娶了她，她也会被人耻笑，竟然在皇宫里白日宣淫。

右相府的女儿也是有傲骨的！

这样一想，她的身子忽然不颤抖了，脊背随之挺得笔直。

用这种手段陷害人的不是她，她凭什么要怕？

皇帝缓步走过来，先给林太妃请了安，然后看着李如碧：“李小姐竟然在这里？”

“民女李如碧见过皇上！皇上万岁！”李如碧跪在地上见礼。

皇上点点头：“朕听说你和秦铮在一起，可有此事？”

这话问得直接，且先给李如碧扣上了一个事实。

李如碧摇头：“回皇上，民女从皇后娘娘宫里出来便被席嬷嬷给召来太妃宫里了，自始至终，未曾见过铮二公子。”

“嗯？”皇帝扬眉，回头看了皇后一眼，“那为何有人说看到你和秦铮在一起？”

“一定是那个人看错了！”李如碧肯定地抬头，看了皇帝一眼，又仰头看向林太妃，“求太妃和席嬷嬷给民女作证！”

林太妃此时开了口：“皇上，发生了什么事？禁卫军可是连我的寝宫都搜了，说要找铮二公子。我这里只来了个李小姐，她是来帮我给倾儿描花样的，我正准备留她用午膳，禁卫军就冲了进来。”

皇帝闻言看向皇后："朕也不太明白怎么回事儿。朕是准备去冷宫，恰巧碰到皇后在查人，便问了一番，没想到却惊扰太妃了，让皇后给您解释吧。"

皇后在看到李如碧的一瞬间，心里打了好几个转：李如碧明明中了"锁情引"，如今却为何像是没事人一般？难道她的"锁情引"解了？可是"锁情引"除了床笫之欢根本就无解。难道是她和秦铮已经……可是时间不够……按照她的推测，他们应该正在那排假山后行事才是……

如今只有李如碧在，还好模好样的，却不见秦铮，她一时拿不准。

"皇后姐姐，你倒是快说啊，到底发生了什么事？"柳妃看着皇后，"你的伤还没好，便大晌午的出了凤鸾宫！连太妃都给惊住了！我们还是第一次看到禁卫军搜查太妃的宫里呢！"

"可不是吗？禁卫军可是连犄角旮旯都没放过地在找铮二公子！"沈妃接过话，"李小姐和铮二公子明明是八竿子打不着的两个人，如今怎么一起被大肆搜查，这可让我好奇死了。"

皇后回过神，咳嗽了一声，板起脸道："我是收到人禀告，说有人看到铮二公子和李小姐去了冷宫的假山后……"

她将事情简略地对林太妃等人说了一遍。

李如碧听罢，顿时惨白了脸，惊骇地道："皇后娘娘，怎么可能出现这种事情？我和铮二公子虽然自小认识，可是并无什么来往。民女从您的寝宫出来后就来了太妃娘娘的宫里，一直待到现在，不曾与铮二公子在一起。到底是谁在胡乱说话，污蔑民女清白？"

"是啊，李小姐自从来了我的寝宫里，一直待到现在。竟然会有这样荒谬的事情，这简直是无稽之谈！"林太妃也训斥，"皇后，你执掌后宫，这种事情还是得有确凿的证据才行，不能仅仅听到一个奴才之言便大动干戈地彻查，连我的宫里也不放过，传扬出去，岂不是变成笑话了？"

"唉，臣妾也是突然听闻这样的事情，一时被惊住了。"皇后一边检讨自己，同时说出原因，"您也知道，铮二公子是什么身份，右相府的李小姐是什么身份，这种传言若是不立即查，传扬开来，也许比如今大动干戈更严重。"

林太妃闻言消了些气，点点头，给了皇后一个台阶下："你说得也有些道理。那如今李小姐在我这里，铮二公子呢？在哪里？"

"这个臭小子！每次进宫一趟，都将皇宫弄得乌烟瘴气！"皇帝对身后发话，"继续去找，看看他没出宫滚哪里去了！"

"是！"有人闻言立即去找了。

早先来到林太妃寝宫搜查的一批人也趁机退了出去。

“惊扰太妃，臣妾实在是过意不去！是臣妾没处理好，还望太妃见谅！”皇后给林太妃赔不是，同时上前，伸手亲自去搀地上的李如碧，“李小姐，让你受惊了！本宫若是不查明此事，对你来说更是不妥当，女儿家的清白实在太重要了。”

李如碧就着皇后的搀扶站起身，连忙点头：“皇后娘娘说得是！一定要查个明白，还民女一个清白！若是这等风声从宫里传出去，我爹非打死我不可。您和皇上一定要为民女做主！”

皇后颔首：“李小姐放心，皇上在这里，一定会查个明白。如今还是先找到铮二公子。”

李如碧退开一步，不再说话。

“到底是哪个奴才看到的这种事情？”柳妃看向皇后。

“小城子。”皇后回头，向身后指了指。

“原来是姐姐宫里的人。”柳妃看了一眼那个小城子，然后对着皇后道，“姐姐，不是我说，自从四皇子走后，你整个人因为思念四皇子害了一场大病，之后就未曾痊愈，一直在宫中休养，凤鸾宫外有我和沈姐姐一同打理，但是凤鸾宫内，我们自然管不着，未免疏忽了。这皇宫内哪天没有点儿事儿？都是这般捕风捉影的话，我们日日都不得安宁了！”

“柳妃妹妹说得有道理。”沈妃应和道，“小太监都不敢确定的事儿，姐姐怎么如此大张旗鼓？这事儿就算是事实，也该秘密查清楚才是。就算没什么，若是传扬开，传到了宫外去，坊间指不定说什么呢！”

“因铮二公子和李小姐的身份摆在这里，我难免紧张了些，也是欠妥。我已经跟太妃告罪了，两位妹妹也见谅。”皇后不得不矮下气势，毕竟此事上她的确让这两个女人拿住了话柄。

“行了！此事皇后虽然处理欠妥当，也是情有可原！”皇帝摆摆手，止住众人的话，“等找到秦铮再说！”

柳妃和沈妃闻言只能住了嘴。

皇帝话落，有一个禁卫冲进了林太妃寝宫，大声禀告：“皇上，找到铮二公子了！”

皇帝转过头，立即问：“他在哪里？”

李如碧本以为谢芳华带着秦铮出宫了，闻言立即竖起了耳朵，心下不由得紧张起来。

“铮二公子和忠勇侯府的小姐在灵雀台后面的水榭内。”那人立即道。

皇帝哦了一声，眉头竖起：“忠勇侯府的小姐？谢芳华？她何时进宫了？”

皇后也看着那人，同样心惊，亦是不晓得谢芳华何时进宫了。她上前一步，问那人："你确定是忠勇侯府的小姐和铮二公子在一起？没看错？"

"回皇上、皇后娘娘，属下肯定没有看错，的确是铮二公子和忠勇侯府的小姐。"那人摇摇头，继续道，"属下特意查了一下，据守宫门的人说，芳华小姐是半个时辰前进宫的，说是两日前进宫见皇后娘娘身体不好，今日特意进宫来给皇后娘娘送一只猫解闷。"

皇后听罢，脸色变了变。

她怎么也没有想到谢芳华竟然进了宫。

难道小太监看到的人影是谢芳华和秦铮？她不但没能破坏二人的关系，反而因为"锁情引"成全了二人？

她回头看向那个小太监。

那个小太监也蒙了，他虽然对皇上说不确定看到的人影是不是秦铮和李如碧，但是他确实看到秦铮和李如碧在假山后，才会去禀告皇后，皇后才大张旗鼓地来捉奸，可是如今假山后没人，李如碧在林太妃处，而铮二公子竟然和忠勇侯府的小姐在灵雀台后的水榭？

这……到底是怎么回事儿？

他见皇后看过来，只能惨白着脸迷茫地摇头。

皇后的心里梗了梗，看向皇帝。

皇帝的脸色也有些沉，眸底更是一片黑暗。他端坐帝王高位多年，知道这里面定然出了偏差，本来不该出现在皇宫的谢芳华出现在了皇宫，本来应该与秦铮在一起的李如碧却没与秦铮在一起，看来今日之事砸了。他看了皇后一眼，脸色不好地道："走，去灵雀台的水榭看看！"

话落，皇帝抬脚向外走去。

皇后跟着抬脚。

"太妃，我们也瞧瞧去吧，今日这事儿可真是稀奇了！"柳妃挽住林太妃。

"是啊，今日这事儿有意思。太妃，咱们也去瞧瞧吧，午膳稍后再吃也不迟。"沈妃挽住林太妃另一条胳膊。

林太妃点点头，偏头看向李如碧："这事儿也关乎李小姐的闺誉，李小姐也跟着去吧。"

李如碧也点了点头。

一行人出了林太妃的寝宫，浩浩荡荡向灵雀台后的水榭而去。

两盏茶后，一行人来到了灵雀台后的水榭，远远看到水榭里面坐了两个人，那两个人挨得很近，似乎在争执什么。虽然距离远，但还是不难认出那两个人正是秦铮和谢芳华。

皇帝的脚步顿了一下，然后沉着脸走近。

皇后由宫女搀扶着，脸色也是极其难看。

林太妃、沈妃、柳妃等人各怀心思。

李如碧远远地看着那两道人影，午时阳光明媚，三月的春风吹起水榭下的湖水，二人的青丝和衣袂轻轻飞扬，因为挨得近，发丝似乎都纠缠在了一起，男子清俊洒脱，女子清丽明媚。

这就是秦铮和谢芳华。

这就是他们在一起的模样。

李如碧的手紧紧地攥在一起，明明应该已经心死了，可是看到他们二人，她的心却揪扯得生疼，痛到几乎窒息。

谢芳华说“不是每个人的心都只为爱活着”，可是这么多年，她一直觉得，因为思慕那个人，她才能感觉到自己的心是跳动的，这颗心就是因他而活。

他已经成为了她心底的执念！实在难以想象，若是此生没他，她要如何活下去！

“给我！”走得近了，便听到秦铮喑哑的声音，其中有那么一丝迫切。

“不行！”谢芳华的声音也有些哑，随着秦铮开口，她后退了一小步。

“给我，乖。”秦铮追近了一步。

“我说了不行！”谢芳华又后退了一步，靠上了柱子。

“你不给我，信不信我回去告诉爷爷！”秦铮似乎有些恼了，又追了一步。

“秦铮，你脸红不脸红，这种事儿你也要告诉爷爷？”谢芳华身子靠在柱子上，退无可退，也有些恼了。

“这种事儿怎么就不能告诉爷爷了？我不觉得脸红，毕竟我们都有婚约了。”

“婚约是婚约，我只要一日没嫁给你，你就不能……”

皇帝听着二人的对话，这么多人走近，二人似乎都没发觉，依旧在争执，他实在听不下去了，忽然大喝：“你们在做什么？”

因为他的突然大喝，谢芳华似乎吓了一跳，猛地转过头来，当看到浩浩荡荡一群人，她的脸色变了变。

秦铮闻声则是慢慢地转过头，看了这群人一眼，并没有移开紧挨着谢芳华的身子，而是一手撑着谢芳华头顶的柱子，一手放在谢芳华的腰上，漫不经心地挑了挑眉，看着恼怒的皇帝询问：“皇叔，这么多人这么大的阵仗来这里，是要干什么？”

“朕问你，青天白日之下，你们这是在做什么？”皇帝严厉地看着二人。

“我们？”秦铮忽然笑了一声，“皇叔看我们像是在做什么？”话落，他越过皇帝，看向他身后的皇后，“皇婶您看我们像是在做什么？”然后，他又越过皇后，看向林太妃等人，“太妃和两位娘娘看我们像是在做什么？”

"这里是皇宫！秦铮，你看看你，还有没有一点儿样子，竟然要强迫忠勇侯府的小姐！传出去不怕惹人笑话？"皇帝沉下脸。

秦铮闻言眨了眨眼睛，扭头看向被他几乎圈固在怀里的谢芳华："我强迫你？"

谢芳华的脸有些红，闻言啐了他一口："你退开！"

"你没听到吗，皇叔说我在强迫你。"秦铮弹了弹她额头，"让你给我你不给我，如今闹笑话了吧？"

"你还说！"谢芳华瞪了他一眼。

"你们眼里还有没有朕？朕问你们在做什么！"皇帝看到二人无视他，顿时怒了。

"皇叔，您难道真是年纪大了，屁大点儿事儿就值得您大动肝火？"秦铮慢慢地放开圈固着的谢芳华，瞅了皇后一眼，不屑地撇撇嘴，"华儿，我看你白操心了，你看，皇婶明明好模好样的，哪里用得着你抱一只猫来给她解闷？你自己这副身子骨，风一吹就倒，大病初愈，不好好在府中歇着，辛辛苦苦折腾到皇宫来操这份没用的心做什么？"

秦铮突然让开，谢芳华被解放，红着脸从廊柱后出来给皇帝、皇后、太妃、沈妃、柳妃见礼。

这时，所有人都清清楚楚地看到她怀里抱着一只猫。

皇帝审视地看了谢芳华一眼，没说话。

皇后的脸色也变幻了一番，扯了扯嘴角，缓缓开口，声音平和且纳闷："芳华小姐，你怎么进宫了？你这是……"

谢芳华红着脸无奈地一笑："两日前见到您卧病在床，因担心四皇子愁思难解，我今日早上想起这只猫十分乖巧温顺且好玩，便抱进宫来给您解闷。"

皇后哦了一声："你是何时进宫的？怎么未曾让人去凤鸾宫传个话？"

谢芳华闻言回头瞪了秦铮一眼，语气带着些责怪："都是他！我刚进宫，便在这里碰到他，他听说要把他送给我的猫送来给您，非拦着我不让我去，让我将猫给他，都争执了半个时辰了。"

"原来你们刚刚是在为一只猫争执？"柳妃忽然开口道。

谢芳华点点头。

"原来铮二公子说让你给他，是……这只猫？"沈妃也插进话来。

谢芳华再次点点头。

"这可真是有意思了！皇上，皇后姐姐，恐怕你们二人都想偏了，误会了铮二公子和芳华小姐了。"柳妃捂着嘴笑了起来，"这二人明明是要争夺一只猫嘛。"

"瞧瞧今日这事儿，要多有意思就多有意思！先是皇上要去冷宫找宜贵嫔，恰巧碰到皇后姐姐大肆彻查距离冷宫最近的那一排假山后的龌龊事儿，然后牵扯了铮二公子和右相府的李小姐，查去了太妃的宫里，惊扰了太妃，又匆匆地赶来这里，结果铮二公子和芳华小姐为了争夺一只猫在闹矛盾。”沈妃也捂着嘴笑了起来，“折腾了一晌午，饭都没吃，原来就为了一点儿无稽之谈，笑死了！”

皇帝闻言，脸色更难看了。

皇后也有些下不来台。

“唉，这还是两个孩子。”林太妃叹了口气，笑了笑，对皇后道，“皇后啊，这后宫的风气啊，是该整顿，但是也不能矫枉过正。以后啊，像这等捕风捉影的事情，还是别做了，我这把老骨头可折腾不起。”

皇后脸色微红：“是，臣妾以后定小心谨慎！这件事情也是臣妾过于紧张了。”

“皇后姐姐是因为四皇子吧？看来四皇子一日不回来，您这心啊，一日就得提着，整日里恍恍惚惚。您是我们姐妹的支柱，可不能倒了，否则这后宫里人心惶惶，如何能安定？”柳妃明劝暗讽地道。

“就是，皇后姐姐要保重身体，趁着四皇子还没回来好好养着！这等奴才们嚼舌头根子的事儿，您还是少掺和！今日晌午这一折腾，满皇宫都惊动了，明明没事儿，却瞎折腾出一番事儿来，传出去多可笑。”沈妃的话就直接了些。

皇后的脸色彻底挂不住了，但此事已经到了这个地步，她百口莫辩。

在场的人心里都跟明镜一般，事情断然没有如此简单，但是眼见为实，她们看到的事实就是如此简单。

皇后大动干戈却落人口实，她如何还能争辩出个所以然来？

如何能明着追问为何李如碧服用了“锁情引”却无事人一般在林太妃宫里描花样？

如何能明着追问秦铮明明也中了“锁情引”，竟然能无事人一般在这里和谢芳华争夺一只猫？

皇后心里的疑问太多太多，但这些背地里的肮脏手段是断然不能拿到明面上来的，面对柳妃和沈妃的嘲讽，她也只能忍气吞声。

毫无疑问，她今日是功亏一篑了。

“是啊，折腾了一晌午，朕也倦了。既然没什么事儿，就是最好的事儿，难道谁希望有事儿不成？”皇帝缓缓开口，声音威严，“今日之事，传朕旨意，任何人不准传出去半个字！若是朕听到有人在外面传扬，查清楚是谁，乱棍打死！”

宫女、太监、侍卫们闻言，齐齐屏息凝神，大气也不敢出。

在皇宫里生活的人都知道，这种不见血的手段多的是，明里一套，暗里一套，保命的方法就是守口如瓶。哪怕皇上不下命令，他们也没人敢乱传。

“回宫！”皇帝吩咐回宫。

吴权刚要喊起驾回宫，秦铮忽然开口：“等等！皇叔，您就这样走了？侄儿这里可还是一头雾水呢。”

皇帝脚步一顿，看了秦铮一眼，沉声道：“你还未及冠，上书房不上了，校场也不去了，整日里玩耍，到底想做什么？朕命令你，明日就去上书房上课，校场也要去！”

秦铮扬眉：“我娘说了，我可以不去。”

“你娘是慈母多败儿！”皇帝板下脸。

“那您跟我娘说去！我娘若是同意，我去上上也无不可。”秦铮扬眉，“可是今日之事，我不能糊里糊涂地被这么多人惊吓了吧？皇叔，您总要表示表示。”

“你会受到惊吓？胡扯！”皇帝剜了一眼秦铮。

“我虽然没受到惊吓，但是我的未婚妻可受到了惊吓。她明明是好意进宫，如今这么大的阵仗，她以后还敢来皇宫？”秦铮冷哼一声，“皇宫里到底发生了什么事，看这样子，是牵扯到了我们。不过我也不想追究了，左右不过是无聊之事而已。”话落，他话锋一转，“但是，皇叔是否该补偿一下？”

皇帝闻言看了谢芳华一眼，见她低垂着眉眼，整个人沉静温婉，他沉声开口：“忠勇侯府什么都不缺，她要什么补偿？”

“忠勇侯府什么都不缺吗？”秦铮摇摇头，“老侯爷不是缺个孙女婿吗？不如皇叔这就下圣旨，让我们提前完婚得了。”

“这件事情不可能！”皇帝当即拒绝，“库里有一匹沉香缎，朕送给华丫头吧。”

“沉香缎虽然稀奇，也不过是一匹布而已。”秦铮摇头，“不然这样，从法佛寺失火，到临汾桥被炸毁，我觉得背地里想害华儿的人太多，皇叔不如将兵器库里的锁情剑送给她吧。”

“锁情剑是利器，且是两把，”皇帝眸光一寒，“她一个人如何用两把剑？”

“正好我们一人一把，也算是您给我们赐婚的信物，自从圣旨赐婚，您可是连信物都没给。”秦铮看向皇帝，懒洋洋地道，“皇叔，两把剑而已，在兵器库里都蒙了尘，您不会舍不得吧？”

皇帝直直地看着秦铮。

秦铮似笑非笑地看着皇帝，同时眸光扫了一眼皇后，意味颇深。

所有人都感觉到，二人之间的气氛有些凝重。

“算了，也没多少惊吓。”谢芳华拽了拽秦铮的袖子，用所有人都能听见的声音“悄声”道，“我依你就是了。皇后娘娘好模好样的，这只猫我不送了，我们出宫吧。”

秦铮点点头：“既然皇叔连两把剑都舍不得……”

“吴权，你亲自去兵器库，将那两把剑取来，送给芳华小姐。”皇帝此时开口吩咐。

皇后忽然睁大了眼睛：“皇上……”

皇帝摆摆手，看了皇后一眼：“今日折腾了一晌午，也是因你治理后宫不严！那个小太监打杀了吧，你罚自己闭门半个月。这半个月里，后宫之事全权交给柳妃和沈妃暂代！”话落，他转身离开。

皇后的脸色霎时一白，但这已经是最轻的处罚，她跪在地上：“臣妾多谢皇上！”

柳妃和沈妃顿时露出了得意的笑容。

半个月里全权暂代，也就是说，不用事事禀告皇后了？半个月的时间她们完全可以让后宫换半重天！

林太妃揉揉额头：“铮哥儿，芳华小姐，如今午时已过，你们是去本宫寝宫用膳还是……”

“出宫。”秦铮道。

“多谢太妃相请，但是今日我进宫时没同爷爷说明，免得他老人家着急，改日我再进宫叨扰您。”谢芳华对林太妃道谢。今日若不是林太妃，事情也不会如此轻易了结。

林太妃点点头，对左右道：“走吧。柳妃、沈妃，你们不是要去我宫里用膳吗？这便跟我回宫吧。”顿了顿，对李如碧道，“李小姐，你受惊了，随我回宫吃过午膳描完花样子再回府吧。”

李如碧看了谢芳华和秦铮一眼，见那二人都没有看她，她垂下头：“多谢太妃！”

“皇后，你身体不好，也赶紧回宫休息吧。”林太妃嘱咐了皇后一句，转身离开。

柳妃、沈妃、李如碧以及宫女、嬷嬷、太监们跟随在林太妃身后，浩浩荡荡地离开了。

皇后目送这些人离开，半晌后直起身，慢慢地转过头，看向秦铮和谢芳华。

秦铮待一群人走后，一屁股坐在木椅上，将腿搁在桌案上，瞅着皇后，没形没样地笑道：“皇婶，听说锁情剑是你留着想给秦钰和他未来的四皇子妃做信物的？可是不好意思，今日我实在是受到了惊吓，作为补偿，我想皇婶也和皇叔一样，不会舍不得的，是不是？”

这话虽然说得隐晦，但是这里没有别人，谢芳华明白，皇后自然也明白。

皇后忽然笑了，一如既往的端庄贤淑：“今日的确是让你受到了惊吓，这是皇婶的不是。皇婶是看着你和钰儿一起长大的，虽然这两把剑我一直想让皇上给钰儿留着，但皇婶还不会舍不得给你，给你也是一样。”

“那我就心安理得地收下了。”秦铮扬唇，即便不说“心安理得”这四个字，但是他面上也显现着“心安理得”四个字。

皇后看向谢芳华，见她沉静地站在那里，三月的春风吹来，碧湖水榭倒映着她纤细娇柔的身影，如画一般清丽。皇后很难想象，她今日是如何进宫救了秦铮，但是也不得不感慨，只可惜，这个女子是忠勇侯府的女儿。

皇室与忠勇侯府不两立，虽然她有着如此的气质和手段，但连秦铮皇上都不想让她嫁，更何况秦钰。

谢芳华也看着皇后。人不为己天诛地灭，哪个母亲不为自己儿子打算？皇后所做的也全是为了儿子。秦铮懂，所以，他要了锁情剑作为补偿，这件事情就揭过去了。她也懂，所以，倒也没必要厌恶皇后。

后宫里若是没有手段，又有哪个人能生存？

更何况是皇后。

“芳华小姐，这猫铮哥儿不想你给我，我也不太喜欢猫，你就带回去吧，以后多进宫来陪我叙叙话。”皇后对谢芳华笑得温和。

谢芳华笑着点头：“我的身子如今好了，以后免不了要多进宫打扰您。”

“那是最好。既然你们急着出宫，本宫也就不多留你们了。”话落，皇后笑着对左右道，“回宫！”

立即有人上前搀扶她，一行人离开了水榭。

不多时，水榭内只剩下谢芳华和秦铮。

谢芳华见无人了，立即收回视线，到了秦铮身边，低声道：“还坐着干什么？你倒是悠闲，赶紧出宫！”

“等着拿上剑。”秦铮道。

“两把破剑而已，还要什么？不要命了？”谢芳华低叱一声。

秦铮一把拽住她的手。他的手依然烫得吓人，清明的眸光也涌上了丝血红：“锁情剑可不是两把破剑，是太祖时候收在国库里的。据说拿到这把锁情剑的两个有情人，染了彼此的血，能心意相通，千里传音。”

“无稽之谈！”谢芳华不相信。

“你还别不信，也许是真的。今日我被她害了这一番，能得你辛苦进宫救我，再讨了两把剑作为补偿，哪怕没有传言的那般神奇，只这个名字，我也觉得值了。”秦铮低声道，“若不是他们今日觉得害我害得过分了，才不会这样轻易给出这两把剑堵我们的口呢，所以一定要拿上！”

谢芳华冷哼一声：“我的血支撑不了多少时间，再耽搁下去控制不住了怎么办？”

秦铮唔了一声，低喃道：“那就吃了你！”

谢芳华红着脸低啐：“你做梦！”

秦铮叹了口气：“连做梦的机会你也不给我。”

谢芳华白了他一眼，刚要再骂他，听到有脚步声传来，她立即住了口看去，只见吴权带着人抱了一个剑匣子走来。

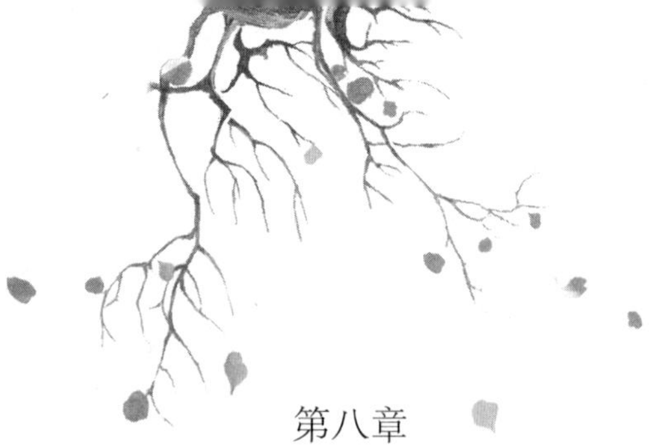

第八章

情毒得解

京　门　风　月

吴权走上前，将一个长长的匣子递到谢芳华面前。

谢芳华看了吴权一眼，伸手接过长匣子，对秦铮道：“走吧。”

“先打开看看。”秦铮伸手拿过长匣子，放在桌案上，慢条斯理地打开。

匣子打开的那一刻，两道耀眼的寒光从匣子里迸出。

吴权和跟随他而来的几个小太监受不住地齐齐闭上了眼睛。

谢芳华的眼睛也不由得眨了一下，她定神看去，见里面躺着两柄宝剑，虽然剑在鞘里，但依旧迸发出清冽的寒芒。

“这就是锁情剑吗？”秦铮看了一眼，懒洋洋地问。

吴权颔首：“回铮二公子，这的确是锁情剑。您可以看剑鞘、剑柄和剑身，上面刻着字，别的可以仿制，但是这字是决计仿制不来的。而且这两把宝剑是万年寒池下的玄铁打造，天下间也只有这一对，决计错不了。”

秦铮伸手拔出宝剑，剑身极其轻薄，如冰雪，寒光点点，只看那薄薄的剑刃，便能看出它们锋利无比。他拿着剑转了一圈，果然见剑柄上刻着字，一柄上写着“锁”，一柄上写着“情”，他忽然一笑，点头：“嗯，还真是，皇叔没拿乱七八糟的糊弄我。”

吴权闻言哎呦了一声：“铮二公子，皇上金口玉言，一言九鼎，既然答应给您，如何会拿假的糊弄您？”

秦铮哼了一声：“皇叔已经不是昔日的皇叔，拿假的糊弄我有什么稀奇！”

吴权一噎。

“行了，你走吧。”秦铮挥手赶他。

吴权点点头，带着几个小太监回去复旨了。

“这把‘锁’字剑是我的，这把‘情’字剑是你的。”秦铮将剑放入鞘内，啪地合上匣子，站起身，“走吧。”

谢芳华原本对锁情剑没什么兴趣，但如今见到，发现的确是世间难得的两把好剑。正如秦铮所说，皇上和皇后今日能拿出来，实属不易，若不是今日他们如此害秦铮，是断然不会给他的。她点点头，拿起匣子，向外走去。

刚走了两步，秦铮忽然踉跄了一下，扶住了柱子。

谢芳华顿住脚步，回头看了他一眼，气得骂了一句：“活该！”

秦铮无奈地对她一笑：“发作了，怎么办？”

“还能怎么办？”谢芳华抽出腰间的匕首，在自己的手腕上划了一下，然后快速地放到了他唇边。

秦铮撇开头：“我真不想喝你的血，我又不是那株莲花兰！”

“你难道还有更好的办法吗？”谢芳华沉着脸看着他。

秦铮目光幽幽地看着她。

谢芳华伸手捂住他的眼睛，低叱道：“其余的你想也别想。我告诉你，赶紧忍住，云继哥哥已经去请外公了，我们只要回到忠勇侯府，外公应该有办法救你。”

秦铮叹了口气，张口含住了她的手腕。

谢芳华撇开脸，丝毫感觉不到疼痛，只感觉到浓浓的热度，灼得她的手腕似乎要烧起来。

过了片刻，秦铮压下了欲火，掏出绢帕，擦了擦嘴角，又用绢帕包住了她手腕上的伤口，咕哝道：“我讨厌死你这血了！”

谢芳华看着他又气又笑：“若没有我这血，你早就没命了！还不赶紧走！”

秦铮点点头。

二人快步出了水榭。

早先一番大肆搜查，整座皇宫都被惊动，晌午一过，皇宫的所有地方都平静了下来。

二人一路顺畅地出了皇宫。

宫门外，侍画、侍墨焦急地等在那里，见二人出来，立即惊喜地迎上前。

谢芳华看了二人一眼，抢先跳上马车，见秦铮站在车前，似乎连上车的力气也没有，伸手一把将他拽上车，然后对二人吩咐：“赶紧回府！”

“是！”侍画、侍墨连忙坐在车前，一挥马鞭，马车立即离开了皇宫。

车内，帘幕落下，秦铮伸手一把将谢芳华抱在了怀里。

谢芳华看着他：“秦铮，世间再好再对的解药，也抵不过心底的欲念。你现在就把你的欲念给我压下去，否则，你看我经过此事之后还理不理你！”

秦铮本来想要低头吻下，闻言堪堪停住，盯着她冷静的脸看了片刻，悠然一叹：“你这女人真心狠。”

“我若是心狠，就该让你死在皇宫。”谢芳华从他怀里退出来。

秦铮闻言忽然笑了，眸中涌上来的火光慢慢地退去：“是啊，你若是心狠，就该不管我才是。”顿了顿，他看着她，“是我错了，不该说你心狠，应该说你已经喜欢上我了才是。”

谢芳华心思一动，眸光颤了颤。

喜欢？

她喜欢秦铮吗？

她撇开脸，沉静地道：“今日即便不是你，换作我哥哥、云澜哥哥、云继哥哥，哪怕是……”她捏了捏手指，“哪怕是李沐清，也许我也会去救的。”

“谢芳华！”秦铮顿时恼怒。

谢芳华扬了扬眉：“我没说假话！”

秦铮死死地盯着她，过了片刻，忽然被气笑了：“你就口是心非吧！总有一日，我会让你……”

“你还是祈祷外公有办法救了你的命再说以后吧！”谢芳华打住他的话。

秦铮闻言住了口。

谢芳华不再看他，靠着车壁闭上了眼睛。她难以想象若是她没有与别人不同的血，今日的情形会如何？若是没有血能控制锁情引，她会不会以身救秦铮……

会不会……

什么是喜欢？

什么又是爱？

李如碧问她的话还在耳边回荡。

秦铮看着谢芳华，有阳光从帘幕的缝隙下透进来，将她的脸照得忽明忽暗。他没有告诉她，他以为自己今日是必死无疑了，没有想到，她竟然出现在了皇宫。

她不知道，那一刻，他多么想要了她！即便没有“锁情引”，他的欲望也达到了极致！

可是她说得对，他要娶她，但绝对不能让忠勇侯府、让她背上白日宣淫的名声。

她的血除了能救回濒死的兰花，竟然还能抵抗锁情引的情毒。

她的血……

据师父说，曾经魅族王室的血脉，可以活死人，肉白骨，救一切生灵……

两盏茶后，马车回到了忠勇侯府。

马车刚一停稳，侍画、侍墨立即跳下车，对里面喊：“小姐回府了！”

谢芳华睁开眼睛，看向秦铮，见他的眉心已经聚拢了一线红丝，她面色一变，伸手拽住秦铮，拉着他跳下了马车。

“世子！”侍画、侍墨刚要叩门，门却从里面打开，谢墨含正站在门内，二人立即见礼。

“哥哥！”谢芳华看到谢墨含，喊了一声。

谢墨含点点头，看了一眼秦铮，皱了皱眉，对谢芳华道：“外公已经来了，正等在你的海棠苑，赶紧回去吧。”

谢芳华颔首，拽着秦铮立即向海棠苑走去。

几人进入后，忠勇侯府的大门紧紧地关闭。

不多时，三人来到海棠苑，秦铮这时已经不清醒了。谢云继等在门口，看到秦铮的模样，啧啧了一声：“难得见到他被欺负成这个样子。”

谢芳华看了他一眼：“外公呢？”

“在里面做药浴呢。”谢云继从谢芳华手里接过秦铮，对她道，“你不方便进去，等在这里吧。”

谢芳华抿了抿唇：“外公可说了能解‘锁情引’？”

谢云继眨眨眼睛：“他只说可以一试，不能保证。”

谢芳华皱眉。

谢墨含上前一步，拍拍谢芳华肩膀，对她温声道：“妹妹，你就等在外面吧，若是……”他顿了顿，看了秦铮一眼，“若是外公没办法，我再……喊你。”

谢芳华撇开脸，点点头。

谢云继带着秦铮走进去，谢墨含跟了进去。

随着三人进去，内室的门被紧紧地关上。

谢芳华站在门口，看着紧紧关闭的门，片刻后，慢慢地回身，坐在了台阶上。

侍画、侍墨走上前，低声道：“小姐，虽然如今是三月，天气转暖，但是地上的寒气还未退去，奴婢二人去给您搬一把椅子吧。”

谢芳华摇摇头。

二人对看一眼：“那拿一块垫子吧。”

谢芳华再次摇摇头。

二人看着她，阳光打在门口，打在她的身上，几乎将她笼罩，可是她似乎感受不到暖意。她们虽然跟随小姐的时间不长，但是这是她们第一次看到她这样，似乎是在紧张。

二人不再打扰她，陪着她一起坐在门口。

晌午已过，忠勇侯府中很多人都在午睡，海棠苑更是静静的。

时间一分一秒过去，里面没有丝毫动静。

谢芳华的唇抿了又松，松了又抿紧。

半个时辰后，房门忽然打开，谢芳华猛地回头，腾地站起身，只见谢墨含一脸疲惫地出现在门口，他的身后并没有别人。看到她，他摇摇头："外公也解不了。"

谢芳华面色一变。

"妹妹，'锁情引'实在太厉害！外公说，若是没有千年雪莲、千年灵芝、千年人参，那么只有一种办法能解。"谢墨含不忍心地看着她，"他如今不清醒了，是给他找个婢女，还是你……"

谢芳华的身子微微地颤了颤。

"若是不解，只有一死，时间不太多了。"谢墨含看着她。

谢芳华的身子靠在门框上，脸色有些白。

"给他安排一个婢女吧。"谢墨含看了谢芳华片刻，拍拍她的脑袋，低声道，"你是忠勇侯府的小姐，怎么能做解药？况且，你们虽然有婚约，但是三年太长，万一……"他顿了顿，"岂不是害了你！"

谢芳华不说话，神情严肃。

"去府中选一个身家清白的婢女来。"谢墨含对侍画、侍墨吩咐。

侍画、侍墨看向谢芳华，见她低着头不说话，二人点点头，向外走去。

二人即将走到门口时，谢芳华忽然道："回来！"

二人立即停住了脚步。

"妹妹？"谢墨含看着谢芳华，蹙起眉头。

谢芳华的手放在门框上，指甲将门框抠出了印痕，她的声音有些沙哑："哥哥，你知道今日我去皇宫，在靠近冷宫的一排假山后，看到了什么，听到了什么吗？"

谢墨含看着她。

谢芳华看向天空，几朵云在空中飘浮，阳光穿透云层，照耀在她身上，锦缎发出淡淡的光，她轻声道："他本来有一颗外公给他的千年灵芝丸，却给了李如碧。因为他自小和李沐清的兄弟之义，也因为法佛寺后山，李沐清及时赶到救了他一命，所以，他用解药救了他妹妹，保全了右相府的清贵门楣，可是李如碧爱慕秦铮，死活不离开皇宫，要给他当解药。秦铮不同意，李如碧要给他去找个宫女，他也不同意，还要杀了她。"

谢墨含的脸色有些变了。

"他说，若是以女人为药，不是我，他宁愿死！"谢芳华沉沉地吐出一句话，然后慢慢地收回视线，"这样的秦铮，哥哥，即便我不介意给他寻个婢女解毒，可是……我还能够对他的心意无动于衷吗？还能枉顾他的意愿，玷污了他吗？"

谢墨含的薄唇紧紧抿起："可是你怎么能……你是我唯一的妹妹……忠勇侯府的小姐……"

谢芳华忽然笑了，有些凄凉："哥哥，身份乃背负在我们肩上的枷锁，听着好听罢了。我们并不比别人高贵，一旦忠勇侯府倒了，我们将卑贱如尘埃，也许连尘埃也不如。"

"那你……要救他？"谢墨含脸部绷紧。

谢芳华闭了闭眼："若我的夫君注定是秦铮，那么……就是他了！"话落，她抬脚迈过门槛。

谢墨含的手伸到一半，到底是没拦着。

谢芳华走了进去，见内室里一片狼藉。

秦铮躺在浴桶里，闭着眼睛，浴桶里的水不停地翻滚着，正如他身体里滚滚的浪潮。

崔荆和谢云继一前一后坐着，双手紧贴着秦铮的前胸、后背，手心有浓浓的白烟冒出，显然这二人是在耗损功力为他排毒。

但是秦铮眉心的红线不但没退，反而更红了。

明显二人如此相助，效果却微乎其微。

"外公、云继哥哥，你们住手吧。"谢芳华站在桶边，看了一眼，平静地道。

二人已经耗费了许多功力，却感觉到根本没用，"锁情引"的毒实在是太烈了。见谢芳华来到，齐齐猜到了她的想法，顿时一起变了脸。

"你们住手，我来救他。"谢芳华又说了一遍。

崔荆慢慢地罢了手。

谢云继同时撤回手，啧啧道："这个'锁情引'不愧是天下第一春毒，实在是霸道。"

"丫头，你想好了？"崔荆看着谢芳华。

谢芳华点点头。

谢云继挠挠脑袋，看了谢芳华一眼，又看了秦铮一眼，忽然忿忿地道："他是不是故意中毒？这样就得逞了？未免太便宜他了！"

"就算是故意的，拿命相搏，也足够了。你们出去吧。"谢芳华摆摆手。

崔荆点点头，拽了谢云继一把，二人走了出去。

房门关上，秦铮忽然睁开了眼睛。

谢芳华发现他的眸子里已经没有了清明，她伸出手，盖住了他的眼睛。

"华儿？"秦铮不确定地喊了一声。

谢芳华嗯了一声。

秦铮忽然伸出手，一把拽住了她，似乎要将她拽进浴桶里，但是到了一半，忽然顿住手，艰难地对她道："再给我点儿你的血吧。"

谢芳华摇摇头："不管用。这种春毒不同于别的毒，是因心底的欲望牵引，我的血只能抵抗一时半刻，根本就压不住毒性。若是能管用，在皇宫时你的毒就解了。"

秦铮颓然地放下手，声音低哑："我知道你不愿意，我虽然口中说想要你，但也不想你就这样与我……"顿了顿，他的声音愈发低沉，"……委屈你……"

谢芳华忽然笑了一声："的确是委屈我。"

秦铮伸手去捂脸，却盖住了谢芳华覆在他眼睛上的手，他乍一触到，便用力地抓住："可是，你既然来到我身边，我就不想放你走了，哪怕是委屈了你……怎么办？"

谢芳华咬了咬唇瓣，佯装嗔怒："还能怎么办？三年后你若是娶不了我，我就杀了你！"

秦铮一把扯掉她的手，睁开了眼睛，一双火红的眸子盯住她："当真？"

谢芳华看着他，哪怕是眼睛变了颜色，可是其中依然倒映着她的身影，她慢慢地点了点头。

秦铮忽然一把将她拽进了浴桶，低头吻住她。

浴桶里面的水灼热得骇人。

秦铮的身体同样灼热得骇人。

谢芳华的衣裙很快被秦铮扯裂，她的身子在他怀里不知是被烫的还是紧张的，微微颤抖着，光滑如锦缎的肌肤很快便被覆上了一层吻痕。

谢芳华几乎受不住这股灼热，在秦铮的吻离开她的唇边，急切地滑向她脖颈的瞬间，她发出低低的声音："去……去床上……"

秦铮没听见，一心索吻。

"去床上……好不好……"谢芳华伸手抓住他的手，微微用力。

手上传来些许疼痛，稍微拉回了秦铮的一丝神志，听进去了谢芳华的话，他抱着她出了浴桶，跌撞着到了床前。

二人突然来到床前带起了一阵风，轻纱帷幔随之飘荡起来。

谢芳华转眼便被秦铮压在了床上。

谢芳华平躺着，看着秦铮即便中了"锁情引"也依然清俊的脸。虽然她已经丢掉了情爱，不再懂喜欢，对皇帝的圣旨赐婚都没太认真，虽然三年太长，也许有无数变数，但若是拿秦铮的命来换，她想也不想就会摇头。

没有不甘愿。

她是愿意的。

她这样想着，慢慢地闭上了眼睛。

秦铮的唇在谢芳华的唇上辗转，他的手在她的身上游走……

寂静中，门外忽然传来一个声音，是侍书的。只听侍书急匆匆地跑来，对谢墨含禀告："世子，云澜公子的书童风梨来了。说奉了他家公子之命，来给世子送一件东西，也许会有用。"

谢墨含一怔："什么东西？"

"似乎是雪莲。"侍书道。

谢墨含一喜："快，快让他进来！"

侍书连忙跑出去。谢云继本来坐在窗下，闻言也来了精神，立即跟了去。

"哎呀，有雪莲就好了，雪莲能解'锁情引'！"崔荆也喜道。

谢墨含闻言猛地回转身敲门："妹妹，雪莲，云澜的手里竟然有雪莲！你……"

谢芳华听得清楚，身子一僵，睁开了眼睛。

秦铮的唇和手同时顿了顿，但不过一瞬，便更加疯狂地吻向她。

谢墨含又在门外喊了两声，但到底顾虑里面的情形，没冲进去。

谢芳华听着外面谢墨含急切的喊声，感觉到身上的人似乎要将她烧着的热度，又凝视了秦铮片刻，然后，又慢慢地闭上了眼睛，任他施为。

就在她闭上眼睛的一瞬，秦铮忽然住了手，身子一翻，躺在了谢芳华身边。

谢芳华一怔。

秦铮忽然将头埋在她的颈肩处，然后用力咬下去，血腥味顿时充斥在帷幔内。

谢芳华疼得身子一颤，但并没有推开他。

过了片刻，秦铮火红的眸子现出一丝清明，他松开口，泄气地躺回床上，声音沙哑地道："我真想要了你。但是，但凡有一丝机会，我就不能委屈了你。"话落，他闭上眼睛，喘息着道，"我得感谢……谢云澜……从来没有这么感谢他！"

云澜哥哥手中竟然有雪莲？

是的，云澜哥哥被焚心之毒折磨了多年，赵柯出身神医谷，遍寻天下好药为他解毒，有雪莲的确不稀奇。

雪莲产自天山，以冰雪为根，破冰雪而长成开花，正好抵抗锁情热毒。

这一刻，谢芳华心里说不出是什么滋味。

她只是静静地躺着。

秦铮伸手推了推她，沙哑地催促："你赶紧起来，去拿进来！"

谢芳华偏头看向他，声音也是极其喑哑："你……确定？"

"自然确定。"秦铮伸手拍拍她的头，指尖勾起她的一缕长发缠绕，"虽然用谢云澜的东西我千万般不愿意，但是比起你的委屈，又算什么？大不了算我欠他一个大人情，来日好好还他。"

谢芳华不说话。

"只要他不是要你，我就不怕欠了他的人情。"秦铮松开手，再次催促，"快去！"

谢芳华耳边忽然响起谢氏米粮老夫人临终之言，她垂下眼睫，慢慢地坐起身，早先的衣服都被秦铮给扯破了，幸好这里是她的房间，她从衣柜里拿出一套衣裙快速地穿在身上，然后走到门口，打开了房门。

谢墨含一脸惨白，神色焦急，见她出来，立即拽住她："妹妹，你们……"

"没有。"谢芳华摇头。

谢墨含长舒了一口气："没有就好。"顿了顿，他道，"我已经让侍书去找风梨取了，没想到云澜竟然有雪莲，幸好来得及。"

谢芳华身子靠在门框上，不说话。

崔荆坐在院中的椅子上，对谢芳华招手："丫头，你过来。"

谢芳华看了外公一眼，缓步走了过去。

崔荆伸手拉过她的手腕，看了一眼，又对着她掩在衣服下的脖颈看了一眼，沉默片刻，缓缓地道："你的体质果然和你娘一样。"

谢芳华看着他，依然没说话。

"丫头，你的血可解天下百千毒，独独奈何不了两样毒：一样是魅族的毒蛊，一样是春毒。"崔荆叹了口气，"魅族因血而生，血尽而亡。丫头，你的血可不是无穷无尽的，以后，不到万不得已，不要动用了，否则伤了你的心元，无论如何补都补不回来的，你可知道？"

"为什么奈何不了春毒？"谢芳华低低地问。

"情乃人之根本。世间任何催情之药，首先摧毁的是心神，心神一毁，情随心动。你的血脉也是因情而生，自然不得解。"崔荆道。

"可是外公，我不觉得我还有情这种东西。"谢芳华道，"我的血难道不是无情之血？"

崔荆闻言顿时笑了："傻丫头！你的血怎么是无情之血？"

谢芳华蹙眉。

"看不透、猜不透、悟不透的东西，就不要去看、去猜、去悟了。"崔荆拍拍她，"你跟随自己的心走就是了。做每一件事情之前，问问自己的心，只要当时觉得是对的，做了也不后悔，那么就去做。"

谢芳华点点头，看向天空，如果今日没有云澜哥哥的雪莲，她得用自己救秦铮，她觉得，不会后悔。

"世子，是雪莲，取来了！"侍书抱着一个锦盒匆匆跑来。

谢墨含伸手接过锦盒，打开看了一眼，立即惊喜地喊谢芳华："妹妹，是雪莲！"

谢芳华走过去，对着锦盒看了一眼，不但是雪莲，还是一株千年的雪莲。她点点头，伸手接过锦盒，拿着进了房间。

"千年雪莲相当难得！小丫头，用一半应该就可以解他的毒。他似乎服用过千年雪莲，再加上你的血，有了抗性，否则哪里能坚持这么久。"崔荆立即道。

谢芳华点点头，关上了房门。

秦铮躺在床上，保持着谢芳华离开时的姿势，一动不动，看着屋顶的眼睛里已经尽是火红色。

谢芳华来到他近前，从锦盒拿出天山雪莲，掰了半株，扳过他的头，催动功力，手心顿时有一阵凉风扑出，谢芳华将雪莲放在他唇边："张嘴。"

秦铮忽然道："我后悔了行不行？"

“不行！”谢芳华摇头。

秦铮似乎叹息了一声，慢慢地张开嘴，将雪莲吞了下去。

谢芳华见他吃下雪莲，将锦盒放在一旁，上了床，让他盘膝坐下，她也盘膝坐在他身后，双手放在他的后心，帮助他将雪莲尽快消化，好抵抗“锁情引”。

两盏茶后，秦铮眉心的红线已经没那么红了。他恢复了清明，对谢芳华道：“你住手，余毒我自己来吧。”

谢芳华闻言慢慢地松开手，身子软软地躺在了床上。

秦铮回头看了一眼，见她除了额头有些汗水，面色疲惫至极外，并没有别的情况，便专心地运功。

又过了大约两盏茶的时间，秦铮缓缓地收功，躺在了谢芳华身边。

谢芳华伸手给他把脉，发现“锁情引”的毒全部解了，长舒了一口气，坐起身，走到衣柜前，拿出一套软袍，扔在他身上，然后抓起锦盒，走出了房门。

房门打开，谢墨含立即上前询问：“怎么样，可是解了？”

谢芳华点点头：“解了。”

谢墨含舒了一口气：“总算是解了！”

“这里是剩下的半株雪莲。”谢芳华将锦盒递给谢墨含。

谢墨含伸手接过，对她道：“这半株雪莲还给云澜吧。”

崔荆走过来，看着锦盒，对二人道：“我如今已经琢磨出能祛除含儿病根的办法了，就缺少一味雪莲，这半株我看就留下给含儿入药吧。”

“不行。”谢墨含摇头，“外公，我身上的病根不是一日两日了，这千年雪莲珍贵难求，如今已经用了云澜半株，不能再用了。况且他身上也有病，不比我的身体好，他估计也用得到。”

崔荆闻言疑惑地问：“他得的是什么病？”

谢墨含摇摇头，看向谢芳华。

谢芳华犹豫了一下，将锦盒从谢墨含的手中拿过来，交给了崔荆：“外公，既然这半株雪莲给哥哥就能治好他的病根，这半株你便给哥哥用了入药吧。”顿了顿，她抿唇道，“至于云澜哥哥，一株千年雪莲都救不了，更何况半株，留给他用处也不大。既然拿来了，就不必还回去了。”

崔荆惊讶地问道：“什么病连千年雪莲都救不了？”

谢芳华左右看了一眼，见无人，悄声道：“魅族的焚心之毒。”

崔荆面色大变。

谢墨含知晓谢云澜身体里的毒极其霸道，不同于寻常之毒，也隐约知晓是咒毒，但没想到是传说中的魅族焚心，他一时也没了言语。

若是魅族的焚心，自然不是一株千年雪莲便能管用的。

别说是千年雪莲，就算是千年人参、千年灵芝加在一起，也解不了魅族的焚心。

咒，是人灵魂之毒。

焚心之咒更是魅族的王族绝咒。

人未死，心已焚，焚心嗜血，嗜血焚心。

“他中的竟然是魅族的王族绝咒……”崔荆面色大变，捋着胡须，面色沉凝地看着谢芳华，“丫头，你虽然知晓魅族的焚心之咒，但是可知晓，不是什么人都能被下焚心之咒的？”

谢芳华不解地看着崔荆：“外公的意思是……”

“没有魅族王族血脉的人，即便有人对其下焚心，也是无用。”崔荆缓缓地道。

谢芳华的眸光骤然一紧。

“回头让我见见这位云澜公子吧。”崔荆拿着锦盒，向海棠苑外走去。

谢芳华看着崔荆走出海棠苑，直到没了踪影，才对谢墨含问：“哥哥，可有给外公安排住处？”

谢墨含点头：“请外公住在我的芝兰苑了。”

谢芳华点点头，低声道：“我的血脉是继承自娘，云澜哥哥若是……他传自谁？”

谢墨含摇摇头。

谢芳华看向城外的方向，然而除了层叠的房舍，什么也看不见，她问：“风梨呢？”

侍书站在门口，闻言立即回话：“他送来雪莲之后就赶回去了。”

谢芳华不再说话。

谢墨含看着她，低声问：“妹妹，今日到底是怎么回事？秦铮怎么被害成这样？他可不是一个轻易会被人害的人。”

谢芳华将今日宫里发生的事情说了一遍。

谢墨含听后叹了口气：“若是这样，也怪不得他。一直以来，他是英亲王府的铮二公子，德慈太后、英亲王妃宠着，背后有王氏和崔氏，还有英亲王给的隐卫，无人能奈何他，更何况皇宫他自小就常去，也没有一回是在皇宫里出事的。”

“正因为如此，皇帝和皇后才突然来了这么一次，让他险些被害死。”谢芳华有些恼怒，“堂堂帝后，竟然用如此卑劣的手段，真是可笑！”

“妹妹，皇权路上鲜血漫漫，白骨几乎堆积成山，各种手段，明的，暗的，比‘锁情引’还要过甚的不知凡几。”谢墨含温声道，“你只想想无名山，便不会觉得可笑了。”

谢芳华想起无名山的活僵尸和活死人，沉默下来。的确，这样一比，不过小巫大巫之别。

“秦铮应该不会就这么算了，总要找回场子来。”谢墨含道。

谢芳华点点头：“他冒着身体里的毒不解的危险等在皇宫不走，等着皇上、皇后带着一群人找上门，最后生生从皇上的手里要走了锁情剑。”

“锁情剑？”谢墨含一怔，“就是南秦太祖皇帝曾经收在国库里的锁情剑？”

谢芳华点点头：“就是那两把。”

谢墨含忽然笑了：“可真有他的！若是皇上给了这两把锁情剑，他中的这毒和这番受的折磨倒也值了。”

“给了。”谢芳华道，“皇上没怎么犹豫就送给我们了。”

“这也算是一桩交易，秦铮不再追究‘锁情引’之毒，借机要了锁情剑，因这锁情引和锁情剑有两个字相同，皇上也不能不给，毕竟做了亏心事。若是让英亲王和英亲王妃知道……皇上和皇后如此对付他们的儿子，会如何？英亲王也许会忍，但是王妃可不会忍，定然会搅得皇宫不得安宁。”谢墨含笑着道，“帝后失德，卑劣手段一经传开，可是比两把锁情剑还严重的事情。”

谢芳华笑了笑：“秦铮就是看准了这一点，才非要讨个补偿回来。”

“那两柄剑在哪里？”谢墨含问。

谢芳华看向侍画、侍墨。

侍画、侍墨连忙道：“在车里。下车时奴婢也着急，没带回来，这就去取。”

谢芳华点点头。

二人刚要抬脚，谢云继抱着一个长匣子从外面走进来，啧啧道：“不用去取了，我拿来了。真是两把好剑！还别说，秦铮这毒中得的确是值得！”

说着，他来到院中的石桌前，将长匣子放在了上面。

谢墨含走到近前，打开长匣子，将两柄剑取出来，观摩了一番，赞叹道：“不愧是万年寒池里的玄铁打造的宝剑，只看这剑身如冰雪，剑刃锋利，定然是削铁如泥。”

“不只削铁如泥，据说还有通灵之作用。”谢云继伸出手，“据说这两柄剑引了一对情人的血，能千里传音，不知道是不是真的。”话落，他对谢芳华摆手，“芳华妹妹，你过来，我们试试。”

谢芳华白了他一眼。

房门忽然从里面打开，秦铮懒洋洋地出现在门口，对谢云继道：“你若是试了，信不信我将你的手给剁了？”

谢云继的手立即缩了回去，转头看向门口，将秦铮打量了一番，哼了一声：“秦铮，你说，你是不是故意中‘锁情引’的毒，就是想要没大婚先与芳华妹妹洞房？”

秦铮扬眉：“若是我有那个心思，刚刚在千年雪莲送来的时候，就不会放了她。”

谢芳华不屑：“你是突然良心发现了。”

秦铮嗤笑："爷想做什么，就做什么，不想做什么，谁也强求不了。良心是个什么东西，我从来就没有！"

谢云继一噎，扭头看向谢芳华："你快看看，他这副德行，我早先竟然还损耗了三成功力想救他！真该让他被自己身体里的火烧死，免得出来祸害人！"

谢芳华没说话，看着秦铮。

秦铮慢悠悠地抬脚向石桌走来，待来到近前，他伸手抓住谢芳华的手，与他的手一起放在剑刃上。

"喂，你们要干什么？"谢云继顿时睁大眼睛。

秦铮不理他，将他和谢芳华的手按在了剑刃上。

谢墨含突然道："错了，不是中指，是食指，食指才连心！"

秦铮立即换了食指。谢芳华还没感觉到疼，食指就被锋利的剑刃划破了。她抬眼，见秦铮的食指同样被划破了。两人的血同时落在了剑刃上，瞬间就被剑给吸收了。

"原来这两个东西也是喝血的。"秦铮拉着谢芳华的手放在另一柄剑上，让两个人的鲜血一起被另一柄剑吸收，他忽然笑了笑，"你们喝了我们的血，以后就得忠于我们。别说千里，哪怕是万里，也得心灵相通，永世不弃！"

谢芳华看着两柄剑。不知是不是听懂了秦铮的话，两柄剑齐齐发出一声欢快的长吟，像是回答了秦铮。

秦铮唇角的笑容扩大，面上也现出了愉悦之色，转头对谢芳华道："你听到了吗，它们答应了！"

谢芳华看他明明经过一番折腾，体虚疲惫，却开心得像个孩子，忍不住也笑了，不想破坏气氛，点点头："听到了。"

谢云继忽然哀呼一声："我的眼睛啊……哎呀，长针眼了！"

"把眼珠子挖出来，就什么也看不见了。"秦铮嘴毒地道。

谢云继闻言啐了一声："果然是没良心！"

谢墨含失笑："如今天色不早了，都还没有用午膳，先用膳吧。"话落，他对秦铮道，"我觉得宫里闹出那么大的动静，英亲王府不可能得不到消息，为了不让王妃担心，派人传个话回去如何？"

秦铮点点头。

谢墨含叫来侍书，吩咐了一句，侍书立即出了海棠苑。

侍画、侍墨连忙去了厨房，不多时端来饭菜，摆在院中的桌子上。谢墨含和谢云继跟着忙活了一晌午，也没用膳，四个人一起坐在桌边。

第九章

感情深重

侍书去英亲王府送信，不多久便回来了。

据说英亲王妃大怒，英亲王想拦阻却没拦住，她冲进宫去了。

秦铮听罢勾唇笑了笑，懒洋洋地道：“我虽然拿了他两把锁情剑，但我娘肯定觉得怎么也比不上她儿子的命，所以定然会将皇宫闹腾个天翻地覆。”

谢芳华看了秦铮一眼，没说话。

谢墨含微笑：“王妃护子是出了名的。”

谢云继哎呀了一声，十分感兴趣地道：“要不我们去瞧瞧，看看王妃如何发威，皇宫如何震三震？”

“皇上的笑话是什么人都能看的吗？不想死你就去！”秦铮放下筷子，端起茶来喝。

“皇室隐卫正愁抓不到你，正好瓮中捉鳖了。”谢芳华警告谢云继。

谢云继闻言顿时蔫了，嘀咕道：“可是我堂堂谢氏盐仓的公子，不能整日里这么躲着吧！”

“待临汾桥的事情告一段落，秦钰查不出什么，就算能抓到你，还怕了他？”谢芳华轻哼一声。

“也是。”谢云继揉揉额头，叹了口气，“目前我就忍耐吧。”

四人用过饭，又闲聊了片刻，都累了，谢墨含和谢云继离开了海棠苑，回了芝兰苑。

秦铮和谢芳华又坐了片刻，回了房间。

房间已经被侍画、侍墨打扫干净，药浴的木桶也抬了出去，被撕裂的衣服和轻纱帷幔以及床褥都换了新的。

秦铮看了一圈，拉着谢芳华躺在床上，感叹道："真怀念……"

谢芳华纳闷："怀念什么？"

秦铮偏过头，目光灼灼地看着她，然后小声在她耳边说了一句话。

谢芳华的脸腾地红了，伸手打了他一拳，羞愤地道："你还有脸说？都是你……"

"是，都怪我。"秦铮抓着她的手，放在唇边轻吻了一下，闭上眼睛，"这回你放心我了吧，哪怕一张床，我也舍不得动你。"

谢芳华偏开头。不得不说，秦铮能为了不委屈她，欠了谢云澜一个大人情，的确让她心里说不出是什么滋味，不是庆幸，而是愈发沉重。

"睡吧。"秦铮拍拍她。

"这个时辰睡，晚上还睡不睡了？"谢芳华看了一眼外面的天色，已经未时二刻了。

"晚上去还那盆破兰花。"秦铮咕哝道，"难道你想青天白日地让人看到忠勇侯府的小姐跑去翠红楼？"

谢芳华住了口，也闭上了眼睛。

二人的确累了，不多时便睡着了。

海棠苑甚是安静。

两个时辰后，天黑了下来。

侍书进了海棠苑，侍画连忙拦在门口，问明他来的目的，想了想，回到门口，轻声对里面喊："小姐，王妃来了。"

谢芳华睁开眼睛，见秦铮还睡着，不过他的手一直攥着她的，她坐起身，抽出手。

秦铮复又攥紧，困意浓浓地道："别理她！"

"你若是困，自己继续睡，我去见见王妃。"谢芳华低声道，"我想知道如今皇宫成了什么样子。"

秦铮慢慢地放开手。

谢芳华走到菱花镜前，整理好衣服，出了房门。

侍画见谢芳华出来，对她低声道："王妃从宫里出来，直接来了咱们府，侍书说她不来海棠苑了，如今在画堂，要见您。"

谢芳华点点头，向外走去。

天色已黑，忠勇侯府各处的灯都点亮了。夜晚的风清清凉凉，谢芳华因为刚睡醒，还有些倦意，被风一吹，才清醒了些。

谢芳华来到画堂门口，便见英亲王妃在里面喝茶，仪态端庄优雅，进了皇宫一趟回来也未失王妃的气度。谢芳华挑开帘子走进去，喊了一声，给她见礼。

英亲王妃见她来了，对她招招手："丫头，过来！"

谢芳华听出这句话较之往日分外柔和，抬脚走了过去坐下。

英亲王妃立即放下杯盏，伸手抓住她的手："让你受委屈了。"

谢芳华一怔，立即摇头："您是不是误会了什么？秦铮他……我们并没有……是云澜哥哥送来的天山雪莲解了他的毒。"

英亲王妃笑了一下："我没误会，我听说了，若没有天山雪莲，你是要自己救他的。"

谢芳华垂下头。

英亲王妃抓着她的手紧了紧，叹了口气："你知道，铮儿是我的命根子。若是他有个什么三长两短，我也活不下去了。"

谢芳华点点头，她自然知道秦铮在英亲王妃眼里何其之重。

"皇上、皇后此次对他出手，且用的是如此伎俩，实在是让我气愤！"英亲王妃微怒。

谢芳华不说话，知道此事的时候，她也是怒极。

"皇上对铮儿出手，也是这些日子铮儿一直与他对着干引发的后果，他是为了南秦的江山。皇后呢，是为了她的儿子。我虽然气愤，但是想想，也无可厚非。若要为了儿子做什么，我也许也做得出来。"英亲王妃话锋一转，"他们倒不是要铮儿的命，只是他们低估了铮儿看重你的心意。"

谢芳华垂首不言。要秦铮的命，对皇帝、皇后都没有好处，他们要的，自然是破坏这桩姻缘。

他们的确是低估了秦铮即便舍命也要她的心。

"不过这件事出了也好，至少，右相府的李如碧可以死心了。"英亲王妃道。

谢芳华扯了扯嘴角，她不知道李如碧有没有死心，就算不死心，只要她和秦铮有婚约一日，她就不会让对方接近秦铮。

"除了两把锁情剑外，皇上答应了，封太子之日，同时封赐铮儿小王爷。"英亲王妃又道。

谢芳华顿时抬起头："何时封太子？"

英亲王妃摇摇头："何时封太子我也不知，只是他答应了就好。他的江山的承袭者还没定，我儿子的爵位也无须那么着急定了。"

"若是封太子，皇上会封谁？"谢芳华又问。

英亲王妃笑了一下："谁有资格，就封谁。目前秦钰回京了，看着是最有本事拿到太子之位，再登上皇位的人，可是未来的事情哪里说得准。"

谢芳华点点头。

"不过呢，这些皇子中，也就秦钰拿得出手了，有能力，有才干，有手段。未来的江山若是交给别人……"英亲王妃摇摇头，"文武百官都有眼睛，天下的百姓也不是瞎子，柳妃、沈妃生的那两个孩子，不会成气候的。"

“秦钰的确有手段！”谢芳华想说出秦铮身上中了秦钰下的同心咒之事，想了想，又吞了回去，还是不要让她多劳神了。

“有手段，也未必敌得过你和铮儿联手。”英亲王妃笑了笑，“这回鄺城和临汾桥的事情，对他来说，可是一根大棒子打在了身上。”

“保下柳妃和沈妃，也是为了牵制他。”谢芳华承认了，“秦铮是为了我，否则，以英亲王府的地位，他无需如此，不必您威胁皇上，皇上也会给他爵位的。”

英亲王妃摇摇头：“皇后在怜儿出生时，就将人夺在了手里，接进宫中。各皇子成年前，皇上不会定接班人，若秦钰不是接班人，因怜儿是铮儿亲妹妹这一牵扯，他也未必会把爵位提早给铮儿。但是，你知道的，英亲王府若是成为皇后的助力，对皇上来说，也不是好事，他想要的，是英亲王府中立。”

谢芳华点点头。

“这么多年来，他捏着铮儿的爵位，一是因为这个，二也是因为铮儿顽劣，不想早早给他，可是他万万没想到，铮儿会喜欢你，非你不娶。”英亲王妃笑了起来，“鲜少有他料错的时候，然而防了皇后，却将铮儿和你绑在了一起，这一回，他恼恨得够呛！”

谢芳华嘲讽地笑了笑，这就是机关算尽太聪明，可惜事情往往出人意料。

“英亲王府一脉，本该是皇室一脉，因为王爷天生脚跛，才与皇位无缘，太后忍痛，保了当今皇上，所以，铮儿是铮儿，但是英亲王府还是英亲王府。我今日虽然没给皇上下保证，但是要铮儿的爵位，也算是表明了一个态度。”英亲王妃看着谢芳华，神情凝重地道，“华丫头，你如今就跟我说一句实话，你想对抗皇权，到底是要保忠勇侯府，还是……”

后面的话她顿住不说，意思却不言而喻。

谢芳华迎上她的目光，淡淡地道：“我只想保忠勇侯府，没有推倒皇权甚至夺了皇权的打算，您放心。若不是皇权不容忠勇侯府，如今也不至于水火不容。”

英亲王妃点点头：“忠勇侯府一直忠心为国，老侯爷戎马大半生，老夫人呕心沥血而死，谢英和玉婉也是因皇上派的任务而死，谢凤代替大长公主远嫁……若说忠勇侯府不忠，那么全天下就没有忠心之人了。”

谢芳华慢慢地站起身，走到窗前，夜空中却不见几颗星。正因为忠勇侯府是她这些至亲之人用血铺成的，她才誓死要保住侯府。

英亲王妃也跟着谢芳华站起身，走到窗前，站在她身旁：“你是好孩子。”

谢芳华不说话。

英亲王妃深深地叹息一声：“皇上已经不是当年的皇上了。他老了，愈发心慌，生怕在他百年之后，谢氏夺秦氏而代之，已经看不到忠勇侯的忠心，只看到不停壮大、人才济济的谢氏。这也是身为帝王的悲哀，他的心里，只有江山永固。”

谢芳华看着夜空。帝王之路，她不懂，也不需要懂，她要做的就是守护忠勇侯府，若是皇上非要置忠勇侯府于死地，她也不在乎用利刃伤他。

“铮儿再待上两日，就让他回府吧，总不能老是赖在忠勇侯府。”英亲王妃拍拍谢芳华，“他要承袭爵位，也不能如此放任下去，王爷要教他该学的东西。有些东西，不是他聪明就抵用的，还是要学。就比如今日之事，对他来说，是一个教训。”

谢芳华点点头。

英亲王妃不再多待，起身回府。

谢芳华送英亲王妃到府门口，期间二人又闲话了两句。英亲王妃上了马车，马车向英亲王府而去。谢芳华站在门口，看着府门口的烫金牌匾驻足片刻，转身回了府。

府门在她身后重重地关上。

有多少人羡慕忠勇侯府如今的权势和世代勋爵？

可是又有多少人知道活在这里面的人的艰难？

一路上都很安静，路过芝兰苑时，谢墨含等在门口，见谢芳华回来，他走上前，温声问：“王妃走了？”

谢芳华点点头。

“王妃对你说了什么？”谢墨含看她脸色不是太好，有些担心。

谢芳华微笑：“就说了她大闹了一场，皇上除了给了两把锁情剑外，还确定由秦铮袭爵。皇上立太子之日，就是给他爵位之时。”

谢墨含惊异地道：“立太子？”

谢芳华觉得好笑：“哥哥，你怎么如此惊讶，历朝历代，不都是要立太子的吗？这一代只不过不是皇后先诞下皇长子而已。”

谢墨含定了定神，摇摇头：“爷爷退朝当年似乎说过，皇上恐怕不会立太子，退位之时会直接选定继承人，所以，我乍然听到，才会感到惊异。”

“皇上这样说过？”谢芳华挑眉。

谢墨含点点头：“也许是当年爷爷的猜测，如今世事变化，不由人了。”

谢芳华笑了一声：“当然不由人了。皇上没料到秦铮对我如此，他毕竟是英亲王府的嫡子，他一个人牵动了整座府邸，如果说皇上早先还觉得他只是在胡闹，经过今日之事，恐怕……”话说到此，她顿住，慢慢地收了笑意。

“秦铮他……唉……”谢墨含叹息一声，“他是不是英亲王府的嫡子，我们忠勇侯府不看重，我和爷爷看重的是，他对你好。”话落，拍拍她，“很晚了，回去吧。”

谢芳华点点头，缓步走回海棠苑。

秦铮深重的情意，她何以为报？

回到海棠苑，秦铮已经醒来，抱着胳膊靠在门口等着她。

谢芳华的脚步顿了一下。

秦铮对她挑了挑眉："我娘进宫闹了一场，闹回来什么好处？"

谢芳华将英亲王妃的话简单地与他说了一遍，尤其强调了英亲王妃最后两句话。

秦铮听罢撇撇嘴，不屑地道："还以为她又要了什么好东西，到底是女人，整日里只盯着爵位，头发长，见识短！"

谢芳华瞪了他一眼："英亲王府的世袭爵位是多少人求也求不来的，你若是不稀罕，难道给秦浩？"

"本来就该是我的，他不给也要给，多此一举！"秦铮嗤笑一声，"至于秦浩，他若是有本事，就从我手中夺去！"顿了顿，他嘲笑道，"太子？他不是没心思立吗，如今怎么又改主意了？"

"反正就允许你再住两日，两日之后，滚回家学东西去！下次再被困在皇宫里等死，我若是再去救你，就不姓谢。"谢芳华狠狠地道。

秦铮倏地乐了："不姓谢就姓我的姓吧，反正你早晚要姓。"

"秦吗？"谢芳华眯起眼睛。

"此秦非彼秦。"秦铮待她走到近前，将她的纤腰搂住，抱在怀里。

谢芳华本来有些怒气，这时也忍不住笑了，伸手推他："既然你醒了，走吧，我们去翠红楼，带上那盆兰花。"

秦铮低头在她的脸颊上轻吻了一下，然后不舍地放开她，懒洋洋地道："行啊，早点儿去，长夜漫漫，爷也好会会比我还狂妄的人。"

谢芳华喊了一声。

侍画、侍墨立即抱着那盆莲花兰走了出来。

谢芳华接过莲花兰看了一眼，这两日里，这盆花被养得枝叶鲜活，分外水灵。她凑近嗅了嗅，除了一股浓郁的药味，再闻不到别的味道。她将花端到秦铮面前："你再闻闻。"

秦铮低头嗅了一下，便嫌恶地离开，点点头。

"既然没问题，那就走吧。"谢芳华抱着莲花兰，"不想惊动哥哥的话，还是翻墙吧。"

秦铮没意见。

二人一起从上次谢芳华带着秦怜离开的地方悄悄出了忠勇侯府。

因刚入夜不久，街道上还有不少人走动。

秦铮和谢芳华出了忠勇侯府后，便径直向翠红楼而去。

谢芳华抱着莲花兰走在前面，秦铮悠闲地跟在她身后，越走越慢。

谢芳华回头瞅了他一眼："你能不能快点儿走？"

“急什么？”秦铮瞟了她一眼，“这样入夜出来散步可是难得。”

谢芳华无言地转回身。

上一世，她恨不得跳出高墙大院，看看外面的世界，看看这南秦京城的模样。寥寥几次出府，她总是想在街道上转，不想回府。这一世，她前往无名山，在暗无天日的环境里待了八年，回京后却一心护住忠勇侯府，也无心欣赏街上的景色。

南秦京城这座上千年的繁华古城，自然有它的历史文化底蕴，多少王朝在这里兴起又没落，多少帝王将相在这里千古留名。

一代又一代，它至今也没露出沧桑的气息。

“在想什么？”秦铮追上一步，偏头看着谢芳华。

谢芳华白了他一眼，不知道他哪里来的敏感，她稍微有些心思便会被他察觉。

她虽然不答话，眼里的意思他却看得明白，他伸手接过她手中抱着的莲花兰，用一只手托住，然后另一只手去拉谢芳华的手，声音在夜风中有了些春暖之意：“因为我爱你，所以会时刻注意你。因为注意你，便会清楚地感觉到你的心思何时变化。更因为如此，我就想知道，你心思的变化是因为什么，我想立马了解它，这样才能准确地知道，怎样对你更好。”

谢芳华的脚步猛地顿住，看向秦铮。

秦铮对她眨眨眼睛：“我说的是真话。”

谢芳华盯着他看了片刻，少年长身玉立，洒脱出众，隽秀绝伦，她慢慢地偏过头，一时间思潮涌动。

“感动了？”秦铮凑近她，眉目间是微微的笑意。

谢芳华伸手推了他一把，哼道：“你又没做什么轰天震地的事儿，我这就感动，岂不是太没价值了？”

秦铮笑了一声：“好，等我做了什么轰天震地的事儿后，你再感动。”

谢芳华忍不住露出笑意。

二人边说着话，边向前走，不知不觉到了翠红楼。

翠红楼入夜后便是灯火通明。

谢芳华看了一眼自己的衣服，衣衫未换，这里进出的都是京中的人物，难保没有识得她的，就算不识得他，可都识得秦铮。

她拉着秦铮走向后面。

秦铮没什么意见，显然他也不想谢芳华在京中落人话柄。

二人不多时便来到了那日秦铮骑马而过的院墙下。

那栋小楼的灯亮着，自然是有人的。

二人轻而易举地翻墙而入。

进了院子，二人走到上小楼的台阶下时，两旁昏暗处突然涌出数十人，齐齐用刀剑指向二人，怒喝：“什么人！”

秦铮挑了挑眉：“是护卫，不是龟奴，啧，轻水楼里面的人好大的排场！”

谢芳华目光淡淡地扫了一眼这群人，淡声道：“来送莲花兰。”

其中一人闻言，立即看向小楼上。

这时，小楼上的帘幕拉开，窗子打开，一道身影站在窗前，向下望了一眼，对那数十人摆摆手：“铮二公子？芳华小姐？请。”

数十人同时退去。

秦铮仰头看了一眼，抬脚上了小楼。

谢芳华跟在秦铮身后，想着已经三日了，不知哥哥查出什么没有。

二人上了楼，来到门口，门从里面打开，云水走了出来，第一眼就看向秦铮手里的莲花兰，顿时惊异地道：“你们当真救活了莲花兰？”

“难道还有假不成？”秦铮扬了扬眉。

云水仔细地看了片刻，然后抬头瞅了秦铮和谢芳华一眼，从门口让开，没说话。

秦铮没想到云水看到莲花兰只惊异了一下便不吱声了，比之那日张狂地拦住他的马气势汹汹的模样差得远了，他站着不动，冷笑一声：“如今还了你的莲花兰，可还要我的女人赔给你做兰花？”

云水眉梢动了动，忽然也笑了：“当然，它活得好好的，自然不用赔了。”

“三日前他也是心疼莲花兰，多有得罪，铮二公子大人大量，还请不要见怪，请！”言轻从里面走出来，接过话。

“爷向来小肚鸡肠，没有大量。”秦铮嗤笑一声，走了进去。

言轻微笑，看向谢芳华：“芳华小姐，你来得比约定的时间早。”

“了却一桩事不是应该早一些？”谢芳华也抬脚走了进去，“免得晚了一时半刻，我就得做这兰花。”

云水哼了一声：“我可要好好地检查检查，只有这盆兰花是真活着，没有丝毫作假才算。”

“自然，你大可以随便检查。”谢芳华回了一句。

二人一前一后进了画堂。

这栋小楼还如那日谢芳华进来时一般，帷幔轻纱，华丽异常。

秦铮将莲花兰放在桌案上，扫了一眼四周道：“似乎只有北齐才喜欢兽皮为地毡，兽角穿风铃。”

言轻的脚步顿了一下：“铮二公子似乎对北齐很了解？”

秦铮点头："我从小就想去北齐看看。"

言轻哦了一声，看着他："铮二公子对北齐如此好奇？"

秦铮嗯了一声："当年，北齐王请求联姻，本来联姻的人该是我大姑姑，可是我大姑姑不愿意去，忠勇侯府的小姐谢凤代替她去了。听说这些年她在北齐待得并不好，年纪轻轻便病魔缠身？"

言轻眯了一下眼睛："我兄弟二人虽然来自北齐，但是这等皇室之事哪里知晓。"

"不知晓吗？"秦铮弹了弹桌面，"这在天下间都不是秘密，南秦人人皆知，难道北齐的人反而不知？"

"我兄弟二人虽然出身北齐，但是自幼离乡，流落青楼，做的是迎来送往的营生，不晓得北齐皇室和外面的传言，又有什么稀奇？"言轻笑了笑，"铮二公子对我兄弟二人似乎很是怀疑？"

"你这迎来送往的营生似乎很赚。"秦铮指了指莲花兰，"稀世名品的莲花兰都有，若是这样，人人都要卖身青楼了。"

云水忽然道："若是铮二公子愿意加入，轻水楼自然欢迎之至。以铮二公子的品貌和身份，身价当然更高。"

秦铮眸光一扬，轻飘飘地反问："是吗？"

"自然是。"云水看着他。

"比你们还好卖？"秦铮追问。

云水眸光一沉。

言轻咳嗽了一声："铮二公子怎么能跟我们这等身份卑微之人相比？"话落，他看向莲花兰，转移了话题，"好鲜活！比在我这里养的时候要鲜活许多。"

"一股药味！"云水嫌恶地道。

"敢问芳华小姐，莲花兰娇贵，你是用什么办法给救活的？"言轻看向谢芳华。

"一副草药方子。"谢芳华甩手给了言轻。

言轻伸手接过，看了一眼，讶异地问："芳华小姐懂得医术？"

"大病多年，学了些。"谢芳华看着他，"若是两位公子觉得莲花兰没问题，我们就离开了。"

言轻看了药方片刻，又看向莲花兰，从莲花兰处传来一股浓郁的药味，他抿唇不语。

"如何没问题？好好的一盆兰花，拿回来却一股子药味，熏死了！"云水道。

"你说要活的，可没说怕药味。"谢芳华看向云水，"如今哪怕有药味，它也是活的。我言而有信了，难道你要言而无信？"

云水一噎。

言轻又看了莲花兰片刻，笑着问谢芳华："这药方子可不可以当作养莲花兰的方法送给我？"

"准你抄写下来。"秦铮截住谢芳华的话。

言轻挑了挑眉，点点头："好，铮二公子稍等片刻。"话落，他走到桌案前，提笔抄写药方。

秦铮看着言轻的笔迹，眸光深邃。

不多时，言轻抄写完药方，将原药方还给了秦铮。

秦铮随手毁了，对谢芳华道："我们走。"

谢芳华点点头。

言轻微笑相送："铮二公子，芳华小姐，慢走，再会。"

二人都不答话，一起出了小楼。

"就这样让他们走了？"云水不甘心地看着二人离开。

"别忘了这里是南秦京城。"言轻低声提醒他一句。

"那也不用怕他！"云水道。

言轻摇摇头，坐在桌前，看着面前的莲花兰，微笑道："她倒是真有办法救活这株花，莲花兰最是娇贵，可是到了她的手里，似乎不是这么回事。"

"这药方有什么好处，值得你抄录下来？"云水不满。

"这药方是个滋补的方子，甚是奇妙。"言轻道，"我在想，母妃这么多年被心魔折磨得心骨损伤得厉害，也许可以一试。"

云水睁大眼睛："你疯了？这是养花的方子！"

"养花？"言轻摇摇头，"这花可不是用药养的，别被蒙骗了。这明明就是养人的方子，药味不过是用来掩盖事实的。"

"怎么说？那它是用什么养活的？"云水立即凑近莲花兰，闻了又闻，"没有别的味道啊，只有药味。"

"等药味散去，也许就有别的味道了。"言轻道。

云水皱眉："你发现了什么？"

言轻摇摇头："没发现什么，只是直觉不该如此简单。父皇说过，凡事不要看表象。"

云水咬了咬牙："那就等着这该死的药味散去。我倒要看看，她是用什么方法救活的莲花兰的，别是有什么不可告人的秘密！"

"难说。"言轻笑了笑。

云水冷哼一声。

二人正有一搭没一搭地说着话，忽然有一股浓郁的血腥味传来。

云水立即皱眉："怎么有血腥味？"话落，他立即看向花，"是不是这花里传来的？"

言轻细闻了一下，忽然站起身："是小楼外！"

云水也察觉不是莲花兰了，同样赶忙站起身。

二人齐齐来到窗前。

只见小楼门口横七竖八地躺了一排人，每个人的胸口处都隐隐有一道血痕，已经没了呼吸。

这些人正是护卫这座小楼，刚刚拦阻秦铮和谢芳华的人。

二人的面色齐齐一变，同时跳出窗子。

一眼看去，这些人皆是一剑毙命。

云水顿时面如寒霜："一定是他们刚刚干的！"

"你说对了，正是爷干的。"秦铮坐在远处的墙头上，闻言淡淡地应答了一句。

云水立即看向他，目光中露出杀气："你为何要杀他们？"

"敢拦爷路的人，都得有些本事，没本事的人都得死。"秦铮一脚搁在墙头上，一脚垂下来，姿势分外悠闲，"他们没本事，只能死了。"

谢芳华坐在秦铮对面，跟他一样的姿势，闻言看了他一眼。

云水忽然抽出腰间的剑，杀气毕露。

言轻伸手拦住云水，看向秦铮和谢芳华："铮二公子和芳华小姐这是何意？你们来我这小楼，我兄弟二人以礼相待，你们却无声无息地杀了我们的人，是何道理？在南秦京城，天子脚下，难道王法就准许随意杀人吗？"

秦铮笑了一声："你可以去报官。"

言轻脸色一沉。

"好一个英亲王府的铮二公子，仗势欺人！谁不知道皇上和英亲王是一家人，官府岂敢审问你？"云水握着剑柄，青筋直冒。

"你错了！皇上和英亲王虽然兄弟情深，但是皇上是皇上，当朝天子，王爷是王爷，是天子的臣民，是一家人，但也不是一家人，所谓君臣之别。"秦铮不咸不淡地道，"你们若是去报官，也许皇叔真会处置了我也说不定。"

云水死死地盯着他，一时没言语。

秦铮悠闲地道："念在爷杀了你们这么多人，便好心地告诉你们一件事。"话落，他看了谢芳华一眼，"皇叔一直不喜我和华儿的婚事，一直想拆散我们，若是知道我们一起逛青楼，还在这里制造了命案，肯定会拿来做文章拆散我们，所以，你们若是报官，我哪怕是皇叔的亲侄子，也逃不脱法网，毕竟，王子犯法也和庶民同罪。"

言轻目光动了动，却没说话。

"你们可以好好想想，我等着官府的传唤。"秦铮话落，不再逗留，跳到墙外。

谢芳华看了二人一眼，也跟着跳到墙外。

云水见二人要走，提剑就要追，言轻死死地拉住他，低声道："不可！"

"他杀了我们这么多人，难道我们就这样算了？或者说，难道你真听他的，去报官？"云水急了，瞪着言轻。

"不可能去报官府，但是，你也不能对他动手，就算动手，也打不过他。"言轻道。

"我是打不过他，可是你呢？"云水气急，"一盆莲花兰，竟然让他杀了我们的二十护卫，而且是悄无声息，多可笑！传出去，我们不还手，多惹人笑话！"

"我动手，就算伤了他，又能如何？你别忘了，这里是南秦京城，我们的身份若是暴露，谁也活不了！"言轻低叱。

云水咬牙："难道就这样算了？"

"算了倒不至于，可以记着，来日方长！"言轻道。

云水气得将剑收入鞘里，看着地上横躺的二十具死尸，均是一剑穿胸而死，他疑惑地道："在我们眼皮子底下出剑杀人，且是二十人，我们竟然闻到血腥味才发觉，这简直是……"

奇耻大辱！

难以想象！

"这只能说明，一是我们没有料到，二是被莲花兰分散了心神，三就是，他们的剑太快。"言轻看着这些人胸前的血痕，"虽然看起来像是一个人的手法，但还是略有不同，定然是两个人一起出手，一人十个。必须有削铁如泥的宝剑，极快的剑法和身手，才会如此神不知鬼不觉。"

"谢芳华武功的确极高，那日你也见了。"云水也冷静了些，"若不是那日她救了我，我定然死在了秦铮剑下，所以，你说的三很有可能。"

"铮二公子怎么会是吃亏之人？那日你要求忠勇侯府的小姐，他的未婚妻，赔给你做莲花兰，他虽然因谢芳华阻止没杀你，但是也记下了这笔账，今日送上门来，便是找场子来了。"言轻道，"果然是南秦京城人人惧怕的秦铮，出手就震慑人心。"

"让他等着！有朝一日，我定然要杀了他！"云水怒道。

言轻沉默片刻，忽然道："看来我们不能在南秦京城久留了，他应该已经识破了我们的身份，所以才敢杀这些人，让我们只能吃哑巴亏，连报官也不敢，毕竟我们的身份不能暴露。"

第十章
身世之谜

血腥味很快就从小楼弥散到翠红楼前。

红姑得到消息，立马赶来小楼。当看到小楼门前横陈的尸体时，她吓了一跳，看向云水和言轻：“这……两位公子……这是怎么回事？”

言轻看了她一眼，没说话。

云水恨恨地道：“秦铮和谢芳华杀的！”

红姑面色一变：“他们来了小楼？”她竟然没得到半点儿消息！

“来送莲花兰。”言轻回转身，摆摆手，“红姑，这些人你悄无声息地厚葬了吧，明日晚上便安排我们离开。”

“公子明日就要离开？”红姑又惊了一下，“您不是说要多住些日子，好找……”

“找到了。”言轻道。

红姑更是哑然：“这么快就找到了？那他……”

“红姑，你问得太多了！”言轻截住红姑的话，吩咐道，“你行事隐秘些，明日晚上，送我们出城。”

“是！”红姑连忙垂下头。

言轻上了小楼。

云水站在原地，一脸恼恨：“秦铮和谢芳华，我算是记住他们了！等着，这笔账，定然要跟他们算！”

“水公子，他们杀了这么多人，我们真这样悄无声息地埋了？”红姑心疼地看着地上的人，都是她调派过来保护两位公子的护卫，武功都不低，竟然让人一剑毙命？还是在她的地盘上，如此悄无声息？

“不悄无声息埋了还能怎样，难道要报官？”云水没好气地道，“这样我和言轻的身份便暴露了。”

红姑一惊：“两位公子的身份决计不能暴露！”

“厚葬了吧。”云水摆摆手，也上了小楼。

红姑站在原地默然心疼了片刻，喊来几个近身之人，将那些人都抬了下去。

云水上了小楼，见言轻又在看那盆莲花兰，没好气地道：“你还盯着它看什么？再看它也不会开花！还是想想我们怎样杀了他还能离开吧！若是明日晚上走，时间这么短，他又在忠勇侯府，我们怎么才能冲进忠勇侯府杀了他。”

“杀他？”言轻抬头，“我杀他做什么？”

云水一怔：“你难道不杀他？”

言轻摇摇头：“找到他就行了。”

云水皱眉：“你可别忘了他的身份！若是他回了北齐，你还有地方站吗？皇后的身体已经被治好了，皇上又爱重皇后，如今北齐可是还没立太子。”

言轻眯了眯眼睛：“正因为如此，我才不杀他。谢氏替北齐养了个儿子，还隐瞒了这么多年，正好南秦的皇上想要除去谢氏，你说，这是不是一个很好的借口？”

云水眼睛一亮：“你的意思是……”

“谢氏是南秦的半壁江山，我要毁了这半壁江山，到那时，我北齐兵强马壮，越加富庶，一统天下不是指日可待？”言轻捏了一下莲花兰鲜活的枝叶，声音不高不低，却有一种气吞山河的气度。

云水看着他，呼吸窒了窒，半晌才道：“你有如此胸怀和眼界，若北齐不是你为王，将是北齐的损失。”

言轻闻言垂下眼睫：“可惜，父皇不喜我，我没能托生在皇后的肚子里。”

云水闻言恼怒地道：“我就不明白了！皇后乃是南秦的血脉，就算她有儿子又如何，还不是有一半是南秦的血脉？皇上即便爱重皇后，也不能污了我们北齐的血统啊！”

言轻闻言失笑：“什么是北齐的血统？”他摇摇头，“三百年前，南秦北齐是一家，后来前朝崩裂，双王争霸，最后才一南一北分漠北而治国，血统之说，立不住脚。”

云水一噎：“可是我们玉家辛苦辅助皇室，姑姑出身玉家，多么高贵，岂是一个远嫁北齐的谢凤可比的？”

“正是因为玉家辛苦辅助皇室，哪怕在皇室不需要的时候，外戚依然坐大，处处掣肘皇权，父皇才厌了玉家，不喜玉家女儿生的我。”言轻叹息了一声，“倒是南秦的王氏，早早退出朝堂，止步于泰安伯，南秦皇上才敬重王家。”

云水一时没了声，默然半晌，才道：“那谢氏呢？如今的玉氏和谢氏岂不是相当？”

“相当？”言轻摇摇头，“三年前，忠勇侯便退出了朝堂，忠勇侯府世子体弱多病，深居简出。忠勇侯府束缚着谢氏子孙，令他们不越雷池一步，可是玉家，你可看到玉家束缚自己了？”

云水哼了一声，不服气地道：“束缚又如何，不束缚又如何？还不是一样碍皇上的眼？”

“那是因为谢氏子孙有才华者太多了，着了君王的忌讳。束缚还一样坐大，岂不是让人心惊？”言轻慢慢地道，“玉家满族挑不出几个有才华的，偏偏野心不小，这是否认不了的事儿。”

云水坐下，也皱起眉：“不知道爷爷怎么想的，身为玉家的族长，不是应该束缚子孙吗？难怪皇上不喜玉家。”

“原也不怪玉家，是皇祖母太贪心，才导致如今愈加骑虎难下。外公也是无奈，他老了，力不从心了。”言轻揉揉额头，“我们出来一趟够久了，明日晚上一定要离开。”

云水点点头。

二人又闲谈了几句，熄了小楼的灯。

秦铮和谢芳华越过翠红楼外面的围墙后，并没有立即回府，而是选择了一处能望见小楼的茶楼，在二楼喝茶。

夜晚的南秦京城，除了秦楼楚馆、勾栏巷陌，茶楼的新词新曲也是一处风景。

二人坐在茶楼里，一边听着姑娘唱曲，一边注意着小楼的动静。

半个时辰后，小楼的灯火熄了。

谢芳华端着杯盏，晃荡着杯中水，一边画圈圈，一边道：“看来可以确定他们的身份了。”

秦铮讥笑：“一个是北齐的皇子，一个是玉家的小辈，这般堂而皇之地来南秦京城的地盘撒野，如此嚣张，谁给了他们胆子？”

“他们来南秦京城一定有目的。”谢芳华看着隐在夜色中的小楼道。

“自然是有目的。”秦铮也看着那处小楼，“我这里有一则北齐皇室的秘辛，传闻你姑姑月前一脚要踏入鬼门关之际，对北齐王说想见她的孩子，被玉家安插在皇宫里的密探听到了。”

谢芳华一怔，奇怪地道：“我姑姑有孩子？她不是不能生养吗？”

秦铮笑道：“我得到这个消息时，特意让青岩去查了，不得不说，回来的结果，让我也挺意外的。”

“你前一段时间派了青岩出去，就是为了查这件事？”谢芳华看着他，怪不得那段时间他身边不见了青岩，她以为是派去郾城了，原来不是。她蹙眉，“什么结果？”

“你姑姑的确生下了一个孩子，在她刚嫁入北齐的第二年，但是，从怀孕到生产，几乎没往外透露丝毫消息，那孩子被瞒下了，于是人人都以为，北齐皇后不能生养。”秦铮道。

谢芳华腾地站了起来：“竟然是真的？你确定？”

秦铮看着她道：“正因为怕手下人不得力，传回假消息，所以，我派了青岩去，从他手里传回来的消息一般不会失误。”

谢芳华知道青岩是秦铮的近身亲卫，千挑万选的，秦铮信得过的，自然是真的了。她愣了一会儿：“我竟然从来没听说过。那个孩子现在在哪里？”

秦铮摇摇头：“没查到。”

谢芳华抿唇，思索片刻：“若我姑姑真有孩子，当年她一个远嫁的孤女，在北齐若是没有北齐王照拂，别说生孩子，命也许都保不住。这么说，是北齐王保了她的孩子？”

“自然。”秦铮点点头，“北齐是玉家的势力范围，北齐太后、北齐贵妃，都是出身玉家。她刚去北齐的第二年也才站稳脚而已，若没有北齐王的允许甚至相助，岂能悄无声息地保下孩子？”

谢芳华又凝眉沉思，片刻后，忽然想到了什么，脸色微微变了。

“怎么了？”秦铮看着她，“你似乎发现了什么不太好的事儿。”

谢芳华转过身，背对着秦铮，沉默了片刻，才低声道：“昨日你进宫，我和云继哥哥去了云澜哥哥的府邸。在南山坡放风筝时，碰到了轻水楼的两人。当时，其中一人看云继哥哥的目光中有杀机。”

“你竟然背着我去放风筝？”秦铮的脸色顿时难看起来。

“你听重点好不好？”谢芳华有些无奈，回头瞪了他一眼。

“我听到的这个就是重点！”秦铮看着她，“我让你陪我放风筝，你不去；和别人放风筝，你倒是愿意得很！”

“本来是去看云澜哥哥的，云继哥哥非要去放风筝。我也想让云澜哥哥出去走走，不要因为老夫人去世总是闷着，便一起去了。”谢芳华解释了一下，见秦铮还是脸色难看，她道，“不就是放风筝吗，我明日补偿给你就是了。”

“这是你说的！明日一早，吃过饭，咱们就去放风筝。”秦铮趁机道。

“行。”谢芳华点头答应。

秦铮的面色这才好转，伸手将她抱在怀里：“不过你能对我说这件事情，证明你已经有些信任我了，我心里还是高兴的。”话落，他挑眉，“你的意思是，谢云继是你姑姑的儿子？”

谢芳华被他抱得紧，不太舒服地动了动身子，见他不松手，她只能任他抱着，点点头：“我是有这个猜测。”

“谢云继不是谢氏盐仓当今掌舵人的儿子，而是自小被训练的孤儿，这倒是吻合。”秦铮道。

“这件事情你知道？”谢芳华偏头向后看他。

“当然！爷在南秦京城混，若是摸不清一起在南秦京城混的人的底细，还怎么混个风生水起？”秦铮扬了扬脖子，高傲地道，“谢氏盐仓的继承人也是个人物，又不是小虾小蟹，我怎么能不查他？”

“若云继哥哥是姑姑的儿子，那么也就好解释了。当年定然有谢氏盐仓的人去了北齐，帮助姑姑将他带了回来。难怪这么多年来，云继哥哥一直想要找到亲生父母，但找遍南秦也查不出他的出身。”谢芳华道，“这件事情，我要去问爷爷。”

“若他是你姑姑的儿子，那么，便不能轻易放那两个人离开南秦京城。”秦铮面容微沉，“皇叔正愁找不到谢氏的把柄。”

谢芳华点点头。

秦铮放开她，牵住她的手：“走吧，我们回去。”

谢芳华思考着这件事情若是事实，她该如何赶在皇上闻到风声前处理了。

二人一起出了茶楼。

夜已深，路上只有三三两两的行人和车辆，二人顺畅地回到了忠勇侯府。

还未进海棠苑，便见一道身影等在那里。

正是谢云继。

谢芳华乍然看到他一怔，明明已是三月，夜色中他却有一种孤独萧条的感觉。她开口喊了一声：“云继哥哥！”

谢云继本来仰头看天，闻言收回视线，看向谢芳华和秦铮。

他的脸色在夜色下看不太清。

谢芳华甩开秦铮的手，快走两步，到了谢云继面前，打量着他。她一直没有注意过他的样貌，这一打量，发现眉目间还真有几分像她姑姑。

“是不是在看我到底像不像你姑姑？”谢云继开口，声音沙哑。

“你……”谢芳华看着他，“你知道了什么？”

“你让世子查轻水楼那两个人，世子查出来了。”谢云继的神情似乎有些受伤，“今日在云澜府邸的南山坡，我也觉得那人看我的目光不对劲，没想到……”他顿了顿，“因为查出了他们的身份，同时也发现他们在暗中查我，世子猜测他们来京一定是与我有关，所以，一查之下，知道得更多了。不久前我去问了老侯爷，老侯爷……承认了。”

谢芳华心下一震，虽然她猜测谢云继十有八九是她姑姑的儿子，但是没经过确认，她也不敢肯定，如今她爷爷承认了，便是事实了。

她一时不知道说什么好。

她也实在没想到他是她姑姑的儿子。

谢氏盐仓一直和忠勇侯府关系密切，爷爷相信谢氏盐仓，原来还有这样一层隐情。

天衣无缝地隐瞒了近二十年。

“我虽然一直想要找亲生父母，可是后来我忽然发现，谢氏挺好，我也不是那么想要找到他们了，可是，在我不想找的时候，却告诉我，我是北齐皇帝和皇后的儿子。”谢云继忽然嘲弄地笑起来，“上天向来是这样爱和人开玩笑的吗？”

“云继哥哥！”谢芳华知道这个真相时，不是开心，而是难过，也能体会这么多年他是如何煎熬地过来的，此时看着他这副样子，不忍他如此，伸手想安慰他。

秦铮一把打掉她的手，上前一步，拍拍谢云继肩膀，不以为意地道：“真相无论是什么，出身自己决定不了，但是命运可以自己决定。你即便是北齐皇帝和皇后的儿子，又有什么大不了的？你还是你。”

谢云继看向秦铮：“我还是我？”

“自然！”秦铮笑了一声，“难道背负了一个身世，你便不是你了？”话落，他扬眉，“我认识的谢云继，可不是伤春悲秋之人。你父母是北齐皇帝和皇后，岂不是比青楼娼妓好多了？”

谢云继愕然，继而恼怒地瞪着秦铮：“岂能拿我娘和青楼娼妓比？”

秦铮耸耸肩：“谢云继，你是谢凤的儿子，你该骄傲才是。北齐即便有玉家把持半壁江山，北齐皇后这么多年也深得子民爱戴。当年，她因为得罪了玉太后，玉太后意图废后，可是北齐朝臣有半数之多为她联名上书。玉家权势再大，也没能掩盖住她的本事，不是什么人都能让朝臣联名上书请求不废后的，玉太后当年因此事都气病了，此事也巩固了她在北齐王宫的中宫地位。”

谢云继抿了抿唇。

“还想不开？”秦铮瞅着他，“你若是还想不开，我再说一件事情。据我数日前得到的消息，在她嫁去北齐的第二年，玉太后、玉贵妃发现北齐王十分爱重她，便一心要置她于死地。本来她中了那二人联手下的毒，太医检查发现她已经怀孕三月。当时太医的保守救治方案是保大弃小，可是她死活不同意，要大小一同治。生产时，毒虽然去除净了，却自此落下了隐患，伤了宫心，再不能有孕。你若是她生的，那个孩子就是你。”

谢云继微微动容。

“人人都知道谢凤是因为受玉太后和玉贵妃迫害而自此落下病根多年不好，可是只有一两人知道，她是因为要了一个孩子。”秦铮赞叹道，“若不是月前她性命垂危，说话时不小心被玉家的暗探听到，这一桩天衣无缝地隐瞒你身世之事，恐怕还不会揭露出来。”

秦铮几句话，令谢云继的气色霎时好了起来。

谢芳华在一旁听着，暗自啧啧，从来不知道秦铮竟然也会宽慰人。

“那我如今该怎么办？”谢云继似乎被突如其来的身世弄得没了主张，下意识地问秦铮。

“还怎么办？继续做你谢氏盐仓的公子恐怕已经不行了。皇叔若是得到消息，不仅你逃不脱，还会牵连谢氏盐仓，牵连忠勇侯府，进而牵连整个谢氏。”秦铮慢慢地道，“不过话又说回来了，当年谢凤可是代替大长公主嫁去北齐的，若不是这样，今日也许你就是大长公主的儿子，就是皇室的外甥了。”

“谁要做那个女人的儿子！”谢云继撇开头。

秦铮嗤地一笑：“我也觉得我大姑姑不咋样，不如谢凤之处众多。”顿了顿，“目前有两个选择。一个是离开谢氏盐仓，你回北齐，做你的皇子。一个是拦下玉贵妃的儿子，秘密处置了，你还做你的谢云继。”

谢云继脸色难看，沉默片刻，幽幽地道：“我虽然不是生于南秦，但是自小长于南秦。我虽然不是生于谢氏，但是长于谢氏。让我放弃谢云继的身份，半年之前，我也许会毫不犹豫，可是如今，我做不到。”

秦铮挑了挑眉：“那就只有第二个选择了。”

谢芳华此时开了口：“云继哥哥，姑姑的病被人治好了，她肯定十分想念你。你就算不回北齐去做皇子，是否也该回去看看她？”

谢云继抿唇，没说话。

“既然病被人治好了，来日方长，也不急于一时半刻，先解决了轻水楼那两个人才是。”秦铮向忠勇侯府的墙外望了一眼，“若我猜得不错，他们该是已经察觉我们查知了他们的身份，不会在南秦京城久留了，顶多明后日，便会离开。”

“他们来南秦京城，是为了查探我，如今查到了，不知道打算如何对我。”谢云继道。

“也有两种方案：一种是杀了你，免除后患，他就能顺利登上王位，毕竟如今北齐抗衡的两大势力除了皇后就是玉贵妃了。尤其玉贵妃还有玉家，皇后的儿子若是死了，她的儿子便没有对手了。第二种，是他们回去后，将这个消息公布天下，南秦上下皆会震惊。皇叔正愁找不到谢氏的把柄，怎么会放过这个别人送上门的机会？”

谢云继面色微变："他在南秦的地盘，要杀我难如登天，那么一定会选择第二种。"

秦铮点点头："有可能。至少你在忠勇侯府，他们便动不了你。"

"若是让他们回到南秦，一旦我的身世公布出去，皇上便会对谢氏盐仓发难！"谢云继摇摇头，"谢氏养我一场，定然不能将谢氏推向刀锋，所以说，一定不能让他们回去。"

"他们能悄无声息地进入南秦京城，南秦各地定然有他们的暗桩。"谢芳华沉思，"我在想，就算他们回了北齐，公布了消息，北齐也不是只有玉家一手遮天。北齐皇帝当真如传言一般爱重姑姑的话，如今姑姑痊愈了，还是北齐皇后，玉贵妃和玉家想施为，是不是也要受到掣肘？另外，当今皇上就算要对谢氏盐仓发难，难道能不顾及姑姑？当年，她可是代替大长公主嫁去北齐的，皇室在这一点上也欠了姑姑一个人情。忠勇侯府是你的外公家，庇护你又有何不对？皇上就算抓住机会将刀锋指向谢氏盐仓和忠勇侯府，他的理由是不是也立不稳脚？不能一下子置忠勇侯府于死地。"

"说得虽然也有道理，但何不免除后患？"秦铮道。

"这件事情爷爷和哥哥怎么说？"谢芳华看了秦铮一眼，又看向谢云继。

谢云继摇摇头："我突然知道自己的身世，一时接受不了，跑来了你这里，还未曾听过他们的想法。"

谢芳华看了一眼天色，温声道："今日天色已经晚了，这样，明日一早，我们去找爷爷，听听爷爷怎么说。"

谢云继点了点头。

"这有什么大不了的，好好睡一觉。"秦铮拍拍谢云继肩膀。

谢云继想笑，却没有笑的心情，点点头，离开了海棠苑，向芝兰苑走去。

秦铮伸手搂住谢芳华的腰，有些郁郁地道："你对他可真好，从来没跟我温言软语过。"

谢芳华捶了他一下："你也弄个身世出来，也是忠勇侯府的外甥，是我爷爷的外孙子，是我和哥哥的表兄弟，我也安慰你，如何？"

秦铮咳了一声："不如让他去做英亲王的儿子，我来做他吧。那样我入赘给你家，想来你就没意见了。"

"我是没意见，你娘该有意见了。"谢芳华闻言忍不住好笑，推开他，向内院走去。

秦铮唔了一声："我娘有时候实在讨人厌。"

"有你这样背后嫌弃娘的儿子吗？"谢芳华回头瞅了他一眼。

“我当面也嫌弃她。”秦铮道。

谢芳华翻了翻眼皮，觉得英亲王妃若是在这里，估计会一巴掌扇过来将他打回娘胎里重造。

二人一起进了房间。

谢芳华要掌灯，秦铮拦住她，拉着她径直上床：“还掌灯做什么？睡觉！”

话说完，便甩了外衣，同时将谢芳华的丝带挑开，转眼甩了她的外衣。谢芳华还没回过神来，人已经随着他躺在了床上。

动作之利落，不亚于出剑。

谢芳华躺下来之后无语了片刻，见他闭上了眼睛，一言不发，也闭上了眼睛。

不多时，秦铮便睡去，还有均匀的呼吸声传出。

谢芳华一时没有睡意，但因为秦铮抱着她，她也不敢动，怕吵醒他，只能闭着眼睛想事情。

不久，她也睡了。

第二日一早，二人几乎一同醒了。对看了片刻，秦铮坐起身，俯身在谢芳华眉心落下一吻，然后披衣下床。

谢芳华的心跳了一下，脸不由得红了，见他已经利落地起身，也跟着起了。

二人洗漱罢，收拾妥当，外面侍画低声道：“小姐，清早侍书来过了，说等您和铮二公子睡醒了，就去荣福堂老侯爷处用膳。”

谢芳华应了一声，和秦铮一起出了海棠苑。

今日早上的天有些阴沉，像是有雨但一时又下不了。

二人一路无话到了荣福堂。

荣福堂内，忠勇侯、谢墨含、谢云继、崔荆四人都在，饭菜已经摆放在桌上，似乎就等秦铮和谢芳华了。

二人进来给两位老者请了安，然后坐了下来。

六个人席间除了闲话几句，再未谈别的事，一顿饭吃得甚是安静。

饭后，几个人喝着茶，忠勇侯才缓缓开口：“当年，凤儿刚到北齐之时甚是艰难，玉太后、玉贵妃、玉家处处打压她，想要置她于死地。幸好有北齐皇上爱护，她也有些能耐，才躲过了一劫又一劫。第二年，她被玉太后迫害，中了毒，太医诊治时才发现怀了孕。太医建议保大弃小，她却觉得，也许这就是她此生唯一的孩子了，她舍不得，死活不准，北齐皇上也只能由了她。当年，北齐皇上才执政没多久，势力不能和玉太后抗衡，尤其玉太后又是他的生母，所以，这个孩子若是在北齐王宫，断然是长不大的，凤儿只好悄悄派了近身之人回南秦向我求助。女儿远嫁北齐，也许这一辈子都再回不来了，回来个外孙子总是好的，但是不能回忠勇侯府，皇上对忠勇侯府盯得太紧，于是，我私下找到了谢氏盐仓。”

几人静静地听着。

“谢氏盐仓当今的家主不能生子，且当年凤儿和他的兄妹情谊还不错，听说此事后，他欣然应允了，于是我们合计了一个方案，由他亲自去了一趟北齐，待凤儿生下孩子后带回来。”忠勇侯看向谢云继，“他本来想将云继娇养，可是我觉得，既然云继的身份是北齐皇子，是凤儿的孩子，便不能娇养。有朝一日北齐皇上和凤儿想接他回去，他却娇养成性，什么也不会的话，如何是玉家和皇室一众子嗣的对手？所以，我俩便安排了一番，将他当作被选中的孤儿培养了。”

谢云继看着忠勇侯，动了动嘴角，却没出声。

“这些年云继吃了不少苦，他的养父有很多次都看不下去了，想要放弃，是我一直要他狠下心来。后来他渐渐大了，有了些本事，竟然暗中查起身世来，他的养父怕他闹大了，惊动皇上，只能百般阻挠。想要告诉他身世，但又怕他少年血性，这里面干系太大，一旦处置不好，后果不堪设想，所以一直没想好怎么说，谁知一转眼，他便这么大了。”忠勇侯伸手摸摸谢云继的头，感慨道，“他前些日子说，这孩子突然撤回了所有查探的人，不查了，好像是放弃了，安心地待在谢氏盐仓了，他有些不安。我却觉得是云继长大了，时机到了，可以说出真相了，没承想，北齐却先传出了消息，还引来了玉贵妃的皇子和玉家的人。”

“爷爷觉得该如何处置那二人？”谢芳华此时开口。

“处置？”忠勇侯摇摇头，“如何能处置？他们一个是北齐的皇子，一个是玉家近枝的小辈，只要南秦和北齐不想打仗，即便他们来了南秦京城，又能如何处置？皇上若知道，定然是待为贵宾。”

“待为贵宾？”谢芳华眯起眼睛，“北齐和南秦虽然相安无事多年，但皇上也不是不想压过北齐的。”

“比起压过北齐，咱们谢家才是皇上的心头之患。”忠勇侯摇摇头，“丫头，你爷爷我是三朝老臣，一生都伴君身侧，对帝王之心，你们小孩子没我看得透。”

谢芳华住了口，的确，论起朝政，论起帝王之心，她的确不如爷爷。

秦铮挑了挑眉：“我们先杀了他们呢？看皇叔如何待为贵宾。”

“臭小子，你是想要挑起战火？过得太安逸了？”忠勇侯骂了他一句，“这么多年，两国的百姓好不容易安居乐业，一旦战火挑起，遭殃的可是百万家园啊。”

秦铮闻言住了嘴。

“天下没有不透风的墙，你若是杀了他们，别说玉家不干，就是北齐皇上也不干。”忠勇侯又训斥了秦铮一句。

“难道放他们离开？若是他们回去，将云继哥哥的身世公开怎么办？皇上不会开战，却会拿我们谢家动手。”谢芳华道。

“公开就公开！凤儿的儿子，我的外孙子，在外公家长大有什么不对？皇上从这一点上别想拿捏我！”忠勇侯的胡子翘了翘，“况且，云继本来就是北齐皇子，他长大了，也该还他个身份了。”

“若是公开，北齐皇上会不会想要云继哥哥回去？”谢芳华蹙眉。

“这还要看云继自己的意思。想回去就回去，不想回去，就在谢家待着。”忠勇侯摆摆手，“没什么大不了的。”

谢芳华还是觉得不妥当，但一时间也反驳不了忠勇侯，毕竟他说得也有道理。

“爷爷三年不入朝堂，朝局、朝政以及皇叔已经不是您想的样子了。”秦铮散漫地道，“依我的意思，就算不杀他们，也要先扣押下，我们掌控了主动权，回头再说别的，否则，这样放任下去，一切都抓在别人手里，太过被动。”

“对，就是这样！”谢芳华总算知道哪里不妥当了，闻言看了秦铮一眼，立即应和。

谢墨含点点头：“我觉得这样也好。不论是皇上得到消息，将二人接进宫，以礼相待，还是放任他们二人离开，对我们谢氏都不是好事，的确太过被动。若是先一步拿住他们，我们就能掌控主动，有些事情，便好谈了。”

一直没说话的崔荆也点点头：“嗯，我同意铮小子说的。老侯爷光明磊落一辈子，不屑做这等宵小之事，但时局便是如此，皇子已经成年，皇上等不及要除掉谢氏了，如今又掺和进华丫头和英亲王府的婚事，法佛寺、鄢城、临汾桥之事已经让他焦头烂额了，难保不会突然发难。”

“也罢，你们说了算吧，我老了。”忠勇侯摆摆手。

“你从朝堂退下来后，就一直待在忠勇侯府，不若出去走走。”崔荆道。

“走？走哪儿去？”忠勇侯问。

“四处转转看看，总比闷在忠勇侯府好。”崔荆道。

“孙子、孙女都成年了，一个病怏怏的，媳妇儿还没定下；一个不省心，虽然订了婚约，但也要三年后，我出去转也不踏实。”忠勇侯摇头。

“操心的命！”崔荆说了他一句。

谢芳华忽然想起上一世，似乎在某个时候，也有人让爷爷出去走走，爷爷也是因为哥哥和她拒绝了。爷爷戎马半生，守卫疆土，后半生回归朝堂，勾心斗角，再后来退出朝堂，又忧心谢氏和他们兄妹，这天下之大，他从来没出去走走转转，只献给了忠勇侯府。她心下一酸，忽然道：“爷爷，外公说得对，您是该出去走走了。外公不是寻到了救治哥哥的法子吗？哥哥病好了，您就不必忧心了。至于我，您更不用担心。”

忠勇侯皱眉：“臭丫头，你是觉得我老头子日日待在你眼前碍眼了是不是？你才回来，就要赶我走？”

谢芳华笑着瞪了他一眼：“又没有让您立即就走！”

“外公若是离开，您跟着外公一起出去转转，也好。”谢墨含此时接口，“妹妹说得对，我们大了，不能总是拴着您，忠勇侯府以后有我们，您就少操些心吧。”

“外公什么时候离开？”秦铮扭头问。

“待把含儿的病治好，你舅舅从郾城回来，我见他一面，没什么事情的话，就离开。”崔荆道，“若是老侯爷跟我一起走，那更好，免得我一个人没伴。”

“虽然我觉得爷爷在忠勇侯府可以向着我，不让人欺负我，不过呢，我也觉得，总待在忠勇侯府有什么意思，外面大千世界，出去走走才好。”秦铮道。

忠勇侯闻言也有了些心思，看向崔荆：“如今云继的事情压在这里，回头他的事情过了再说吧，反正你要走也得等些时候。”

崔荆点点头：“含儿的病根难除，总要十天半个月，他服下药后，我还要给他拔毒。”

“辛苦外公了！”谢芳华对崔荆道谢，若不是他回来，哥哥的病一直是她心头的事儿，得绞尽脑汁给他祛除顽疾。

“一家人，说什么谢！”崔荆摆摆手。

谢芳华笑了笑，刚要再说话，外面侍书忽然道：“世子，宫里的吴公公来了，说皇上要召见云继公子。”

谢芳华顿时收了笑意，皇上这时候召见谢云继做什么？难道他已经得到消息了？

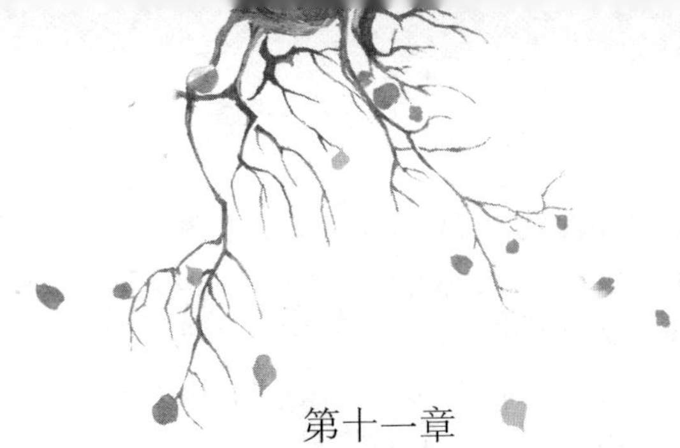

第十一章
依依不舍

京　门　风　月

众人闻言，心头齐齐一沉。

谢墨含看了众人一眼，站起身，缓步走到门口，对侍书问："你可询问了皇上要召见云继有何事？"

侍书道："我问了，吴公公不说。"

谢墨含皱眉，回头对谢云继道："你先在这里待着，我出去问问，若是皇上发现了你的身份，此时你便不能进宫。"

谢云继点点头。

谢墨含迈出门槛，出了荣福堂。

"昨日之事，是不是没瞒过皇上的隐卫？"谢芳华扭头询问秦铮。

秦铮摇摇头，懒洋洋地道："爷出手怎么会不隐秘？我父王隔三差五去翠红楼，我虽然嘴上气他，但也晓得他是去做什么——无非是盯着翠红楼彻查某些事情，皇叔的人自然也有在翠红楼的。但翠红楼若是这样就能被他们查出来，也不至于屹立多年不倒了，所以皇上此番找云继不见得是为了昨日之事。"

"那皇上找云继哥哥会有什么事？"谢芳华颦眉。

秦铮冷哼一声："自从法佛寺、郾城、临汾桥三处先后发生刺杀这种大事，他已经忙得焦头烂额了。若说法佛寺和郾城还不算严重，那么临汾桥可就严重了。如今已经三月，距离汛期还有多久？满打满算，最多撑三个月，也许还有两个月汛期就来了。彻查这场谋杀虽然要紧，但是最要紧的事情自然是赶紧修筑临汾桥。国库虽然充盈，但是难道不养兵，都拿出来修桥？"

“你的意思是，找云继哥哥，是为了让谢氏盐仓拿钱？”谢芳华凝眉。

“保不准。”秦铮道，“皇叔会算计，这关头让他动国库，他可能觉得肉疼，一时动不了谢氏，但让谢氏掏些钱还是可以的。”

“我们谢氏每年上缴国库的税还少吗？”谢芳华冷哼一声。

“是不少。正因为谢氏庞大，纳税数额庞大，士、农、工、商，谢氏几乎覆盖了南秦所有的命脉，皇叔才怕。”秦铮道。

“当年南秦初建，若不是谢氏从士、农、工、商这些命脉中抽调人力财力支援，如何能有南秦如今的国富兵强？姓秦的坐了两百八十年江山，一代比一代昏庸，都忘了谢氏这些功绩吗？”谢芳华有些恼怒。

秦铮咳嗽了一声，抓住她的手，笑吟吟地道：“你说得对，姓秦的都不是东西，以后你就可着劲儿地欺负姓秦的，都找还回来，我一点儿怨言没有。”

谢云继扑哧一声笑了。

崔荆和忠勇侯也忍不住笑了。

谢芳华本来有些气，闻言也笑了，甩开他的手，不言语了。

“若是皇叔因这件事情找云继兄，云继兄可不要客气，该讨要的还是要讨要，皇叔不给好处想白要钱？想得美！”秦铮又道。

谢云继摊摊手：“我爹还在，谢氏盐仓也没全交给我，不明白皇上怎么找我，也许不是为这事儿。”

“谢氏盐仓虽然没全部交到你手上，但也就差一个继承仪式。而且你手里攥着的东西，正是盐仓的银库。”秦铮看向他。

谢云继眸光微闪：“你对谢氏盐仓倒是很了解？”

秦铮扬眉，骄傲地道：“自然！你最早接近华儿，我如何敢不调查你的底细摸清你？”

谢云继瞪了他一眼，对谢芳华道：“你看看，他这是明目张胆地想拴住你，连兄弟靠近你也要防着。”

谢芳华无奈地摇摇头，她对秦铮也是没话可说了。

秦铮哼了一声：“没娶进家门一天都不踏实，自然要防着。”

“行啦，臭小子，为了娶个媳妇儿，再没有比你更丢人的了，闹得天下皆知。”忠勇侯有些听不下去，训了秦铮一句，“先皇若是在，也会被你气死。”

“皇祖父若是在，皇祖母也在，皇祖父爱重皇祖母，也要听她的。皇祖母向着我，没准替我高兴呢。”秦铮得意地扬了扬下巴。

“你快住嘴吧！”谢芳华伸手捂住他的嘴，不让他再说下去。

秦铮拿掉她的手，叹了口气，住了嘴。

谢云继难得见秦铮也会叹气，觉得新鲜："我以为你不会叹气呢，原来你也会。"

"照这样下去，还没娶到媳妇儿，我的头发该愁白了。"秦铮偏头，扯下一缕青丝，看了一眼。

谢芳华扒拉掉他的手，跟个孩子似的！

"若是铮小子说得对，云继你要想好该怎样应对皇上。"崔荆道。

谢云继眯了眯眼睛，点点头。

忠勇侯看向谢云继："云继啊，钱财乃身外之物，百姓的性命才是重中之重。临汾桥修筑堤坝迫在眉睫，皇上也不会一毛不拔，若是要谢氏盐仓的银两，你还是不要拒绝。"

谢云继颔首。

"爷爷就是有菩萨心肠！"谢芳华说了忠勇侯一句，对谢云继道，"就算要拿，也要有条件，不能轻易给了他。"

"自然！"谢云继道。

"小丫头，铮小子，善心不是错，大善之人，必有善报和福报。"崔荆看向二人，"你们的善报和福报上天都会记着，可能目前看不见好处，但是总有一日，会还给你们，恶报也是一样。所以，要惜福惜缘，心存善念。一旦临汾桥不能及时修筑起来，数千亩良田便会毁于一旦，十几万百姓无家可归，如果水灾严重，就不止是一个临汾镇遭殃，到那时，百姓流离失所还是小事，会有多少人死亡？疾病、瘟疫一旦蔓延……后果实在可怕。"

谢芳华闻言，眉目凝重了几分，想起自己能有机会重生，也许就是上辈子或者几辈子积累的善念和福缘换来的，毕竟曾经的她连一只蚂蚁也舍不得碾死。她抿唇，点头："外公教训得是，华儿一定谨记。我保下了柳氏，让柳氏免于危难，柳氏也该为此付出些代价。银钱对于柳氏来说也不是大事，至少，比杀头灭门轻多了。"

"还有沈氏，一起找找。"秦铮道，"也许不用咱们找，皇叔就已经找了。他目前还没太昏，这事情他多少应该明白是谁做的，只是没有证据罢了，否则在皇宫时，他也不会联合皇婶害我了。"顿了顿，他又道，"师父也说过我没有悲天悯人的菩萨心肠，也是冤枉我了，虽然我心肠不太好，至少没做过危害百姓的事儿。"

"没做过最好，以后也不要做！百姓多苦难，生活不易。"忠勇侯道。

秦铮点点头："我听爷爷教诲，以后也谨记。"

忠勇侯满意地点点头。

几个人又闲话了片刻，谢墨含回到了荣福堂。

他进了门之后，对几人道："吴公公说了，不只召见了云继，还有云澜，还有京城几大商贾，是为了临汾桥重建之事。”

“果然不出铮小子所料，这些年，他没白在皇宫混。”忠勇侯对谢云继摆摆手，“既然如此，云继你去吧。”顿了顿，他道，“含儿，你也去，既然是为了临汾桥之事，我们忠勇侯府也不能袖手旁观，这是关系民生的大事。”

“是，爷爷，我也正有此意，云继自己进宫我还是不放心。”谢墨含点头。

谢云继站起身。

“我也应该进宫去看看，这些年我自己经营了产业，也能帮些忙。”秦铮跟着站起身。

谢芳华倒没料到秦铮也要进宫，意外地看了他一眼。

“你这么紧张你的云继表哥，我得帮你看着他点儿，回来你要感谢我。”秦铮附在她耳边悄声道。

“感谢”二字说得有些特别的意味。

谢芳华脸一红，推了他一把：“要去赶紧去！这次小心点儿，别再喂了女人。”

秦铮本来春风得意的脸一黑：“爷活了十七年，就数这件事最丢人，偏偏被你遇见了。”话落，他有些郁闷地出了门。

谢云继和谢墨含齐齐发笑，一起出了房门。

三人走后，忠勇侯、崔荆、谢芳华三人又闲聊了片刻，忠勇侯有些累了，谢芳华和崔荆一起出了荣福堂。

二人一路往回走。

谢芳华低声问崔荆：“外公，自从您跟随紫云道长离家出走，这么多年来，您和紫云道长相处的时候是不是居多？您对紫云道长有多了解？他是一个什么样的人？”

崔荆一怔：“丫头，你怎么想起来问紫云道长了？”

谢芳华抿了抿唇：“有些事情牵扯到紫云道长，我有些疑惑。”

“什么事情？你与我说说？”崔荆询问。

谢芳华犹豫了一下：“秦铮的师父是紫云道长。”

崔荆惊呼：“铮小子的师父是紫云道长？这怎么可能，紫云道长不收徒啊！”

谢芳华摇摇头：“您还记得我去平阳城之前，在云继哥哥别院的南山林时，对您说的话吗？我当时说秦铮见过紫云道长。其实不只是见过，紫云道长还在碧天崖教导他武功。当时我问您天下是不是只有一个紫云道长，您说是的，身着紫袍，手持拂尘，头戴与我身上的玉形状一样的月牙形白玉簪，名唤紫云。”

崔荆呆怔片刻：“这的确是紫云道长，可是他如何成了秦铮的师父？”

“据秦铮所言，他总共见他师父两面，一面是十二年前，一面是八年前。十二年前，他五岁，德慈太后带着他去法佛寺礼佛，他不喜听佛经，偷偷跑到碧天崖的山林玩，遇到了他师父，他缠着他师父待了三日。八年前，他为人所害，被扔进了皇室隐卫的招募队伍里，只剩一口气被拖走扔到乱葬岗时，正巧他师父赶到，救了他。后来，他费了一番很大功夫，达到了他师父的要求，才被收作徒弟。”谢芳华回想秦铮说过的话，缓缓地道。

“十二年前……”崔荆沉思，片刻后摇摇头，“那时紫云道长早已经为你逆天改命，他出现在南秦的碧天崖，应该是为了放在碧天崖上的臻缘镜。”

谢芳华点点头。十二年前，她已经重生了，她听外公说过臻缘镜，是能为她逆天改命的镜子，似乎注入了紫云道长的心血。

“八年前……”崔荆沉思。

“已经过了一年，确切地说，是九年前。”谢芳华道。

“九年前……”崔荆摇摇头，“紫云道长从雾黎山离开时，道法损失甚多，心元受损，命不久矣，最多也就三年的命，但紫云道长本身就是个传奇，多活几年，也有可能。”

“当年他来南秦，除了找我娘回魅族外，他还与南秦的什么人有接触，您可知道？”谢芳华看着崔荆。

崔荆疑惑地道：“丫头，你话里有话，直说无妨。当年紫云道长除了住在博陵崔氏外，和外面没什么牵扯。”

“那谢氏呢？”谢芳华询问，“比如，除了我爹所在的忠勇侯府外，还有谢氏旁支什么人与他有牵扯？比如……”她顿了顿，“谢氏米粮的老夫人呢？”

崔荆一怔：“谢氏米粮的老夫人？你说的是刚刚逝去的老夫人？”

谢芳华点头。

崔荆低头深想了一番，摇摇头：“这我就不知道了。谢氏米粮老夫人一个妇道人家，怎么会跟紫云道长有牵扯？”

谢芳华想起谢氏老夫人的临终遗言显得甚是恨紫云道长，似乎说是他毁了云澜哥哥。她摇摇头：“谢氏米粮老夫人临终前提到紫云道长，似乎十分怨恨，但是我不明缘由，所以问问您。”

崔荆叹了口气：“你说谢氏米粮的公子云澜中了魅族的王族绝咒焚心？据我所知，只有魅族王族血脉的人才能中焚心，所以，这只怕又是一桩秘事。”

谢芳华沉默不语，既然外公都不晓得，这件事情怕是一时半会儿参不透了。

“紫云道长是魅族的国师，有通天地之能，说才冠古今不为过，又心怀天下大义，是个令人敬佩之人。”崔荆道。

“是不是好人？”谢芳华问。

“丫头，什么是好人，什么是坏人？”崔荆摸摸谢芳华的头，“人无好坏之分，只是判定好坏的标准不同。”

“似乎云澜哥哥身体里的焚心之毒与紫云道长有关，所以，谢氏米粮老夫人才如此怨恨他。”谢芳华揉揉额头，“外公，您治好了哥哥的病后，准备去哪里？还回您所说的雾黎山吗？”

紫云想了想，摇摇头：“我想再去魅族一趟。若是老侯爷跟我一起，我看他身体还健朗，可以随我一起去。这些年，我一直在雾黎山，时常回想起当年的魅族之行，总觉得当年我和紫云道长去魅族时，有哪里不对劲。”

“那您届时路上要小心。”谢芳华点点头。

“放心吧。你外公我虽然一把老骨头了，但再活个十年不是问题，你爷爷若是与我一起，我一定能照看好他。”崔荆道。

谢芳华笑着点点头：“爷爷出去走走也是极好的。”

二人说话间已经到了芝兰苑，崔荆走了进去，谢芳华继续向海棠苑走去。

她一路上都在想事情。

外公说魅族已经被灭族，可是秦钰给秦铮下的同心咒出自魅族，若初迟是魅族人，那他如何躲过那一劫的？

云澜哥哥身上的只有王族血脉才会中的焚心该如何解？

她想着这些谜团，不知不觉走回了海棠苑。

侍画见她回来，立即迎了上来，低声道：“小姐，英亲王府传来消息，听音病了。”

谢芳华嗯了一声，看向侍画。

“王妃觉得，还是让听音病死为好，一来是在落梅居，闭门不出，这样，外面想探听什么消息，也探听不到；二来这样省事，人死一了百了。”侍画道。

谢芳华点点头：“这样妥当，王妃有什么需要帮忙的吗？”否则也不会特意传消息来知会了。

“王妃说问问小姐您可有假死药，孙太医也看不出来的那种。”侍画道。

谢芳华点点头：“有。”

侍画一喜。

“在内室的第二个暗格里，一个黑色的瓶子，一颗可以管三日。三日内必须服用解药，否则，人就救不回来了。”谢芳华道，“你拿了之后，给王妃送去，让她谨记。”

侍画点点头，进了房间。

谢芳华在院门口站了片刻，见侍画取出假死药，秘密送去英亲王府，她才回了房。

听音这个身份死了的话，以后她就是忠勇侯府的小姐了。

在大婚前，再也不会住去落梅居，看落梅居里梅花盛开，花叶纷飞，白青、紫夜那一白狐一紫貂玩耍了……

以前她认为是困着她的囚笼，如今想起来，竟然还有些不舍和回味。

侍画秘密给英亲王妃送去假死药后不久，英亲王府落梅居便传出了听音突然染疾的消息。

英亲王妃立即派人前去太医院请孙太医前往落梅居给听音诊断。

孙太医急冲冲地提着药箱子赶到落梅居。

据说，孙太医到落梅居时，听音已经没了呼吸，孙太医颤抖着手给她把完脉后，一个踉跄，险些栽倒在地。

英亲王妃焦急地抓着孙太医问："怎么样？得了什么病，为何突然会这样……"

孙太医脸色发白，看着英亲王妃，抖了抖嘴角，沮丧地道："王妃恕罪，听音姑娘这是已经气绝了。"

英亲王妃踉跄了两步，颤抖着手不敢置信地指着孙太医："你说什么？"

孙太医实在不忍心，点点头："王妃，下官行医大半辈子，从来不曾见过这等奇怪病症，像是……像是……"

"像是什么？"英亲王妃看着他问。

"像是猝死，就是心之病——心跳突然停止，人也就死了。"孙太医叹息地道，"实在想不到，这病怎么会出现在听音姑娘身上？"

"心之病？"英亲王妃不太了解，"还有这种病？"

"王妃，听音姑娘是得了心病，这些日子，她一直郁郁不乐，都是因为咱们二公子啊。"林七眼睛通红，一边抹着泪一边哭道。

"因为铮儿？"英亲王妃看向林七。

"二公子自从跟随王妃您去了法佛寺为忠勇侯府的小姐祈福后，就再也没回来过，将听音姑娘扔在府里，像是忘了她一般……她……她心下郁郁，再听说忠勇侯府小姐的病好了，跟正常人一样了，她更是觉得，以后在二公子心里没了地位。这心病一旦发作，就要了她的命啊！"林七哭着道，"这些日子，小人见姑娘日渐消瘦，想要给二公子传个信，可是听音姑娘不让，没想到，她连二公子最后一面也没见到。"

英亲王妃一时无言，片刻后，也流下泪来："这个可怜的孩子，的确是铮儿不对。"话落，她掏出帕子抹眼睛，吩咐道，"还不快去将铮儿找回来！"

林七闻言立即跑了出去。

"铮二公子没在忠勇侯府，进宫了！"孙太医对外喊了一声。

林七脚步顿住，答应了一声，随机更快地跑出府。

"铮儿怎么又进宫？"英亲王妃蹙眉。

“早上太妃娘娘身体不适，召了下官进宫诊断。下官出宫的时候，看到铮二公子、谢世子、谢氏米粮的云继公子一同进宫了，据说是皇上召见。”

英亲王妃点点头，招呼孙太医：“稍后铮儿回来，势必要询问病情，你先别离开，随我去画堂等等吧。”

孙太医点点头，也知道自己此时不能走，就算走了，没准秦铮回来也会把他揪回来问个清楚，他又何必折腾自己。

二人在画堂外坐了小半个时辰，没等回来秦铮，却等回来了林七。

林七无奈地道：“王妃，二公子不信听音姑娘死了，说让您别开这种玩笑，他不回来。”

英亲王妃闻言气得瞪眼：“什么叫作‘开这种玩笑’？这个混账东西！我是他娘，能拿死人开玩笑吗？”话落，她对身后挥手，“春兰，你去把他给我找回来！”

“是，奴婢这就去！”春兰叹了口气，急匆匆出了落梅居。

英亲王妃对孙太医歉然地道：“只能劳烦你再多等些时候了，这个混账实在是气人！”

孙太医感慨道：“这种病甚是少有，下官也是在奇闻异志里偶然看到过。猝死本就令人惊异，也不怪铮二公子不信了。”

“这个混账小子到底是年少，早先我日日担心他不近女色，长大后可怎么办，好不容易他看中个听音，我刚松了一口气，他竟然又看中了忠勇侯府的小姐。没有桃花的时候是一株也没有，如今有了桃花就是双花齐开，可是难免心思会偏，不能一碗水端平，更何况忠勇侯府的小姐身份摆在那里，怎么能容他怠慢？如今倒好，竟然害死了一个。”英亲王妃有些难受地道，“听音这孩子我也喜欢，琴棋书画都拿得出手，铮儿还栽培了她一番，只是没想到……她这心也太小了，竟然就这样郁郁而死。”

孙太医闻言劝慰英亲王妃：“王妃也别难过，听音姑娘的哑症还是下官给治的，自从听音姑娘来了落梅居，下官跑英亲王府的次数比跑皇宫还多，听音姑娘还是大气的，只是这女子啊，一旦心里装了情，心就小得很了，‘情’字害人啊！”

“是啊。”英亲王妃揉揉眉心，“真没想到会是这样！忠勇侯府的华丫头虽然病病歪歪，倒是个心胸敞亮的主儿，别人家的小姐若是知道铮儿在意一个婢女，早就打翻醋坛子了，难得她大度，什么也不说。我本来觉得这样极好，不承想，却是听音自己先受不住了。这才几日啊……可惜了这孩子。”

孙太医也可惜地摇摇头。

英亲王妃拿着帕子抹眼泪：“我的绣工女红刚教给她，白费了我一番苦心。”

“王妃您节哀，虽然听音姑娘去了，但是在天之灵会念着您的好的。”翠荷劝慰英亲王妃，“还有忠勇侯府的芳华小姐呢，您以后再教她针织女红就是了。她本就出身世家，如今身子骨好了，女红定然更好。”

英亲王妃点点头。

正说着话，外面有婢女来禀告：“王妃，依梦姑娘得到了消息，过来看听音姑娘。”

英亲王妃收起帕子：“她的消息可真够快，请她进来吧。”

那婢女点点头，出去相迎。

不多时，依梦来到门口，翠莲挑开帘幕，她提着裙摆走了进来，一脸病态。

英亲王妃见了她吓了一跳：“依梦，你这是怎么了？也病了？”

依梦弯身给英亲王妃见礼，再站起时，身子晃了晃，脸色苍白，看起来十分虚弱：“回王妃，我最近着了凉，是有些不好。”

“哎呀，既然你身子不适，怎么还折腾来这里？”英亲王妃责怪地看着她，“你该好好地养着！”

依梦笑了笑，模样柔弱堪怜，表情微苦，不加掩饰：“大公子也是让我好好养着，可是王妃您知道，他回来了，我才养不上。”

英亲王妃闻言，一时失了声。

大公子秦浩，外人看来彬彬有礼，仪表风度皆是上乘，可是外人哪里知道，背地里，他折腾起女人来简直不是人。他的身边只有这一位侍妾依梦，不碰婢女，只能可劲儿地折腾她了。

“我听说听音妹妹她……去了？”依梦见英亲王妃不说话了，低声询问。

英亲王妃点点头：“是突发心之病，去了。”

“我想看看听音妹妹。”依梦道。

“你身体不好，别过了死人的气给你，还是别看了。”英亲王妃对她摇摇头。

依梦抿唇，低声道：“王妃，我和听音妹妹虽然身份不同，境遇也不大相同，但是也有相同的地方，就让我看她一眼吧！”

“也罢，那你进去吧。”英亲王妃摆摆手，“翠莲，你带依梦进去。”

翠莲应声，带着依梦进了里屋。

里屋的床榻上，听音无声无息地躺在上面。

依梦走到床前，看了她片刻，伸手去摸她，她的手臂冰凉，依梦一哆嗦，撤回了手，同时吓得后退了一步。

“依梦姑娘，您是不是害怕？看一眼就行了，出去吧。”翠莲扶住她。

依梦脸色僵硬：“她……真的死了？”

翠莲点点头：“突发恶疾，孙太医说是心之病，就是心跳突然停止了。心不跳了，人可不就死了吗？”

“心之病……”依梦看着床上的听音愣神片刻，伸手捂住心口，“原来还有这种病。”

“姑娘，出去吧！”翠莲低声催促。

依梦点点头，慢慢地走了出去。

英亲王妃见依梦出来，对她温声道：“依梦你过来，正巧孙太医也在这儿，让孙太医给你看看，开副药方子。”

依梦摇摇头：“已经找大夫看过了，就不麻烦孙太医了。”

“姑娘的面相病态明显，似乎不太好，老夫不怕麻烦，给你看看吧。”孙太医道。

依梦还是摇摇头：“我时常得这个病，休养几天就好了。”

英亲王妃了然地看着依梦，和蔼地道：“大公子这次和左相一起去了临汾镇，临汾镇的事情麻烦，估计要好些天才能回来，你就安心养着吧。”

依梦点点头，不再多留，跟英亲王妃告退，出了落梅居。

她刚到落梅居门口，便看到了一人骑着马闯进府里，向这边狂奔而来，她吓了一跳，刚要躲避，便见那人已来到近前，翻身下马，看也不看她一眼，冲进了落梅居的内院。

正是秦铮。

依梦定了定神，看向内院，只见秦铮已经进了里屋，门口的帘幕被他打得噼里啪啦地响，可见他是心急如焚地赶回来的。

她忽然想，若是她死了，秦浩会不会也和秦铮一样，如此心急如焚地赶回来？

她静静地站了片刻，摇摇晃晃地回了紫荆林。

秦铮冲进房间后，看到英亲王妃和孙太医，立即问：“听音呢？”

英亲王妃看着他的样子，若不是她自己一手炮制此事，已经提前知会过他，看到他此时疯了一般的样子也会觉得胆颤。她叹了口气，指了指里屋：“在里屋床上，你去看看她吧，已经……”

她的“气绝”二字还没说出来，秦铮已经冲进了里屋。

孙太医隐隐动容，跟英亲王妃一样叹了一口气。

不多时，里屋传来秦铮恼怒的喝声，似乎在喊“听音滚起来”，内外院的奴才婢女们听了不但不害怕，反而觉得有些心酸。

铮二公子如何喜欢、爱护听音，他们都是晓得的，如今听音到英亲王府没多久便死了，还是最奇怪的心之病，本来人人羡慕她被铮二公子看重的福气，如今都不由得暗暗觉得可惜，也许是她根本就没有这个福气消受。

秦铮恼怒地喊了一阵，屋中除了他的声音再无其余的动静，他一手捶在床板上，床轰地塌了，动静极大。

英亲王妃惊得站了起来，向里屋走去。

孙太医也惊了一下，跟在英亲王妃身后想去看看。

里屋的帘幕被挑开，便见秦铮跌坐在地上，手上血肉模糊，在他的身后，听音无声无息地躺在倒塌的床上。

“铮儿！”英亲王妃吓了一跳，连忙上前看他的手，训斥道，“你这是在干什么？”

孙太医也立马上前：“下官给您看看这手……”

他刚凑上前，秦铮忽然抬起头，一把揪住了他的衣领：“告诉我，怎么救活她！”

孙太医面色一灰，颤巍巍地说不出话来。

“你快放开孙太医！你这样抓着他，让他怎么说？”英亲王妃伸手拍秦铮的手。

秦铮松开手，死死地盯着孙太医。

孙太医向后退了两步，不敢看秦铮的眼睛：“二公子，听音姑娘得的是心病，心跳都停了，别说下官医术浅薄，就是大罗金仙来了，也救不活啊。”

秦铮忽然恼怒起来，就要对孙太医挥手。

英亲王妃眼疾手快，一把抓住秦铮的胳膊，喝道：“混账，救不活就是救不活，你别拿孙太医出气！”话落，她对孙太医道，“耽搁你够久了，孙太医，你回去吧。”

孙太医连连点头。

“翠莲，送孙太医出去。”英亲王妃看了一眼翠莲。

翠莲连忙应声，送孙太医出了房门，不多时便离开了落梅居。

屋中没什么人了，英亲王妃才放开秦铮，瞪了他一眼：“如今做到这地步了，既然你回来了，你说，下面该怎么办！”

秦铮揉揉手腕，回头看了塌陷的床一眼，沉默了片刻，对英亲王妃道：“谁家有新死的女尸，代替她入葬吧。”

英亲王妃皱眉：“我本来想着先把她埋了，再悄悄弄出来，若换个人，万一有什么风声泄露，被发现里面埋的是假的……”

秦铮嗤笑一声：“听音本来就是假的，换一个人和换两个人都不是她，有什么区别？”

“也是。”英亲王妃点头，“我派人出去秘密查看，若是寻不到……”

“寻不到就埋个空的。”秦铮道。

英亲王妃点点头：“你这里是否搭建灵堂？”

“搭建灵堂？”秦铮摇头，“又不是真的死了，搭建那东西做什么？晦气！”

“人死搭建灵堂很正常，不搭的话，万一被人怀疑，查出什么来……”英亲王妃犹豫，“我也觉得晦气！”

“怀疑又如何？”秦铮眯起眼睛，忽然改了主意，“得了心之病，突然身亡，世人不是容易认为是恶鬼缠身突然索命，是为不吉之事吗？那么，寻到死尸后火葬了吧，不埋人，也不埋空，不设衣冠冢，看谁还能查出蛛丝马迹！”

英亲王妃眼睛一亮：“这个主意好！”

秦铮回头，看了一眼床上的假听音，有些郁郁地道：“那个女人……我们还要三年才大婚，如今她这个身份死了，以后这落梅居，还有什么意思！”

英亲王妃闻言瞪了他一眼：“都是因为你，平白多弄出这么一个人、这么一桩事儿，徒惹麻烦！”

“若不是平白多弄出这么一个人、这么一桩事儿，若不是您儿子一早就拴住了她，您当现在她会是您的准儿媳妇儿吗？”秦铮反驳。

“也是。”英亲王妃不得不承认，谢芳华若不是被秦铮困在落梅居，也不可能对他的心意有所了解。如今她能把自己当作“锁情引”的解药喂他，若对他没有情，断然做不到。她横了秦铮一眼，“接下来几日，你就别再去忠勇侯府了。”

秦铮有些不愉：“你这么快动手，是不是就想我回来？”

“你整日里待在忠勇侯府算什么事儿！你是男子，不惧怕流言蜚语，但华丫头毕竟是女儿家，一日没嫁给你，你就要顾及她的名声。”话落，英亲王妃出了屋，“你就在这屋子里待着吧，最好待个两日不出门，外面的事情我来安排。”

秦铮只能应声，有些郁闷地又坐在了地上。

不大一会儿，一个人悄悄从门外探进头，喊了一声：“表哥。”

秦铮瞅了一眼玉灼：“什么事？”

玉灼挠挠脑袋，指了指床上：“这……这女人……你看起来也没多伤心嘛。”

秦铮瞥了他一眼：“多事！”话落，又对他道，“你去忠勇侯府传个信，就说我不回忠勇侯府了，这两日也不见她了。”

玉灼眨眨眼睛：“给芳华姐姐吗？”

“废话！还不快去？”秦铮瞪了他一眼。

玉灼缩了缩脖子：“我也想看看忠勇侯府到底什么样。”话落，他又道，“你伤心欲绝，悲伤过度，未婚妻不是应该来安慰你吗？你不去忠勇侯府，芳华姐姐可以来英亲王府啊。”

秦铮一怔，忽然笑了：“对啊！”

第十二章

愤怒毁旨

英亲王府落梅居铮二公子的婢女听音得了心之病突然死去的消息瞬间便传遍了南秦京城。

听音的名字在被秦铮收到身边时便传扬开了，如今她突然死去，一时间，议论沸沸扬扬。

各大府邸不约而同地收到了消息，就连皇宫也被各种猜测席卷了。

所有人的目光再度聚到了英亲王府的落梅居上。

听音刚被秦铮收在身边那会儿，他请了四位有名望的师父教导琴棋书画，请了宴府楼的大厨教导厨艺，请了英亲王妃亲自教导针织女红，可谓是捧在手心里，极其爱重。

自从秦铮在除夕遇到忠勇侯府的小姐，一见中意，灵雀台逼婚，所有人的目光才转向了忠勇侯府。

但是听音一直没被人忘记。

火烧法佛寺，神灵庇佑，忠勇侯府的小姐大好了，可是才几日，听音便猝死了。

听闻消息的人都觉得不敢相信。

但是有孙太医的肯定，不敢相信也得相信，因为这就是事实。

一时间，可惜者有之，感叹者有之，还有想把女儿送人为婢以求攀上枝头者，如被泼了一盆冷水，念头消散了。

纸里最包不住的就是火，听音因为铮二公子最近一直不在府中，在意芳华小姐多过她，失宠之下郁郁不快，才得了心之病的传言，也跟着蔓延开来。

忠勇侯府内，谢芳华听侍画禀告，有一个叫作玉灼的人来了府里，要见小姐，她点点头，让侍画将人请了进来。

玉灼见到谢芳华后，打量了她几眼，然后哭丧着脸道："芳华姐姐，你快去看看表哥吧！"

谢芳华挑眉："他怎么了？"

"哭得上气不接下气的。"玉灼道。

谢芳华嗤笑一声："玉灼，你胡说八道的本事比你的武功好多了。"

玉灼咳嗽了一声，挠挠头，嘿嘿一笑："芳华姐姐，表哥差点儿杀了孙太医，如今疯了一般地将自己关在屋子里。你是她未婚妻，听闻了这种事情，是不是该去英亲王府瞧瞧他？"

谢芳华抿唇："一个婢女而已，劳动我去看？"

"您看的可不是婢女，而是我表哥啊！"玉灼立即道。

"他的意思？"谢芳华询问。

玉灼立即点头："表哥希望你去。"

谢芳华沉默了一下，想着此时她去英亲王府妥当不妥当。想了片刻，觉得听音这个被她做得不同寻常的婢女猝死，她去看看应该也不会引起什么争论。她点点头，吩咐侍画去备车。

玉灼一听，顿时眉开眼笑。

不多时，侍画备好车，谢芳华上了马车，随着玉灼一起前往英亲王府。

玉灼出门后不久，英亲王妃便得到了他去请谢芳华的消息，顿时被气笑了："这个小混账东西，一刻也离不开华丫头。我才把他弄回来，他竟然转眼就让人将华丫头请了来。"

春兰悄声道："王妃，您就甭操心了，咱们二公子和芳华小姐感情好，这是好事。"

"我也管不了。"英亲王妃摆摆手。

春兰抿着嘴笑。

京城的大街上，三五一群，三两一伙，都在谈论听音之死。当忠勇侯府的马车穿街而过时，很多人都停止了讨论。等忠勇侯府的马车过去后，众人都猜测，里面坐着的人若是芳华小姐……

马车在英亲王府门口停下，谢芳华下了马车。

春兰早已经等候在门口，见谢芳华来到，上前对她见礼，面色焦虑："芳华小姐，您来了，快去看看二公子吧！"

谢芳华想着人人都是唱大戏的天才，比小凤祥有过之无不及。她点点头，随着春兰一起进了府，向落梅居走去。

府中的气氛甚是沉闷，一路上走来，奴才婢女们都远远地避开了，无任何吵闹喧哗。

顺畅地来到落梅居，春兰止住脚步："王妃在安排事情，您先去陪陪二公子，稍后王妃就过来。"

谢芳华颔首。

春兰折回了幽兰苑。

谢芳华刚踏入落梅居内院，不知道在哪里猫着的一白狐一紫貂嗖地跑了出来，贴在她脚边乱蹭。

谢芳华停住脚步，低下头，两个小东西还是多日前的模样，落梅居的好伙食也没将它们喂大喂胖，只是皮毛更水滑了。

她刚想伸手去摸，不远处忽然有人喊了一声："芳华小姐！"

谢芳华顿住手，看向声音来源，见是林七，对他点点头。

"您进去吧，二公子正等着您。"林七敲了一下铁盆，白青和紫夜倏地向他跑去，他低声道。

谢芳华见他站在厨房门口，白青和紫夜扒着他的身子去够他手里的铁盆，她抬脚向主屋走去。

迈过门槛，外室的画堂内没人，她挑开门帘进了中屋，见秦铮歪在软榻上，屋中一片狼藉，品竹假扮的听音无声无息地躺在塌陷的床上。

秦铮见她来到，挑了挑眉。

谢芳华瞪了他一眼，低叱道："你怎么让品竹躺在塌陷了的床上？"

"反正她也没有知觉。"秦铮不以为意。

谢芳华又剜了他一眼，低声问："如何埋葬？还是……"

秦铮将主意与她简单说了一遍。

谢芳华点头："这个可行。既然要火葬，男人女人有什么区别。"

"你的意思是……"秦铮看着他。

"不用费劲去找了，昨日夜里那二十个人总要有个去处，拿一具就是了。"谢芳华道，"反正他们也不敢声张，拿他们的人正合适。若是盗走京城内谁家新故去的人，很容易走漏风声，弄不好便功亏一篑，既然有现成的，为何不用？"

"是啊。"秦铮一拍手，忽然对外面喊，"飞雁。"

"在！"飞雁出现在门口。

"你进来。"秦铮道。

飞雁来到门口，秦铮对他低声嘱咐了一番，他应了，然后出了落梅居。

"玉灼。"秦铮又喊。

“表哥！”玉灼在门口探出脑袋。

“你去我娘那儿，告诉她，让她现在就过来，早先说的事情不用她准备了。”秦铮吩咐。

“好嘞！”玉灼应了一声，出了落梅居。

秦铮伸手去拉谢芳华的手，赞扬道：“还是你聪明！”

谢芳华打开他的手：“为免夜长梦多，稍后飞雁把人一带回来便火葬吧，我趁机将品竹救活带走。”

秦铮回头瞅了一眼：“你带走正好，也免得我总是看着她。不是你，爷看她躺在那里也不舒服。”

谢芳华哼了一声。

二人就此商定。不多时，英亲王妃便进了落梅居。

她进来之后，便询问秦铮：“你不让我准备，是又有主意了？”

秦铮将谢芳华的意思简略地说了一下。

英亲王妃哑然：“这么急着处理宫里该起疑了。”

“起疑又如何？皇叔还能一个劲儿地盯着我的一个婢女？他如今有多少大事要盯着。”秦铮道，“就算他起疑，也拿不到把柄。”

“也好，免得夜长梦多。”英亲王妃想了一下，点头同意了二人的决定。

三人商定妥当后，英亲王妃便让人去后园子的空地搭建火架，放好柴禾。

虽然听音在外的名声极大，但到底是一个婢女，所以，除了是秦铮未婚妻的谢芳华，再无人前来探望。

一个时辰后，飞雁悄无声息地回到了落梅居，手里提着一个黑袋子。

秦铮见他回来，立即吩咐：“将人带下去易容处理了。”

飞雁点点头。

侍画、侍墨、侍蓝、侍晚与谢芳华一起来的，闻言一起跟着飞雁去了暗室。

大约半个时辰后，一切都打点妥当，飞雁将易容好的人抬进了屋。

那具死尸的身量与听音相差无几，经过飞雁的巧妙易容又换了衣衫之后，几乎可以假乱真。

谢芳华将解药递给侍画，低声对她嘱咐了一句，侍画郑重地点点头。

“将人抬上，去后园子吧。”英亲王妃摆摆手。

“抬着怎么行，你抱上。”谢芳华回头对秦铮道。

秦铮一脸嫌恶：“你让爷抱一个死男人？”

“这是非常时期，你在孙太医面前是如何表现的？出了落梅居，去了后园子，府中的仆从和暗中的人不知道有多少会围看，你确定不抱着？”谢芳华挑眉。

秦铮一噎，片刻后咬了咬牙，将放在地上的死尸抱了起来，向外走去。

英亲王妃强忍住笑，伸手拉住谢芳华的手，二人一起“忧心忡忡”地跟在他身后。

除了侍画外，其余跟随谢芳华来的婢女都跟了去。

一行人刚离开落梅居，府中的仆从们便得了信，人人都惊异于铮二公子这么快就要火葬了听音，竟然不看时辰，不问吉凶，但见他脸色沉痛，人人都屏住了呼吸，不敢出声。

不多时，一行人便来到了后园子。

秦铮站在搭好的木柴边上，久久地看着，却不动作。

“铮儿，人死如灯灭，这姑娘她就是来坑你的，你将她化了，就当作一场梦吧。”英亲王妃上前拍拍儿子。

“娘，我舍不得。”秦铮低声道。

“舍不得也得舍得！她得的是突然猝死的心病，若是不化了，万一魂魄不散，以后化为鬼魂缠着你，那还了得！”英亲王妃厉喝，“赶紧把她给我放上去，再不放就错过时辰了。”

秦铮沉痛地点点头，面上满是不舍，不过最后还是将人放在了火架上。

四周观看的仆从们这时才恍然，原来这么急着火葬是这个原因，顿时都觉得英亲王妃说得对。

秦铮将尸首放好后，忽然背过身子，不再看火架，悲痛地道：“点火！”

立即有人从四面点着了火。

干柴遇到烈火，再加之干柴上早就浇了油，不过须臾，那具尸体便随着干柴着了起来，不多久便火光冲天。

“皇上有旨！”这时，大门口忽然传来一声高喊。

英亲王妃一怔。

谢芳华眯了眯眼睛。

秦铮脸色一寒，对府中的大管家喜顺怒道：“去看看！只要是关于我的，关于听音的，任何旨意，都给我推回去！”

英亲王妃闻言没说话，默许了秦铮的意思。

喜顺知道这位爷这时心情极差，见王妃默许，连忙应是，迎了出去。

谢芳华猜测这道旨意赶在这时候传来，定然与秦铮和听音有关。

火势越来越大，尸体已经烧得焦了，被火卷在里面，再看不出本来的模样。

大约两盏茶后，喜顺带着吴公公匆匆地来到了后园子。

吴公公刚到，立即哎呦了一声：“王妃、铮二公子，您们这是……这是将人给化了？”

秦铮回头瞅了他一眼，看向喜顺，沉着脸质问："不是让你按照我的话做吗，怎么回事？"

"回二公子，是吴公公说，这道圣旨是好事，也许您喜欢。"喜顺连忙道。

秦铮冷淡地看向吴权："什么好事？"

"咱家这就给您读。"吴权连忙取出圣旨展开。

秦铮一把夺过，拿着圣旨看了一眼，忽然甩手扔进了火堆里，冷笑道："这算什么圣旨？是来笑话我的吗？"

"哎呦——"吴权哀呼一声，想上前营救，但是圣旨遇到火，立马烧着了，他只能干跺脚，"二公子，您怎么烧了圣旨啊！"

"这圣旨不是给她的吗？她死了，但也要看看不是？我不烧她怎么看？"秦铮一脸怒容，"你回去告诉皇叔，哪怕是听音死了，我也还有华儿，让他少看我的笑话！她活着都不要妾的位置，死了还要什么？与其下这道破圣旨，不如早点儿给我们下大婚的圣旨！"

吴权一噎："这不是皇上为了给听音姑娘一块安葬在王府的墓地吗？"

"滚吧！"秦铮对他摆摆手。

吴权看秦铮的脸色极差，看不出半丝伪装，他一时也疑惑了，又看向站在秦铮旁边的谢芳华，谢芳华只盯着面前的火堆，一脸的忧伤怜悯，再看向英亲王妃，英亲王妃拿着帕子抹泪，哭得甚是伤心。

他看了片刻，小声道："王妃，皇上也是好意。"

英亲王妃拿开帕子，对吴权道："按照铮儿说的做吧。我强行让他把人化了，以免以后魂魄缠着他，他已经不快了，皇上若是真爱惜他这个亲侄子，就不要再让他难受了。"

吴权闻言只能道："那老奴回宫复旨了。"

英亲王妃摆摆手："喜顺，你送吴公公出府。"

喜顺连忙应声。

吴权和喜顺刚走出不远，一个人跌跌撞撞地跑来，一边惊恐地道："王妃，不好了，依梦姑娘也出事了！"

吴权脚步一顿，看向喜顺。

喜顺一惊，立即给吴权解释："依梦是大公子的婢妾。"

吴权点点头。

喜顺连忙上前拉住那人："依梦姑娘怎么不好了？你别一惊一乍的，现在正送听音姑娘离开，小心惊了离开的魂魄。"

那人是个婢女，闻言立马哭了："大总管，依梦姑娘她……她也去了……"

"啊？"喜顺彻底惊了，"你说什么？"

那婢女哭着道："奴婢是说，依梦姑娘也断气了。"

"怎么回事？你快说来！"喜顺的脸色也白了。

那婢女摇摇头："姑娘的身体一直不好，前两日大公子回来了一趟，转日又离开了，姑娘就病了，早先从落梅居看了听音姑娘回去后，整个人就恍恍惚惚的，就在刚刚，奴婢发现，她倒在了地上……没了气息……"

"哎呦，怎么一个两个的都是这样……这……"喜顺立马转了回去，慌张地禀告英亲王妃。

本来喜顺就没走多远，英亲王妃、谢芳华、秦铮等人都听得清楚，齐齐一怔。

英亲王妃蹙眉："怎么会这样？早先她来的时候，我看她气色极差，想请孙太医给她把脉，她却推拒了，如今竟然……"

"王妃，这可怎么办？"喜顺心想今日到底是什么日子，竟然两位公子身边的人都去了。

"你快去请孙太医，同时着人照看着，我送完听音最后一程就去看她。"英亲王妃想了一下，叹了口气，吩咐道。

喜顺连忙点头，折返到吴权身边，对他道："走吧，公公，今日府里连出这么两桩事儿，就不留您了。我送您出府，顺便去请孙太医。"

吴权也惊异，若说铮二公子身边的听音死得蹊跷，没想到这大公子身边的依梦也跟着去了。难道猝死真的会导致魂魄不散？民间怕招恶鬼所以必须火葬的说法是有道理的？他点点头。

二人一起快步走了出去。

"来人，快马加鞭给大公子去传信，就说依梦去了，问他如何处理。是与听音一样火葬，还是等他回来再安置？"英亲王妃想了想，唤来一个人，吩咐道。

那人垂首，立即去了。

第十三章

免死金牌

京　门　风　月

谢芳华扮成听音的时候，是和依梦打过两次交道的，没想到，今日听音这个身份消失的时候，依梦竟然也死了。

她为何而死？

谢芳华看向秦铮。

秦铮摇摇头，他怎么知道？那个女人，他都不记得她长什么样子，只知道是秦浩的女人。

英亲王妃叹了口气：“回头我去瞧瞧。依梦这姑娘其实是个好姑娘，只是可惜，毁在了秦浩的手里。秦浩不拿她当人，他顺心的时候还好，一旦不顺心，就在房里折腾她，她已经落了两次胎，近来身体愈发不好了。”

谢芳华听得胆寒，秦浩不是人，比起秦铮真是差远了。

秦铮闻言不屑地冷哼一声：“折腾女人算什么本事！”

英亲王妃摇摇头，回头对春兰吩咐：“你去西院告知刘侧妃一声，让她先去看看依梦，我处理完听音的后事就过去。”

春兰点点头，应声去了。

又过了大约两盏茶的时间，火化已经到了尾声，正好英亲王从宫里回来，闻讯来到了后园子。

府中的仆从们连忙给王爷见礼。

谢芳华对着英亲王福了福身。

英亲王对谢芳华温和地点点头，四下看了一眼，然后看向火堆，又看了秦铮片刻，才对英亲王妃皱眉：“怎么这么急将她化了？”

英亲王妃将心之病猝死可能导致魂魄不散纠缠秦铮的说法对英亲王说了一遍。

英亲王听罢脸色稍霁：“铮儿毁了皇上下的圣旨？”

“说起这个我就来气！皇上跟着凑什么热闹？大事儿不盯着，整日盯着算计我儿子，昨日难道将他害得还不够？他本就心里难受，皇上竟然又来气他？真是可恶！”英亲王妃道。

英亲王本来要说秦铮两句，但看他阴沉着脸，只能作罢，叹了口气，对英亲王妃道：“敢烧毁圣旨的，古往今来，他是第一个。”

英亲王妃哼了一声：“圣旨若先到了我手里，我也给他扔了烧了。”

“有其母必有其子，这孩子都是让你给惯的。”英亲王无奈。

英亲王妃瞪了他一眼：“皇上越来越不像话了，也就你好欺负！你干，我们娘儿俩可不干。”

“你们娘儿俩厉害，皇上也不敢惹你们。”英亲王苦笑着软了口气，“我刚听说浩儿那边也出事了？”

“可不是，刚刚一个小丫头过来禀告，我这里走不开，还没过去，已经让春兰去知会刘侧妃了。”英亲王妃叹了口气，“今日这是怎么了，流年不利。”

“稍后我与你一同去看看。”英亲王道。

英亲王妃点点头。

二人说话间，秦铮的身子一直没动，脸上的表情也一直没变，死盯着火堆，眼眶有些发红。

谢芳华站在秦铮身边，和他一起看着火堆。自此以后，听音就消失了，落梅居中曾经安静怡然的生活也远去了。

虽然远去，但会留在记忆中，不会忘记。

又过了一盏茶的时间，最后一丝火苗熄灭，干柴和尸首齐齐化成了灰烬。

英亲王妃拿着绢帕抹了抹眼睛，对英亲王道：“走吧，我们去南苑看看。大公子不在，我已经派人快马加鞭去给他传话了。既然是他的人，还是要听他的意思才能安置。”

英亲王点点头。

二人一起离开了园子。

“骨灰盒准备好了吗？”秦铮对身后询问。

林七在身后连忙点头：“准备好了，在这里。”话落，他将骨灰盒递给秦铮。

秦铮接过盒子，上前一步，蹲在灰烬前，伸手去捧骨灰。

谢芳华想着这个北齐的暗卫被他杀了却得他亲手捧骨灰也算值了。她也蹲下身，和他一起往盒子里捧。

秦铮偏头看了她一眼。

谢芳华微眨了一下眼睛。

四周静静的，南苑传来隐隐约约的哭声，看来依梦是真的去了。仆从下人们本来在这里围着看，这会儿大多数都去了南苑。

不多时，二人将骨灰装完，秦铮盖上盖子，回头对林七道："将这里收拾了。"

林七点点头。

秦铮捧着盒子向落梅居走去。

回到落梅居，侍画和品竹站在门口等着，见二人回来，齐齐见礼："小姐，铮二公子！"

秦铮瞧了品竹一眼，点点头，进了内院。

谢芳华低声问了品竹一句："身体没有不适吧？"

品竹摇摇头，低声道："没有，小姐放心吧。"

谢芳华点点头，对秦铮道："我回府了，这两日你便在府中休息吧。"

秦铮脚步一顿，回头看向谢芳华："你急什么？"

谢芳华看了一眼天色，又向翠红楼所在的方向望了一眼。

意思不言而喻。

秦铮抿唇，对她摆摆手。

"走吧，我们回府。"谢芳华对跟来的婢女们道。

侍画、侍墨等人齐齐点头。

一行人离开了落梅居，向府外走去。

"表哥，忠勇侯府小姐的排场就是大，一次出行也要这么一大堆婢女跟着，是吧？"玉灼凑近秦铮。

秦铮横了他一眼："废话那么多做什么！你将她请来，还不将她送回去？快去！"

玉灼眨眨眼睛，追了出去。

秦铮转道去了书房，将骨灰盒随手扔进了书房的内室里。

谢芳华一行人路过紫荆苑，正好碰到刘侧妃。她一怔，看样子刘侧妃已经看完依梦回来了，她停住脚步，跟刘侧妃打招呼。

刘侧妃脸色有些苍白："原来是芳华小姐。你是来看铮二公子的？"

谢芳华点点头。

"唉，这府内也不知是怎么了，两位公子爷身边的人竟然一日之内都去了。"刘侧妃道。

"依梦姑娘得的是什么病？"谢芳华问。

刘侧妃似乎也想找个人说话，如今正巧碰见谢芳华，也不吞吞吐吐，说道：“孙太医说她是自己想死。”

谢芳华疑惑地问道：“为何？”

“我也想知道为何！浩儿对她也没有不好的地方吧？至今南苑只她一个婢妾，左相府的小姐以前虽然跋扈，但接触几次下来，也不像是个不容人的，她怎么会想不开呢？”刘侧妃有些恼意。

谢芳华想着果然是当娘的，不觉得自己的儿子有问题，只会觉得是别人作死，也懒得再跟她说，只宽慰道：“您看着气色不太好，快些回去休息吧。”

刘侧妃本来还想再说什么，闻言只能住了口，对谢芳华说了句慢走，便向自己的院子而去。

不多时，谢芳华一行人顺畅地出了府门。

谢芳华对玉灼摆摆手：“回去吧，不用你送了。”话落，她上了马车。

玉灼来到车前，挑开帘幕，对谢芳华悄声道：“芳华姐姐，你以后要对我好一点儿哦，别以为我不知道来时七个婢女，回时八个婢女。”

谢芳华想着果然不愧是玉启言和王倾媚的儿子，她笑着点点头：“你的嘴巴若是严，自然好说。”

“当然！”玉灼得意地点头，放下了帘子。

忠勇侯府的马车离开了英亲王府。

马车走出一段路后，品竹长长地吁了一口气：“小姐，您总算是救我出来了，那落梅居就是个牢笼，我日日待在那里，真是没趣。”

谢芳华好笑地看着她。

品竹又咕哝道：“我还以为我得入坟墓被埋一遭，没想到这么快就随您回府了。”

“为免夜长梦多，不如快刀斩乱麻。”谢芳华道。

品竹点点头：“落梅居真没意思，还是忠勇侯府的海棠亭好……”

谢芳华扬眉，落梅居没意思吗？她笑了笑，不再说话。

“品竹，你怎么能说落梅居没意思呢，你没看出小姐有些不舍得离开吗？”侍画忽然悄声道。

品竹眨眨眼睛，忽然笑了：“那是因为小姐有铮二公子啊，我又没有人陪着。”

“不是还有个林七陪着你吗？”侍画道，“落梅居这些日子也不止你一个人。”

“那是一个傻子，整天傻呵呵的。”品竹撇嘴。

“傻子吗？我怎么看那个林七精着呢！明知道小姐是听音，这一回装得却蛮像样的。”侍画道。

品竹哼哼了一声：“那是我警告他了，我的命若是不小心搭进去，我做鬼也不放过他。”

“你做鬼也不放过人家？这是情深啊。”侍画逗趣。

“死丫头，你的嘴真是欠揍！”品竹伸手去打侍画。

侍画躲开。

二人在车中笑闹成一团。

谢芳华坐在一旁看着二人闹，心情也跟着好了些。

关于大公子的婢妾依梦也死了的消息同样传出了英亲王府，街上又出现了新的话题。

忠勇侯府的马车一路顺畅地回了府。

她的马车刚到府门口，又有两辆马车从皇宫的方向而来。

谢芳华下了马车，认出是谢墨含和谢云继的马车，还有谢云澜的马车，她停住脚步，等着三人。

不多时，那两辆马车来到近前，三个人两前一后地下了马车。

“哥哥，云继哥哥，云澜哥哥。”谢芳华见三人都无恙，神色也还好，想必这一趟皇宫之行还算顺利。

“你这是刚从英亲王府回来？”谢墨含询问。

谢芳华点点头。

“走，回府再说。”谢墨含招呼几人进府。

几人齐齐点头，一行人进了府。

到了会客厅的画堂，谢墨含便对谢芳华说了此次进宫的情况。正如秦铮猜测，皇上是召集几人出钱修筑临汾桥。

虽然未召见谢墨含，但是他进宫，皇上自然是极其高兴的。

在询问这些商贾能为朝廷重建临汾桥投入多少银两的同时，皇上也给出了极大的好处，就是这些家每家可以有一人不经科考便入仕封官。

这对商贾之家来说自然是好事。

朝廷虽然需要人才，但是都要经过各个州县一级一级地举荐，然后科考，才能入仕封官，然而大多数名额都被世袭子弟占据，很少有清贵之流和商贾之家的子弟入仕。

就拿谢氏来说，整个家族，也就忠勇侯府一家世袭，其余的旁支，必须通过族中长者向忠勇侯推荐，忠勇侯再保举，经过朝廷的科考，考上了，天子召见，封官启用，才能入仕。

谢氏米粮和谢氏盐仓以及谢氏各房，每年只有极少人能入朝，别的世家的旁支更甚。这些世家的旁支想要壮大，大都是承接家族的商铺和田产。

所以，对商贾之家来说，缺的不是钱，而是官路。

皇上也算是抓住了商贾之家的弱点。

其余的商贾之家都欣喜不已，谢云继和谢云澜却同时拒绝了皇上许诺的好处。

皇上分外讶异地看着二人："你们二人不想入朝为官？"

谢云继笑笑，风流倜傥地道："在下舍不得无拘无束的生活。"

谢云澜也笑笑："在下身体不好，皇上是知晓的，为免误了朝事，入朝为官还是罢了。"

皇上的面色一时有些不好看，本来他想用官位拴住二人，没想到这二人都没有入朝的打算，但是这二人手里攥着的东西比其他商家多了数十倍不止，他只能问："那你二人想要什么？朕若是能满足，定然有求必应。"

谢云继和谢云澜对看一眼，没答话。

皇上看着二人："但说无妨。"

谢云继笑道："若是皇上要给，不若给谢氏盐仓一块免死金牌。"

皇上闻言，含笑的脸顿时僵了。

谢云澜微笑："在下本来觉得，身为南秦子民、谢氏子孙，当为皇上分忧，为百姓之苦而能者多劳，不该向皇上讨要什么，但是，既然云继求了这个，那么我也替谢氏米粮求一块免死金牌吧。"

皇上看着二人，谢云澜话落，他的面色已经甚是阴沉了。

"本来我觉得小小的一块免死金牌对皇上来说是小菜一碟，但是我看皇上似乎很为难。既然皇上为难，那就算了。"谢云继立即道。

谢云澜颔首："当然，皇上若是觉得这个要求过分，那就算了。"

皇上沉默片刻，看着二人："你二人为何要免死金牌？难道你们觉得朕会杀了谢氏米粮和谢氏盐仓满门不成？"

谢云继一笑："谢氏一直忠心耿耿，不做犯法之事，也不做不臣之事，皇上自然不会杀了我们，但是我们目前什么都不缺，这免死金牌无非是为了给子孙们保个平安。"

谢云澜微笑："正是。"

皇帝又盯着二人看了片刻，然后看向谢墨含："谢世子，朕未请你，你今日主动来，可是有何要求？也和他们一样？"

谢墨含摇摇头："忠勇侯府一直忠心为国，为皇上分忧理所当然，临汾桥一旦不能及时筑起，到了汛期，十几万百姓便会遭殃。我无所求，忠勇侯府食君之禄，忠君之事，理当为国为民。"

"好！"皇上击了一下掌，"有谢世子一言，朕心甚慰啊。"

"若是谢氏米粮和谢氏盐仓能出银五百万两，朕就给你们一人一块免死金牌。"皇上回首对谢云继和谢云澜道。

"皇上，五百万两可不是个小数目啊。"谢云继看着皇上。

"免死金牌也不是人人都能拿到的。南秦建国以来，除了王氏一族得太祖赏赐了一块免死金牌外，还从没有再外放过免死金牌，朕这一回一次便赏赐两块，已经是破例了。”皇帝道。

“这么说，谢氏盐仓就算勒紧裤腰带过日子，也要拿出五百万两了。”谢云继有些苦兮兮地道，“那就多谢皇上了！在下回去之后便给皇上筹备。”

“时间不能太晚，顶多七日，朕便着工部的人去临汾桥。”皇帝道，“银两筹备妥当之日，朕便派人给你们二人送免死金牌。”

谢云继点点头。

皇帝看向谢云澜。

谢云澜也点了点头。

皇帝又看向谢墨含：“谢世子，忠勇侯府能拿出多少？”

谢墨含叹了口气：“忠勇侯府自然拿不出那么多。这些年来，爷爷老了，我和妹妹的身体不好，在药上花了不计其数，不过百万两白银还是拿得出的。”

皇帝颔首。

这件事情就此说定，皇上留众人在宫内用午膳，三人推脱了，一起出了宫。

谢芳华听罢，嗤笑：“免死金牌虽然不错，但是大权攥在皇上手里，一千万两银子换了两块破东西，亏死了。”

谢云澜闻言笑着摇头：“反正无论如何也要拿钱的。云继的身份一旦暴露，有了这两块免死金牌，皇上也不能将谢氏盐仓轻易处置了。”

“不错，若不是为了谢氏盐仓，谁稀罕！”谢云继撇撇嘴。

谢芳华点头。

谢墨含又询问了英亲王府之事，谢芳华照实说了。听闻秦浩的婢妾竟然今日也死了，三人都不由得感到奇怪，但到底只是秦浩的一个婢妾，三人也没多大兴趣，开始谈论已经得到的轻水楼那二人今晚离开的消息，商量起如何在不惊动皇室隐卫眼线的情况下出手留下那二人。

谢墨含是忠勇侯府世子，代表的是忠勇侯府，不宜参与拿下那二人之事，以防以后被人揪出做文章。

他是最先被排除的。

谢云继身份特殊，所以他也不宜露面，以防事发，导致他的身份在准备好之前便大白于天下。

谢云澜虽然没有身份等牵扯，但因为谢氏米粮老夫人还未过头七，不宜见血。

所以，一番商量之下，谢芳华便成了那个最适合出面动手的人。

她虽然是忠勇侯府的小姐，但正因为是女儿家，所以，就算以后那二人想要以此钳制她，也不好公然拿出来说，毕竟栽在一个女人的手里不是多有面子的事儿，尤其那二人身份显贵，捅破了更是面上无光。

而且，背后施为她得心应手，由她出面，再妥当不过。

“云水的武功虽然不高，言轻的武功却是深不可测。”谢墨含不放心地道，“你不能一个人去。”

“我自然不会一个人去，若是我所料不差，今晚秦铮也会出现，有我们两个就够了。”谢芳华道。

“他是英亲王府的小王爷，若是不想挑起两国打仗，他更不宜出面。”谢墨含摇头。

“芳华自然不能一个人去，秦铮也确实不宜做这等事情，这样吧，祖母虽然未过七日，但我有孝心在，她断然不会怪我，我跟你一起去。”谢云澜道，“用我手下的人。”

“云澜哥哥跟我去自然最好了，咱们二人对付他们二人，应该不是问题。”谢芳华点点头，“那就这样吧。哥哥，你稍后拦住秦铮，不要让他介入此事。云继哥哥你最好也不要出面，否则传回北齐，你明知是兄弟，却还暗中下手，恐怕会失了北齐皇上的心。”

谢云继不屑：“我又没想过回北齐，还怕失了他的心？”

“那也不行。想不想是一回事，失不失又是另外一回事了。”谢芳华摇头。

“皇室里有多少兄弟情义和父子情义？”谢云继嗤笑一声，“他来南秦，不就是要杀我吗？”

“正因为如此，你才不能对他动手。”谢芳华道。

谢云继无奈：“听你的吧，反正我也懒得动手。”

谢芳华点点头：“那么此事就这样定了。”话落，她看向谢云澜，“我现在就和云澜哥哥一起出城，幸好他的府邸在城外，不会引人注目。”

谢墨含点点头：“你们二人小心一些。”

“哥哥，这是南秦京城，你放宽心吧。”谢芳华摆手。

谢墨含颔首。

几人商定妥当后，谢云澜和谢芳华一起出了忠勇侯府，谢芳华上了谢云澜的马车，向城外而去。

街上，关于英亲王府两位公子身边的人一日横死的言论还没消散。

谢芳华感觉像是回到了上辈子，那时候，整个天下都在谈论谢氏满门覆灭之事，歌谣数年不息。

“芳华，听音是你吧？”谢云澜低声道。

谢芳华点点头，向他简略地讲述了回京之日便被秦铮缠上，他想方设法将她困在英亲王府之事。

谢云澜听罢，沉默半晌，笑了笑道：“这是早有预谋。”

谢芳华不语，照秦铮的说法，他等了她多年，可不就是早有预谋吗？忽然又想起他说“人生百年，浮沉一世，只抓住一样便不错了”的话，心下不由得多了些滋味。

谢云澜看着她，不再说话。

谢芳华也不再说话。

马车出了城，顺畅地到了谢云澜的府邸。

下车后，守门人对谢云澜禀告："公子，老爷和夫人来了，在前厅等着您。"

"他们来这里什么事？"谢云澜问。

那人摇摇头。

"先让风梨带你去内院歇着。"谢云澜对谢芳华温声道。

谢芳华点头。

风梨连忙在前头给谢芳华带路。

谢云澜则转道去了前厅画堂。

风梨带着谢芳华来到内院，在门口见一个妇人站在那里，似乎等候有一会儿了，她一惊："夫人，您怎么在这里？"

"我过来看看公子的住处，毕竟府中连个婢女也没有，我怕有什么不妥当之处，如今看来，是我多虑了。"话落，那妇人笑着看向谢芳华，"芳华小姐！"

谢芳华见这中年妇人正是那日在谢氏米粮老夫人临终之处的女人，她点点头。

"芳华小姐若是不介意与我待一会儿闲聊片刻，我们去后园子的水榭坐坐如何？"那妇人笑着询问。

谢芳华点点头："自然不介意，夫人请。"

那妇人笑笑，当先向后园子走去，谢芳华知道她应是有话要说，抬脚跟上了她。

风梨见二人走了，想着公子恐怕也没料到夫人等在这里要和芳华小姐叙话，他自然不能拦阻二人，立即转身去前厅禀报谢云澜。

二人来到水榭，落座之后，那妇人微笑："除了老夫人去世前那次，就只在九年前老侯爷的寿辰见过你一次，这是第三次见到你。"

谢芳华笑了笑："我那时候还小，不记得夫人了。"

那妇人笑道："当年客人太多，你还小，不记得正常，咱们谢氏的族亲又这么多，实在记不过来。"

谢芳华点点头，的确是，她如今也不大熟悉除了近枝几房外的那些旁支族亲。

"小姐去了后，老夫人将我指给了老爷，还扶了正，我无所出，一直对公子视如己出，只是公子近些年来性情变了很多，与我不大亲近了。"那妇人看着谢芳华，话落，见她不解，笑道，"我以前是小姐的婢女，我口中的小姐就是公子的娘。小姐去得早，老夫人将我指给了老爷，也是为了公子不被他人迫害，由我做继室，有个照应。"

谢芳华恍然，原来这妇人是这个身份，怪不得谢氏米粮老夫人咽气之前，女眷只有她一个在身边，想必对她是极其信任和器重的。

“可惜，我没能照看好公子，使得他如今病魔缠身。这些年我甚是自责，因为这些事情也使得老夫人久病缠身，是我负了老夫人的厚待。”她又道。

谢芳华看着她，隐约觉得她知道什么，或者要对自己说什么，但是还没说到点上。她抿唇：“云澜哥哥的病是怎么得的？”

那妇人摇摇头：“我也不太清楚，只怪我当初带公子去法佛寺祈福了一趟，回来后，公子便病了。”

“法佛寺？”谢芳华听到这个名字，第一时间就想到法佛寺后山的碧天崖。

那妇人点点头：“当时，老夫人生了一场病，我和公子去法佛寺给她祈福，没想到，后来不但老夫人没好，公子也被病魔缠上了。”

“当初在法佛寺，云澜哥哥可是离开过你的视线？”谢芳华询问。

那妇人点点头：“当时公子走丢过一炷香的时间。”

谢芳华看着她：“他去了哪里？”

那妇人摇摇头：“不知道，找到公子的时候，他晕倒在后山的一棵槐树下。我立即带了公子回府，但是从那以后，公子身上便有了病症。”

谢芳华不再说话。

“如今老夫人去了，公子也长大了。老夫人离开前一直放不下公子，我和老爷派人请了数次，公子也不回京城。幸好芳华小姐你去了平阳城，他才回来见了老夫人最后一面。”那妇人看向谢芳华，“芳华小姐，我今日本来有一样东西要交给公子，但是我想，若是给了公子，他恐怕只会默默地收起来，不拿给你看。我今日遇到你也是凑巧了，想必也是天意。我这便交给你，由你来处置吧，毕竟这个东西，除了关系到公子，也关系到你。”

谢芳华看着她，点点头。

那夫人从怀中拿出一个绢帕包着的布包，看了一眼，递给谢芳华。

谢芳华伸手接过，摸了摸，手中的东西很软，像是布帛，她没有立即打开，而是问道：“这是哪里来的？”

“这是公子的娘临终前交给我的，交代我，等公子长大之后交给公子。”那妇人道，“可是我见上面刻了你的名字，便觉得也事关你，思考再三，还是交给你吧，也许这样才是对公子好。”

“你……是不是知道什么，关于我和云澜哥哥？”谢芳华看着她。

那妇人摇摇头：“我伺候了小姐，又伺候了老夫人，但是有些事情，我也不知道。”顿了顿，她微笑，“你知道的，人一旦知道的秘密太多，都活不久，交托秘密的人也不愿让你活那么久。”

谢芳华看着她。

“公子来了，我也不久留了。”那妇人站起身，笑着道，“我从没见过公子紧张谁，芳华小姐，除了老夫人，你是第一个。”

谢芳华转头，果然见谢云澜从远处走来，想必是听到风梨的禀告。

“我走了，芳华小姐，再会。”话落，那妇人出了水榭。

“夫人慢走。”谢芳华站起身，但是并没有出水榭相送。

只见那妇人不多时便迎上了谢云澜，与他微笑着说话，谢云澜面上表情如常，也说了一句什么，二人短暂碰面后，那妇人离开了，谢云澜向水榭走来。

谢云澜看了一眼谢芳华，温和地道：“她寻你可是有事情？”

谢芳华笑着道：“就是正巧遇到，闲话了片刻，说当年她带着你去法佛寺给老夫人祈福，你走失了一炷香，后来就染了病，其余的倒没说什么。”

谢云澜点点头。

“云澜哥哥，当年的事情，你可有记忆？”谢芳华看着他。

谢云澜摇摇头：“没有记忆。”

“她口中的病，应该就是焚心之毒了。”谢芳华叹了口气，“要想解毒，就要寻到源头。”

“我的病多少年了，也不是一朝一夕之事。她这些年一直自责没照看好我，祖母也自责。在谢氏米粮府里的时候，每天都要面对她们自责的眼神，我才脱离了府里，自立出来，后来干脆去了平阳城。看不见我，她们的自责会少一些。”谢云澜道。

谢芳华点点头。

“已经晌午了，先去用午饭。吃过午饭，我们启程去三十里外的枫叶林，那里距离京城远些，适合动手。”谢云澜道。

谢芳华应了。

二人一起前往画堂。

用过饭后，谢云澜拿出图纸，二人对着图纸研究片刻，谢云澜点了人，埋伏在枫叶林附近。做好了准备，二人便启程了。

沿着南山坡的山林而行，虽然费力一些，但是能隐藏踪迹。

傍晚时分，二人到了枫叶林。

如今初春，万物复苏，枫叶林长出了鲜嫩的枝叶，绿油油一片。

谢芳华和谢云澜各选了一棵枫树，坐在上面等着。

入夜后，官道上有三三两两的行人和车辆走过，整片枫叶林一如既往，安静无声。

一直等到亥时，京城方向也不见有动静。

谢芳华不由得蹙眉：“会不会今日不走？”

“世子得到的消息不会出错，一定会走，如今时辰尚早，我们再等等。”谢云澜道。

谢芳华点点头。言宸、轻歌等人不在身边，她就如失了左右手，侍画、侍墨等人出身忠勇侯府，这等事情，她一般不敢用她们，以免走漏风声。

二人继续静等。

子时已过，依然没有动静。

谢芳华哪怕定力再好，也觉得怕是出了问题，她看向谢云澜。

黑暗中，谢云澜抿唇，也觉得不大对劲，按照得到的消息，那二人傍晚出城，子时之前一定能到枫叶林，但他还是沉稳地道："再等等。"

谢芳华点头。

大概又等了一个时辰，后方忽然隐约传来动静，二人看去，一队车马出现在了视线中。这队人马有两三百之众，点着火炬。

二人对看一眼，心中一震。

人数如此之多，若是经过一场血战，不见得不走漏风声。

没想到他们出城的队伍如此之众。

"云澜哥哥，是他们的人吗？"谢芳华看了半晌，因今夜有些雾气，看不太清到底是什么人，但是这个时间点出现赶路的，很难想象不是他们。

"看着像是哪家府邸的护卫府兵。"谢云澜道。

谢芳华皱眉，复又看去，片刻后，她疑惑地道："我看着中间那辆怎么像是大长公主府的车？"

谢云澜也仔细地看了片刻，点头："你没看错，是大长公主府的车。"

"这么晚了，大长公主府的人马赶路做什么？"谢芳华心中奇怪。

谢云澜摇摇头："我们先不要轻举妄动，待他们过去了，我们再派人去查探消息，看看那二人是否混入了大长公主府随行的队伍，再斟酌如何动手。"

谢芳华点头，如今只能如此了。

埋伏的人很快便得到了按兵不动的消息。

枫叶林愈发静了。

两盏茶后，那队人马来到枫叶林。果然如二人所见，正是大长公主府的队伍。

二人只能任他们走过。

队伍即将过去时，中间那辆车的帘幕被挑开，一个人探出头："这是到了哪里？"

谢芳华听出是秦怜的声音，愣了一下。

旁边有一个人回答："回郡主，这里是枫叶林，已经走出三十里地了。"

"还有多远到临汾镇？"车内又有一个声音询问。

谢芳华皱眉，这个声音是金燕郡主。

"回郡主，还有七十里。"那人立即回道。

“真慢啊！”金燕有些不满，对秦怜埋怨，“都怪你！若不是惊动了我娘，咱们也不至于带这么多人上路，还要坐车，如果骑马，我们现在也许都快到临汾镇了。”

“偷偷走，万一路上遇到坏人，小命都不保，还到什么临汾镇？”秦怜哼了一声，“没出过远门的千金大小姐，你哪里知道江湖的险恶？”

“你不是一样没出过远门吗？”金燕嗔道。

“我虽然没出过远门，但也知道随行要有护卫的道理。”秦怜道。

“前一阵子秦浩不是将这一带的土匪都夷平了吗？京城方圆百里据说再无匪患，甚是平安。”金燕道。

秦怜嗤笑一声：“也就你信，我可不信！没有匪患难道就没有别的坏人？”

“不跟你说了，快赶路吧。”金燕落下帘子。

秦怜哼唧了一声，似乎也懒得说了，住了口。

队伍平静地向前走去，不是多快，但也不慢。

一阵风吹来，隐约有一股淡淡的药香。

队伍走出很远后，二人从树上跳下来，看着前方。

谢云澜挥手招来一人：“现在就去查，看看是否……”

谢芳华截住他的话，摇头：“云澜哥哥，不用去查了，我闻到了熟悉的药味，是莲花兰用药浇灌后的味道，那二人一定在他们的队伍中。”

此时正是黑夜，秦怜和金燕的队伍有二三百人之众，两个人夹在中间也不好排查。

尤其还要在不惊动秦怜和金燕的情形下。

没想到云水和言轻二人竟然混入了她们出城的队伍里。不过谢芳华也奇怪，大长公主竟然允许金燕和秦怜夜间出城，还只有两个女儿家。

金燕和秦怜为何突然前往临汾镇？

为何早不去晚不去，偏偏今日夜里去？

是否说明，金燕身边有云水和言轻的人，鼓动了金燕？

那么秦怜跟金燕在一起又是怎么回事？

英亲王府两位公子身边的人在同一日死去，英亲王府已经乱作了一团，可是她去英亲王府的时候，并没有看到秦怜的身影，难道那时候秦怜不在府中，已经和金燕在一起了？

将心里的一堆疑惑暂且压下，谢芳华眯着眼睛看着前方。

“若是照这个速度，天亮之后，她们应该能到临汾镇。”谢云澜道，“我们必须在这之前出手，否则定然会惊动秦钰，惹来麻烦。”

谢芳华脑中忽然灵光一闪：“也许秦钰已经得到了那二人在京城的消息，也已经知道了那二人的身份。”

“怎么说？”谢云澜一惊。

谢芳华看着他道：“金燕和秦怜两个女儿家连夜启程去临汾镇，虽然有护卫护送，但是不合常理。大长公主宝贝这个女儿，就算方圆百里的盗匪被秦浩夷平，她也不会放心，更何况还跟着个秦怜？若是去临汾镇，不急在今夜，该让她们白天再走，如今却连夜赶路，就算有二三百人护卫，若是遇到厉害的杀手，也不见得能保全二人。除非是有不得不连夜启程的理由，而且暗中还有护送和接应的人。”

谢云澜也眯起眼睛：“你是说，这是秦钰暗中安排的？”

“秦钰应该也得到了那二人要离开京城的消息，所以顺水推舟，安排了这支队伍，让那二人借助此次机会混入，他则在临汾镇守株待兔。”谢芳华道。

谢云澜闻言面色凝重：“你说得极有道理，这像是四皇子做的事情。哪怕他不喜金燕郡主，但是也会酌情利用金燕想见他的心安排这次行程，而且能做得神不知鬼不觉，隐藏掉他在其中的作用。”

“外人会说是金燕喜欢秦钰，任性去了临汾镇。”谢芳华道，“反正她喜欢秦钰已经不是秘密。”

“恐怕入了秦钰圈套的二人还没察觉，待到了临汾镇，他们就是秦钰手中的人了。”谢云澜道。

谢芳华点点头：“云澜哥哥，你说得对，必须在到达临汾镇之前动手拿下那二人，不能让他们落在秦钰的手里。”

谢云澜点头：“你有什么好主意吗？”

“若是前方山林着了火，会怎样？”谢芳华看向前方道。

谢云澜想了一下：“那么就能拦住他们的队伍。而且，火势大的话，这里离京城只有三十里，京城会比临汾镇更快得到消息，大长公主府和英亲王府为了两位郡主的安危，都会很快出动人马，宫里的皇上也许也会被惊动。”

“一旦情况发生了这样的变化，那二人是否会瞅准机会立即脱离队伍？”谢芳华问。

谢云澜点点头：“他们既然偷偷出京，就是不想暴露身份，所以势必要在京城的人赶到之前离开。”

“我们就趁他们脱离队伍之机截住他们，将人留下。”谢芳华道。

“如今是初春，山林四周还有很多干草，万一火势控制不住，伤害到住在附近的人家……”谢云澜看着谢芳华，“这个方法可行，但是，一定要着人控制住火势。”

第十四章
深夜火截

京　门　风　月

“前方五里处有一片平坡，我在这条路上来回走了几遭，的确有两家猎户，但那两家都住在山涧小溪边，被水源与山林隔开，哪怕火势控制不住，应该也伤不到人，只是那片山林就被毁了。”谢芳华道。

“只要不伤到人，毁了山林也无碍。那就这样吧，着人看护好那两处人家，其余人把守在四方，努力不让火势蔓延到山林之外。”谢云澜道。

谢芳华点头。

二人很快便商量妥当，谢云澜挥手招来人，吩咐下去，然后跟谢芳华一起起身，抄近路向前而去。

大约半个时辰后，金燕和秦怜的队伍中忽然有人喊：“快看，前方着火了！”

喊声极大，使得队伍中的人齐齐一惊。

众人一同看去，果然见前方不远处有火苗蹿起。

“郡主，郡主，不好了，前方着火了！”有人立即对车内大喊。

自从停止了争论，金燕想着天亮就能见到秦钰，心下激动，怎么也抑制不住欣喜，同时又忍不住胡思乱想，不知道秦钰突然看到她前去，会如何想，秦怜则迷迷糊糊地睡着了。

二人同时被外面的声音惊醒，金燕闻言，立即挑开帘幕向外看去。

秦怜揉揉眼睛，也坐起身，看向外面。

前方被火光照得一片亮堂。

“是着火了吗？你们确定不是劫匪？”秦怜对外面问。

外面的人立即哽了一下，他们也不确定是着火还是劫匪，一想到可能是劫匪，众人心下都寒了寒。

“不要胡说！”金燕对走在车旁的护卫统领道，“你派两个人去前面打探，看看到底是怎么回事，怎么大半夜的着火了？”

那人立即应是，连忙挥手招来两个心腹之人吩咐了下去。

那二人得令，齐齐脱离队伍，骑马去前方打探消息。

那护卫统领吩咐队伍停止前进，休整片刻，等待打探消息的人回来再作决定，同时命其余人警醒一些，四下观望，守护好马车内的两位郡主。

过了大约两盏茶的时间，前方的火势更大了，几乎照亮了那一片山林。

“看样子就是着火了。”金燕奇怪地道，“怎么三更半夜的会着火？”

“谁知道！”秦怜看着那火势，有些烦。

那统领闻言猜测道：“咱们走的是官道，官道两旁有山林处，寻常都有一两户人家，以打猎为生。如今正是初春，但凡有些火星，便能引得山林着火，加之春风一吹，火势就蔓延开来了。”

金燕和秦怜闻言对看一眼，都没有说话。

这时，被派出去的二人急匆匆赶回来禀告：“回大人，的确是山林着火了，因是黑夜，无人救火，火势渐渐大了。”

“咱们若是现在救火，来得及吗？”秦怜立即道。

那人看了一眼队伍，犹豫地道：“两位郡主的安危要紧，若是咱们这些人都去救火，万一有什么不良之人想要谋害两位郡主，岂不是有机可乘？况且这火也不确定是不是有预谋的。”

“若是不救火，咱们现在快马加鞭，能躲开这片火继续前行吗？”金燕有些焦急地问。

那人摇摇头：“恐怕不能。虽然是道路一边的山林着了，但是火苗被风一刮，道路的另一边很快也会被点着。万一我们走过的时候，火苗被风刮了过来，我们就会陷入火海的包围，根本走不出去。到时候，不但兄弟们没办法护住两位郡主，恐怕自救都不行。”

“那怎么办？难道我们要回去？”金燕急了，她好不容易出来，还没见到秦钰，说什么也不想回去。

“如今趁着火势还没起来，留几个人护着我们，其余人去救火。”秦怜道。

“不行。万一是有人作乱，几个人护不住您二人怎么办？况且这附近也没有水可以灭火。”那统领立即摇头。

“那你说怎么办？”秦怜看向那统领，“你也说了，这道路两旁也有人家，万一伤及了性命可怎么了得？我们难道要见死不救？”

“这……”那统领摇头，“属下也只是知道有人家，如今黑灯瞎火的，也看不到人家居住在哪里，如何救？”

秦怜闻言皱眉，似乎在想办法。

“两位郡主，属下建议咱们回城吧。这火难保不会因为风向一转烧到北面来，您二人若是出事，咱们护送的这三百兄弟都得因为护主不利而死。”那统领请求道。

“不行，决计不能回去！”金燕立即否决。

那统领看向金燕：“郡主，您和怜郡主的安危才是——”

“你不用说了，我好不容易出了京城，让我回城不可能！”金燕喝住他的话，命令道，“就按照刚刚怜妹妹说的话去做，留几个人在这里，其余人都去找水源救火。”

那统领一惊：“郡主，这可使不得！”

“什么使不得？我不相信还有哪个眼睛瞎的不知道我们二人的身份。想要谋害我们？那也要看看他们家有多少人够皇上舅舅满门抄斩的！”金燕怒道，“别废话，按照我说的去做！”

那统领知道在金燕这里行不通，便看向秦怜。

秦怜的脑子已经清醒了些，转头对金燕道：“我刚刚的想法也欠妥当，三更半夜的，我们的人不宜派出去。况且他说得对，这附近哪里去找水源灭火？”

“那你说怎么办？反正我不回去！”金燕道。

“这样吧，咱们不回京城，但是必须退到安全的地方。这里距离着火的地方太近了，火势很可能蔓延过来，不安全。这是火，火遇到干草、干柴、风就会肆虐，可不会管我们是什么身份，一样往我们身上扑。”秦怜道。

金燕闻言看向前方，前方已经火光冲天，她也有些怯意，点点头：“那就这样吧。”

那统领松了一口气，命令队伍撤退五里。

命令下达后，队伍调转车头马头，齐齐往后撤。

“这里的火势万一大了怎么办？还是派人回京城传个话吧。”秦怜在车内，回头看着火红的山林，“若是火势蔓延，祸害千里，可就麻烦了。”

金燕看着火红一片的山林，也有些害怕：“嗯，你说得有道理，万一蔓延开来，可不止这一处遭殃。”话落，她对那统领吩咐了一句。

那统领点头，连忙派了两个人回京送信。

队伍继续撤退。

过了大约一盏茶的时间，在队伍的尾部，有两个人悄悄离开了。

半个时辰后，队伍撤到了枫叶林外，距离那片山林远了，只看到那片天空被烧成了红色，其余的就什么也看不见了。

队伍停住，在原地等候，众人并没有发现少了两个人。

谢云澜和谢芳华守在唯一能绕过火源的山坳，等着那二人从这里经过。

除了官道，这一处是必经之地。

不出意料，一个时辰后，那二人出现了他们的视线中。

这一处山坳中，除了新长出来的草，没有树木可作遮挡，所以，二人无藏身之地。

那二人刚一来到，谢芳华和谢云澜便看见了他们，他们也看见了等候的人。

谢芳华和谢云澜一人倚在一块石头上，坐着没动。

那二人脚步一顿，面色微变，云水顿时握紧了手中的剑，言轻比云水镇定，打量了二人一眼，二人并未易容乔装，他扬眉："芳华小姐？云澜公子？"

"我竟不知道翠红楼还允许楼内的人外出，两位这是哪里去啊？"谢芳华看着二人。

云水后背挎了个包袱，药香味就是从他的包袱里传出的。

"你是猜出我们的身份了，所以故意等在这里？"云水脾性急，立马质问。

"两位是什么身份，我也很好奇。"谢芳华语气淡淡，"深夜出城，混在两位郡主的队伍里，实在让人想一探究竟。更何况我是个好奇之人，明知道有隐情，自然会忍不住想问个明白。"

"前方的大火是你放的？"云水顿时竖起眉头。

谢芳华承认不讳："今夜太黑，这火着起来便亮堂了。"

"芳华小姐，我不太明白，你如此大费周章，从京城追来这里，又纵火烧山，只是因为好奇？"言轻缓缓开口，"我看不尽然吧。"

"除了好奇还有什么，不如这位公子猜猜。"谢芳华看着他。

言轻还没说话，云水突然抽出剑，怒道："跟她废话做什么！我们要离开，有谁拦得住我们？谁想拦我们，就要问问我们手中的剑同意不同意！"

"你手中的剑怕是同意的。"谢芳华看着云水。

云水冷笑："别以为你是忠勇侯府的小姐，我们便不敢杀你！"

"恰恰因为我是忠勇侯府的小姐，我才觉得，你杀不了我。"谢芳华也笑了笑。

"那就试试！"云水忽然出剑。

谢芳华坐着没动。

言轻出手拦住云水，看着谢芳华道："芳华小姐有什么目的但说无妨，若是我二人能帮忙，念在因莲花兰达成的交情，我们也不会推脱。"

"关于莲花兰之事，我不觉得我和二位有交情。"谢芳华道。

"就算没有交情，也该让你如此费心拦截的人被拦个明白是不是？"言轻看着她。

谢芳华点点头，漫不经心地道："我请二位在南秦多住些日子，毕竟前日秦铮和我出手伤了二位的手下，甚是抱歉。"

"你还知道抱歉？"云水怒道，"多住些日子是什么意思？软禁我二人？"

"我想留客人多待些日子而已，你说是软禁，我也不反对用这个词。"谢芳华看着二人，“不知两位意下如何？”

“你做梦！”云水怒斥了一句。

“这么说，两位是拒绝了？”谢芳华挑眉。

“就凭你们也想拦住我们？”云水手中的剑发出低吟。

“是啊，就凭我们。”谢芳华点头，看着云水道，“玉家果然一代不如一代了，没本事不说，还总是跳着想动手。”

“你果然已经识破了我们的身份！”云水额头的青筋跳了跳，“我就算没本事，你今日也拦不住我们。”

“是吗？”谢芳华看着他，“那你尽管出手，看看我拦不拦得住你们。”

云水冷嘲一声，对言轻道：“你别拦着我！”

言轻皱眉，慢慢地松开了手。

云水的剑径直向谢芳华的眉心刺去。

谢芳华坐着没动，坐在她身边的谢云澜也没有动，然而当云水的剑离谢芳华的眉心还有三寸之时，他面色一变，手中的剑再也抓不住，哐当一声掉在了地上，他的身子踉跄了一下，也软软地倒在了地上。

言轻脸色一沉，并没有上前。

“你……你下了毒？”云水倒在地上之后，困难地吐出一句话，随即昏了过去。

“是啊，在这片山坳方圆一里之内，我都下了毒。”谢芳华点头，回答了云水的话，然后看向言轻，“这位公子，你觉得是否可以考虑留下来做客之事？”

“在下很好奇，芳华小姐是何时识破我二人身份的？”言轻看着谢芳华，不答她的话。

“两位的身份虽然遮掩得很好，但因为自视甚高，哪怕住在秦楼楚馆，也改不了用北齐之物的习惯，尤其是那般奢华之物，实在不适合暗中潜入南秦京城的两位使用。”谢芳华道。

“若不是芳华小姐闯入了轻水楼，我想我们的身份也不会暴露。”言轻道。

“也许。”谢芳华点头，“可是事情就是这么凑巧。”

“若是我说，我没中毒，芳华小姐可信？”言轻看着谢芳华。

“自然是信的，否则如今你不会站着了。”谢芳华心下也讶异，没想到言轻竟然能够抵抗她下的毒，应该是他身上佩戴了什么解毒之物，或者，他本身不惧毒。

言轻笑了一下：“若我说，凭你二人，不见得真能拦住我，芳华小姐可信？”

“这位公子武功高绝，且不惧毒，但是我不知道惧不惧这个。”谢芳华从怀中拿出一个瓶子，扬了扬手。

言轻细细一听，立刻换到了上风处：“软筋散？”

谢芳华含笑：“北齐的皇子可比玉家的一个小辈强多了，怪不得敢来南秦京城，真是艺高人胆大，不仅武功高绝，且精通毒术。”

“芳华小姐过奖了。在下这一趟南秦之行，对忠勇侯府的小姐才是深感意外。是该说这些年芳华小姐隐藏得好，还是该说世人眼拙？”言轻道。

谢芳华拿着瓶子把玩，不答他的话，淡淡地道：“天色不早了。”

“的确不早了。”言轻也道。

“公子是要动手，还是随我回去做客？”谢芳华看着他。

“芳华小姐确定是我的对手？”言轻挑眉。

谢芳华摇摇头：“不太确定，但可以一试。我败了呢，我身边不是还有一位？但若是你败了，岂不是白费力气？”

“谢氏米粮的老夫人刚去，云澜公子便动刀剑，是不是不合适？”言轻看向谢云澜。

“为了留住贵客，祖母想来不会怪罪。”谢云澜道。

“在下很是荣幸受到两位如此大费周章的诚心邀请，可是……”言轻话语一顿，看向西南方，微笑道，“恐怕我们虽然要留下来做客，但是不见得要跟两位走。”

谢芳华也听到了西南方传来的动静，转头看去，就看到一队人马疾驰而来，她眯了眯眼睛。

谢云澜也看向西南方向，同样眯了眯眼睛。

黑夜中，一马当先，马上之人容貌俊美，气度雍容，锦衣夺目。

正是四皇子秦钰。

他纵马疾驰而来，身后跟着大约一千骑兵，黑压压的一片，似乎压住了远处的火光。

谢芳华眯着眼睛看着秦钰，他比她意料中更快地出现在了这里，还带了这些骑兵，显然对这二位势在必得。

若是让他得了这二人，那么对忠勇侯府，对谢氏盐仓，对整个谢氏，后果不堪设想。

她看着他，心底有些沉。

“四皇子秦钰，皇后嫡子，自幼聪敏睿智，文武兼修，满腹经纶，满朝文武人人称赞，天下百姓心甚喜之，其他皇子难以望其项背。”谢云澜也看着秦钰，片刻后，忽然淡淡道，“从来不曾有过德行亏损之事，可是就在去岁，却酒后失德，火烧宫闱，举国皆惊。检察院上奏，御史台弹劾，左相为首，极力请求皇上严惩。”

言轻忽然转头看向谢云澜。

谢云澜却不看他，继续看着前方道：“皇后怒闯金殿，以死相逼，右相从中求情，最后被废黜皇子身份，贬到漠北无名山。恰逢无名山被毁，他趁机落脚在了漠北军营。”谢云澜又道，“两国边境多年未起纷争，今年除夕之夜却大动干戈。不说起因如何，只说结果，就是四皇子以一己之身平息了两国边境的纷乱，立下了大功，皇上恢复其四皇子身份，并召其回京。”

言轻挑眉："你说这些做什么？"

"关山险恶，杀机重重，他却平安到了临汾镇，临汾桥埋伏的炸药和杀手都未能将他如何，相反，他坐镇临汾镇，将一切掌控在手中。"谢云澜不答他的话，继续道，"若是他回到京城，可想而知，其他皇子更不是对手。"

"据我所知，临汾镇之事四皇子并未出手，而帮助四皇子抵挡了炸药和暗杀的可是你云澜公子。"言轻道。

"你只知是我帮助他回京，为何不想想我为何帮助他回京？"谢云澜道，"必定是他攥着我不得不帮助的理由，不是吗？"

言轻眯起眼睛："那又如何？本皇子就算暗中前来南秦京城，但两国若是不想发生战争，他就不能奈何我。"顿了顿，他看向谢芳华扬眉，"反观谢氏就不一定了，毕竟芳华小姐似乎跟我的恩怨不小。"

谢芳华偏头瞅了他一眼，没说话。

"你说得有道理，四皇子不会将你如何，顶多是公开你的身份，待为上宾。"谢云澜微微一笑，"你也能趁机和四皇子达成协定，达到你来南秦京城的目的，你二人一拍即合，皆大欢喜。"

言轻笑了一声："传言云澜公子不善言谈，不理外事，似乎不是如此。"

"四皇子习武修文，学治国之略，心机颇深，加之善谋，再加之满朝文武心之所向，若是没有大意外，不久之后，太子之位非他莫属。他日他登基为帝，南秦国富兵强，万民拥护，岂会没有征服天下之心？更何况他在漠北军营这么久，不只收服了漠北军心，也对边境情形了如指掌。"谢云澜含笑看着言轻，"届时，北齐若是国富兵强倒还好，尚有与南秦一较高低之力，若没有，那么，不用我说，结局可想而知。"

言轻慢慢地收了笑意，眉目凝了凝。

谢云澜住了口。

谢芳华听罢，紧抿的嘴角勾了勾，云澜哥哥不是不善言谈，而是不喜言谈。

这时，秦钰带着人马也冲过山坳，来到面前。

他勒住马缰，不仅身下的坐骑驻足，身后的一千骑兵也齐齐驻足。他先是扫了一圈四周，又向远处看了一眼，火光将夜晚的天空都烧红了。他收回视线，眸光一一掠过谢云澜、言轻和地上躺着的云水，最后将目光定在谢芳华身上。

谢芳华挑眉看着他。

山坳里静静的，连夜里的风也无声。

片刻后，秦钰挑眉："芳华小姐？"

"四皇子。"谢芳华淡淡开口。

"原来真的是芳华小姐。三更半夜，不在忠勇侯府待着，为何会在这里？"秦钰打量着她，衣裙华丽，坐在荒山野岭的石头上，没有丝毫伪装，却神色坦然，天下还真找不出哪个女子能如她这般。

“四皇子也知道是三更半夜，那你又为何出现在这里？”谢芳华看着他，虽然风尘仆仆而来，却丝毫不折风采，“别告诉我，京中有紧急事情，非四皇子不能往也。”

秦钰闻言顿时笑了：“京中虽无紧急事情，但是听闻两位郡主妹妹要深夜前往临汾镇，我恐夜里不安全，便前来迎接。”

谢芳华笑了一声：“迎出七十里，这兄长做得可真是够格。”

“自然。”秦钰颔首。

“如今她们就在枫叶林，被突然而来的大火阻了路，四皇子既然是来接人的，就赶紧去吧，以免两位郡主担惊受怕。”谢芳华向枫叶林指了指。

“既然她们在枫叶林，定然是无碍了。”秦钰向枫叶林看了一眼，对谢芳华挑眉，“你还没说你为何在这里。”顿了顿，他又看向谢云澜，“还有云澜公子？”话落，又看向云水和言轻，“这两位似乎在哪里见过？”

“四皇子对任何一个黑夜中在山林碰到的人都有好奇心吗？我凭什么要告诉你？”谢芳华声音微冷。

秦钰微笑：“我不是对任何一个黑夜中在山林碰到的人有好奇心，而是对深夜在这里碰到你有好奇心，毕竟忠勇侯府的小姐自小学习闺仪，深夜出现在这里，实在不妥当，传扬出去，有损忠勇侯府世家名门之闺训。”

“就算折损了忠勇侯府的闺训，似乎也与四皇子无关。”谢芳华道。

“怎么会无关？”秦钰摇头，笑道，“你和秦铮有婚约，深夜却和别的男人一起出现在荒山野岭，传扬出去……”

“秦钰！”谢芳华突然站起身，冷冷地看着他，“我和秦铮有婚约又如何？他都不曾限制我，你凭什么来质问我？”

秦钰眯起眼睛：“同为堂兄弟，既然遇到，便不能不管。”

谢芳华冷笑：“堂兄弟？你确定？”

“血缘之亲，如何能拿来玩笑？”秦钰道，“不但我确定，全天下的人都确定。”

“好一个血缘之亲！”谢芳华挺直脊背，“你最好记住你今日之话。”话落，她扔给言轻一个玉瓶，回头对谢云澜道，“云澜哥哥，我们回去。”

言轻接过玉瓶，看了一眼，攥在手里，没说话。

谢云澜点点头，也站起身，对秦钰道：“四皇子，再会。”

秦钰没说话。

谢云澜看了言轻一眼，和谢芳华一起顺着来时的路离开。

他们刚走了两步，言轻忽然扛起地上的云水，跟随二人离开。

秦钰忽然道："你们两个走可以，他们两个要留下。"

谢芳华和谢云澜的脚步齐齐一顿，对看一眼，回头看向秦钰。

"我说怪不得这两个人面熟，原来京中传出的消息是真的，北齐的皇子和玉家的人出现在了京城。"秦钰端坐在马上，慢慢地道，"两位贵客来到南秦，真是荣幸之至。"

"四皇子认错人了。"言轻摇摇头。

"认错人？"秦钰微笑，"北齐唯一的皇子齐煦，字言轻，在下就算眼拙认错别人，也断不会认错你。"话落，他对身边的人道，"初迟，拿出那幅画卷来，让齐皇子好好认认自己。"

初迟点头，从怀中拿出一幅画卷，就着火把展开给言轻看。

画上的人，头戴金冠，锦衣华服，身处北齐皇宫的花园内，正在逗笼子里的一只鹦鹉。画师功底极好，将他画得甚是传神，惟妙惟肖。

言轻看了一眼，忽然笑了："天下相像的人多了去了，四皇子拿着这幅画便能将我当作北齐皇子，未免太可笑了，我只是个秦楼楚馆的伶人。"

秦钰哦了一声："北齐皇子作何不承认自己的身份？北齐和南秦邦交甚好，你来南秦，是南秦的贵客。"

言轻摇摇头："在下一个伶人，就算长得像北齐皇子，也断不敢冒充。"

"北齐皇子这是不承认自己的身份了？"秦钰看着他，目光却落在谢芳华和谢云澜的身上，"北齐皇子莫不是有什么难言之隐？在下虽然刚从漠北戍边回来不久，但是能力范围之内，还是能相助一二的。"

"多谢四皇子的好意，在下也希望自己是北齐尊贵的皇子，可惜不是。"言轻摇头，不欲再多言，向前走去。

秦钰眸光微冷："天下长得相像的人可能很多，但是一模一样的人倒是少见，即便身份天差地别，但为了保持两国友好的邦交，既然在下遇到了这等奇事，就不能置之不顾。"话落，他吩咐道，"来人，将他们拿下！"

他一声令下，身后立即有数百人齐齐催马上前，将言轻和他扛着的云水以及距离较近的谢芳华和谢云澜都围住。

言轻没说话。

谢芳华冷冷地看着秦钰："四皇子这是何意？"

"该我问芳华小姐这是何意才是。三更半夜在荒山野岭与跟北齐皇子长得一模一样的人待在一起，到底意欲何为？"秦钰的面色也冷了下来。

"谢氏米粮老夫人七日未满，我和云澜哥哥来敬鬼魂，这个理由四皇子认为如何？"谢芳华看着他。

"那这两个人呢？秦楼楚馆的伶人也跟着敬鬼魂？什么时候有这个道理了？"秦钰

挑眉。

“他们手里有世间稀有的莲花兰。你知道，莲花兰乃纯净之物，被誉为‘明镜之花’。”谢芳华道，“这般贵重之物，两位公子不愿外借，怕折损了莲花兰，我们只能请了人来。”

秦钰忽然笑了：“这么说还是我不识时务，打扰了敬魂？”

“你向来出现得不是时候。”谢芳华道。

“可是，偏偏不巧，你寻的这个手中有稀世名品莲花兰之人，与北齐的皇子长得一模一样，这就不能疏忽了。我得将他们二人带去父皇面前，彻查一番，得罪之处，还望芳华小姐海涵。”秦钰拱了拱手。

“人是我带出来的，还是由我要带回京城去。四皇子若是半路截人，小女子肚量狭窄，海涵不了。”谢芳华冷声道。

“这么说，芳华小姐不同意了？”秦钰看着她。

谢芳华冷冷地瞅着他：“四皇子即便人多势众，但也要考量好了，我手中的人不好截。”

秦钰看着谢芳华，一时不再言语。

谢芳华也看着他，眼神显示出寸步不让。

过了片刻，秦钰移开视线：“你的意思是，你将人送回京中，我再要他们，便不算从你手中截人了，是不是？”

谢芳华不语。

“你不说话，我就当你默认了。”秦钰道，“既然如此，走吧。我也多日未回京了，这便回京看看。”话落，他对身边道，“初迟，给他们一人一匹马。”

初迟脸色不快：“凭什么给他们马？”

“就凭临汾桥倒塌时，芳华小姐和云澜公子帮了我们一个大忙。照我的话做！”秦钰沉声道。

秦钰不提临汾桥的大忙还好，一提初迟更是气冲脑门，他朝身后猛地一挥手，一阵风扫过，他怒道：“给他们一人一匹马！”

这阵风看上去是对身后出手，可是旋风转了回来，对准的却是谢芳华和谢云澜。

这阵风明面上并无异样，等近了，谢芳华才发现，这阵风竟然能穿透她的防护，瞬间笼罩她。

她面色一沉，刚要催动功力，她旁边的谢云澜忽然挥手，顷刻间，一股大力打了回去。

气力反噬，初迟转眼间便被打下了马。

谢云澜笑了笑：“既然这位公子愿意将马相送，那就多谢了。”话落，他轻轻招手，初迟的马犹豫地看了初迟一眼，然后便被吸到了谢云澜的身边。

初迟勉强站稳身子，惊异又迷茫地看着谢云澜。

谢云澜不看初迟，将马鞭递给了谢芳华。

谢芳华笑了笑，翻身上马。

秦钰看了初迟一眼，又看了谢云澜一眼，眸中闪过一抹深思，他对身后摆摆手。

立即有人牵了两匹马走向谢云澜。

谢云澜对秦钰道了声谢，扔给言轻一根马鞭，自己翻身上马。

言轻接过马鞭，带着昏迷的云水上了马。

又有人牵了一匹马给初迟。

出乎意料，初迟接过马鞭，翻身上马，并没有说什么，早先的怒气也没了，更没有因为被谢云澜打下马而爆发更大的怒火。

秦钰摆摆手："走吧。"

一行人离开山坳，奔向京城的方向。

骑在马上，言轻将谢芳华给他的那个玉瓶子打开，倒出一颗药丸，塞进了云水的嘴里。

不多时，云水悠悠醒转，发现自己坐在马上，四周都是轻骑，他慌乱地回头，见到身后坐着的言轻，才定了定神，低声问："这是怎么回事？"

言轻凑近他，用同门秘术简略地说了经过。

云水顿时恼怒地道："你脑子锈了？为什么不与秦钰合作？"

言轻面色沉沉："与虎谋皮吗？"他摇摇头，"与其和四皇子合作，我宁愿相信谢芳华不会将咱们如何。"

"你对她哪里来的相信？"云水气恼地质疑，"你忘了我们死的那些人了？"

"自然没忘，但我更没忘你的小叔叔，我的小舅舅，特意回北齐救了皇后。"言轻道。

云水一噎："那与谢芳华有什么关系？"

"自然有关系。北齐皇后是她谢家的人，天下除了父皇，还有谁挂怀她的性命？非谢家人莫属。小舅舅一定与谢家有某种联系。"言轻道。

云水撇了撇嘴角："就算你说得对，但是跟谢家人走，岂不是失了你的初衷？"

"初衷吗？"言轻笑了笑，"自古以来，皇族同室操戈之事比比皆是，但是我从出生至今，皇室里，除了我，再无一位皇子，有时候，我都觉得无甚意思。他回去争夺皇位才更有意思，不是吗？"

云水看怪物一样地看着他。

"不要多说了，届时进了京城，见机行事。你再不准多嘴坏我的事儿，否则，我真会后悔带你来南秦。"言轻道。

云水只能住了嘴。他在北齐顺风顺水，然而自从来南秦遇到谢芳华后便屡屡受挫，自然心下气闷。

不多时，千人的队伍出了山林，上了官道，来到了枫叶林。

枫叶林前，金燕和秦怜的队伍正停驻在那里。

金燕心下气闷，一直盯着前方的大火，盯着盯着，她忽然眼睛一亮，须臾，不敢置信地看着前方，喃喃道："莫不是我眼花了，怎么看到了表哥？"

金燕的声音虽低，但秦怜还是听了个清楚，她立即探头看去，当看到远远一队人马行来，当前一人正是秦钰后，她顿时欢喜地喊道："是秦钰哥哥！"话落，她同时看到了秦钰身后骑着马的谢芳华，她睁大眼睛，不敢置信地道，"芳华姐姐？她……她怎么和秦钰哥哥在一起？"

金燕自从看到秦钰，视线便聚焦在他身上移不开，听到秦怜的怪叫，她才勉强移开视线，看到果真是谢芳华，她的脸色唰地变了："这是怎么回事？她怎么会和表哥在一起？"

秦怜的嘴巴张开又合上，如此片刻，才奇怪地道："她不是一直和我哥哥在一起吗？"

金燕攥紧帕子，也不明白谢芳华为何三更半夜跟秦钰走在一起。从那日在茶楼的一番交谈看来，她明明在意的是秦铮，否则那日也不会冲进皇宫去救他了，可是今日这又作何解释？她又看向谢云澜、言轻、初迟、云水四人，他们明显和骑兵不一样，她冷静了些，又问："那几个人是谁？"

秦怜忽然睁大眼睛："轻水楼的公子？"

"什么轻水楼？"金燕纳闷，"你认识他们？"

"轻水楼就是翠红楼新开的门面。"秦怜盯着二人细细辨认，发现真是他们，更是疑惑，"他们怎么聚在了一起？"

"翠红楼？青楼？"金燕虽然不知道轻水楼，但是知晓京城大名鼎鼎的翠红楼，脸色又难看了几分，"是清倌？表哥怎么不顾身份和他们在一起？"

秦怜撇撇嘴，不喜金燕这个语气，她还不顾身份逛清倌楼了呢！清倌怎么了？也是人。她没好气地道："等他们来到近前，我们问问不就行了！"

金燕住了口，重新看向秦钰，见他一马当先，丰仪尊贵，多日的思念让她的心潮水般翻滚。本来以为大火封山，明日早上到不了临汾镇，见不到他了，没想到，他竟突然出现在了这里。虽然意外地多了谢芳华，但她心下还是压制不住地欢喜。

秦怜看着金燕的样子，翻了个白眼，跳下马车，提着裙摆迎了上去。

大长公主府的护卫府兵自然识得秦钰，讶异之余纷纷松了一口气，四皇子出现就好了，他们不必再担心两位郡主出事了。

"秦钰哥哥！"秦怜欢快地喊了一声。

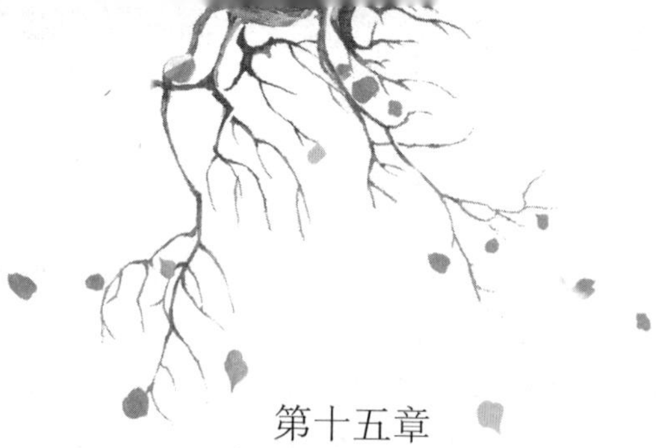

第十五章

很爱很爱

秦钰来到近前，见秦怜跑来，他勒住马缰绳，翻身下马，对她露出温润和煦的笑意：“怜儿！”

秦怜哇地一声：“秦钰哥哥，真的是你啊！”然后，又跑了两步，冲进了他的怀里。

秦钰的身子被她撞得踉跄了一下，才伸手抱住她，失笑道：“都多大了，怎么还和小时候一样莽撞？我以为我走了大半年，你该端庄了些才是。”

秦怜死死地抱住他，嘟起嘴：“你还说？你一走就是大半年，如今这一路回来杀机重重，我都担心死了！”

秦钰唔了一声：“这不是回来了吗？好啦，多少人都看着呢，你若是哭鼻子，小心人笑话你。”

秦怜哼了一声，声音有些哽咽：“谁爱笑话谁笑话，我见了哥哥，难道不能欢喜得哭了？”

“你这张嘴，从来都能说出些道理来。”秦钰微笑，拍拍她的后背。

秦怜抱着他，捏了捏他后背的肉，抱怨道：“瘦了这么多……”

秦钰无奈：“本来在漠北跟随军队操练时长胖了，只是这一路回来，急着赶路，才又掉了分量。”

“你如今回来了，让皇婶天天盯着御厨给你补回来。”秦怜放开他，退出他的怀抱。

秦钰点点头，温和地问：“母后还好吗？”

"前些日子听说临汾桥之事，她忧心之下染了寒症，如今好些了。"秦怜嘿嘿一笑，"你回来了，她心情一好，病就好了。"

"鬼丫头！"秦钰敲了秦怜的脑门一下。

"哎呀，你怎么又敲我？这个毛病你总不改，这回我终于确定是你回来了。"秦怜捂住额头，好奇地道，"不过你怎么三更半夜出现在这里？"话落，她不等他答话，歪头看向谢芳华，"喂，芳华姐姐，是你吧？你怎么和钰哥哥在一起？"

谢芳华看了秦怜一眼，说道："我和云澜哥哥给谢氏米粮老夫人敬魂，恰巧碰到了四皇子，便一同回京了。"

秦怜恍然："原来是敬魂。"她好奇地打量谢芳华身边的几个人，目光在谢云澜和初迟身上转，"哪位是云澜公子？"

"怜郡主，在下谢云澜。"谢云澜在谢芳华身边，对秦怜拱了拱手。

秦怜打量了他一番，惊艳地道："原来你就是谢氏米粮的公子！传说傅粉何郎，仪表不凡，尊比王孙，雅如侯爵，就是你啊！"

谢云澜失笑："竟然有这样的传言吗？在下倒不晓得。"

秦怜见他笑容温和，气质优雅，立即道："你比那个谢云继好多了。既然芳华姐姐喊你云澜哥哥，我以后也喊你云澜哥哥吧。"

谢云澜眸光微动，笑着摇头："在下草民，当不得郡主这个称呼。"

"这话怎么说呢？我哥哥和芳华姐姐有婚约，芳华姐姐是我未来的嫂子，她的兄长不也是我的兄长吗？"秦怜对他板着脸，"难道你看不上我，不愿意我称呼你一声哥哥？"

谢云澜一时哑然。

"怜儿，不许胡闹！他们一日未大婚，还是做不得数的，你不要为难云澜公子。"秦钰拉过秦怜，对谢云澜歉然地道，"云澜兄勿怪，这丫头被母后和我宠坏了。"

秦怜嘟嘟嘴："不行，他不同意我也要喊云澜哥哥。"

"既然你要喊，那以后，连云继哥哥也一并喊了吧，否则一个也不准喊。"谢芳华看到秦怜就头疼，自己有哥哥不要，偏偏抢人家的。

"才不要！"秦怜顿时摇头，"不喊就不喊。"

秦钰失笑，摸摸她的头。

秦怜打开秦钰的手，伸手一指："秦钰哥哥，他们……怎么跟你在一起？"

秦钰见她指的是言轻和云水，道："你识得他们？"

秦怜点头。

"他们是谁？"秦钰奇怪地看了秦怜一眼。

秦怜咳嗽了一声，显然那日她和谢芳华逛翠红楼轻水楼之事被瞒下了，连秦钰也不知道。她讷讷地道：“他们……嗯……”她看向谢芳华。

谢芳华也看着她，并没有说话。

“哎呀，他们是不是跟你一起的？”秦怜忽然灵光一闪，问谢芳华。

谢芳华知道她不好在秦钰和这些人面前说出那日之事，毕竟传扬出去也不光彩，遂点点头：“两位公子手中有莲花兰，我请他们跟我一起陪云澜哥哥敬魂魄。”

秦怜恍然：“我就说秦钰哥哥怎么识得他们呢。”话落，为免秦钰追问，她立即拽着他转移话题，对远处的马车一指，“秦钰哥哥，你看，那是谁？”

她指的人自然是金燕。

虽然她不怎么喜欢金燕，但是此时，她也不介意帮帮她。

秦钰自然是早就看到金燕了，此时顺着秦怜手指的方向看去，他面上含笑：“是金燕表妹，我如何能不识得？”话落，他对金燕招手。

金燕其实早就下了马车，可是看到秦怜冲进秦钰的怀抱中又是撒娇又是说笑，亲密至极，而秦钰神情宠溺，她的脚步僵住了，手中的帕子也被攥紧了。

虽然明知道秦怜和秦钰从小一起长大，堂兄妹之情堪比兄妹之情，但是她仍旧忍不住嫉妒，嫉妒秦怜能随心所欲地在秦钰面前撒娇。

虽然她也极想如秦怜一样，扑进他的怀里，一解相思之苦，可是，她做不到，而且即便她做到了，秦钰也一定不会像对待秦怜一般对待她。

自小，除了秦怜外，他待所有人都是一个模样。

虽然他不同于秦铮表哥一般和谁都不亲近，言谈行止总是温和有礼，但是也隔着一段距离，骨子里一样的疏离淡漠。

见秦钰对她招手，金燕深吸了一口气，迈着莲步款款走去。

不多时，来到近前，她微微一福身，给秦钰见礼：“表哥。”

秦钰笑容浅浅，温文尔雅：“表妹免礼。”

“表哥怎么……你是要回京？”金燕站直身子，有一肚子的疑问。

秦钰微笑：“我是收到了姑姑提前派人送到临汾镇的书信，得知怜儿和你要一起去临汾镇，我恐途中不顺，便来接你们。没想到果然不太顺利，前方山林竟然着火了。”

金燕讶异地问道：“我娘竟然提前给你去书信了？”话落，她扭过身子，不快地道，“她不是答应我不给你提前送信的吗？她果然不可信。”

秦钰看着她，温和地道：“你们两个女儿家实在胆子大，深夜启程，万一有什么不测，如何是好？姑姑是担心你们。”

金燕一时无言，嘴上虽然埋怨她娘，但是能见到秦钰，心里还是高兴的，只是忍不住去揣测他的担心底是因为秦怜，还是因为她。

“如今大火封了路，是不能再前行了，回京吧。”秦钰道。

“大火既然封了路，表哥你们是怎么越过火过来的？”金燕这才看向谢芳华，语气中虽然有些情绪，但不仔细辨认是听不出的，“芳华小姐，又见面了。”

谢芳华点点头，语气温和：“金燕姐姐。”

秦钰讶异地看了谢芳华一眼，自从相识，谢芳华从来不曾对他和颜悦色过，没想到竟然对金燕说话这么温和，他顿了一下才开口：“我们是绕过山坳过来的，那边是山路，极其难走，马车不能行。”

金燕点点头：“原来如此。”话落，她欢喜地道，“表哥，你也要跟我们回京吗？”

秦钰含笑点头：“自然，距离京城只有这点儿路了，不回去说不过去，我也好久不曾见父皇和母后了，甚是想念他们。”

“那真好！”金燕不由得笑了。

“哎呀，天不早了，赶紧回去吧！”秦怜有些不耐烦，“好不容易出门一趟，就这么泡汤了。这回回去，不见得会让我们再出来了。”

“大伯母不知道你跑出来吧？”秦钰看着秦怜。

“这回怕是已经知道了。”秦怜跺了一下脚，对秦钰道，“我要跟你一起骑马，不坐这破车了，慢死了，晃荡得我头疼！”

“好。”秦钰点头，翻身上马，同时将秦怜拽在他身前，又对金燕道，“表妹，上车吧，天色不早了。”

金燕看着秦怜在马上打哈欠，脑袋枕在秦钰勒着马缰绳的臂弯上，她压下情绪，看向前方：“前方的火会不会蔓延？我们不管了吗？”

“不会蔓延，顶多烧一片山林，不出一个时辰就会熄灭，不用管了。”秦钰道。

金燕点点头，但是她不想回到车上，那样帘幕遮掩，她就不能看到秦钰了。她忽然对谢芳华道：“芳华妹妹，我也不想坐马车了，你载我一程可好？”

谢芳华微笑：“自然好，金燕姐姐上来吧。”话落，她对金燕伸出手。

金燕立即欢喜地走过去，将手递给谢芳华。

谢芳华轻轻一拽，将她拽上了马。谢芳华比金燕高一点儿，便让她坐在了身前。

待坐好，金燕轻轻地吐了一口气，秦钰就在不远处，离她很近。

秦怜本来闭上了眼睛，这时忽然睁开，偏着头对金燕吐了吐舌头。

金燕瞪了秦怜一眼。明知道她心中恼得要死，这小妮子还故意气她，她和她上辈子一定有仇。

秦钰又讶异了一下谢芳华如此好说话，但并没有表现出来，他摆摆手，一行人启程回京。

因有秦钰等人带队，回城的速度明显快了很多。

在距离谢云澜府邸不远的岔路口，谢芳华勒住马缰绳，对谢云澜道：“云澜哥哥，你回府吧，我送他们就好。”她口中的“他们”，自然是指云水和言轻。

谢云澜微微抿唇，点头：“也好。”

“云澜兄，再会。”秦钰拱了拱手。

“四皇子再会。”谢云澜也拱了拱手，拨转马头，向自己的府邸而去。

一行人继续前行。

距离城门口还有一里时，金燕忽然道：“咦？芳华妹妹，你看城门口，那个人是秦铮表哥吗？”

谢芳华正想着事情，没有注意城门口，此时抬头看去，果然见城门口立着一队人马，丝毫不少于秦钰的随从，皆是清一色的骑装，当前一人端坐在马上，不是秦铮是谁？

这副阵势，显然是等了许久。

秦怜被惊醒，睁开睡眼，看清楚果然是秦铮后，忽然翻了个白眼：“我哥哥又闹什么？”话落，她对谢芳华道，“以后你出门还是带着他吧，免得他折腾，这一回又是特意等你的。三更半夜，立在城门口，瘟神一样，忒吓人。”

“吓人吗？我倒不觉得吓人。秦铮表哥在意芳华妹妹，如此深情让人羡慕。”金燕说着，美眸瞟了秦钰一眼，语气里的羡慕丝毫没掩饰。

秦怜哼哼了一声，没再反驳。

谢芳华的嘴角扯了扯，忽然扬起手中的马鞭，对着云水和言轻的马屁股就是响亮的一鞭子。

二人骑的马突然被狠狠地抽了一鞭，自然吃不住，撒开蹄子冲出队伍，向前冲去。

那两人一骑如离弦之箭，在官道上卷起一阵烟尘，马蹄哒哒的声响盖过了一整队车马的动静。

言轻忽然明了了谢芳华的做法，本来想要勒紧的马缰绳慢慢地放松了——秦铮虽然不讨喜，但是论身份，比四皇子秦钰还是好了那么一点儿。

云水本也不傻，也明白了谢芳华的作为，但心下还是不满，因为他觉得秦铮比谢芳华还恶劣，毕竟那日秦铮是真的要杀了他，还极其嚣张地又杀了他们手下那么多人。

然而此时的马已经收不住，更何况，言轻明显顺从了谢芳华的意思冲向秦铮的队伍，他虽然不满，但是也只能听言轻的。

秦钰正看着城门口，他料到秦铮会出现等候，但是没料到谢芳华为了护住那二人会突然来这么一手，他面色一沉，忽然抽出马前的箭筒，拉弓搭箭。

谢芳华忽然抖动手中的鞭子卷住了秦钰的箭筒，秦钰偏头向她看来，她对他微笑：“四皇子，刀剑无眼，伤了性命可不好。王子犯法和庶民同罪，你好不容易恢复了身份，又刚回到京城，不想因此再被贬黜吧？”

谢芳华这一句话声音不高，秦钰却听得清楚，且传了出去，整支队伍都有耳闻。

秦钰的眸子瞬间深沉如海，面色却一如平常，闻言笑道：“芳华小姐误解了，我是要射住那匹马，以免它冲撞了前方的人而没了性命。你要知道，比起我手中的箭，铮二公子才是不能得罪的主儿，冲撞了他，那二人才会没命。在他们的身份查明之前，自然不能因此丢了性命。”

谢芳华闻言慢慢地撤回了手，歉然地道：“原来如此，是我误会四皇子了，抱歉。”

秦钰的眼睛眯了眯：“难得听到你道歉。”话落，他拉开弓，一支羽箭嗖地对着那匹马射了过去。

谢芳华的阻隔虽然短暂，但还是起了作用，那匹马转眼间已经跑出半里地远。

然而秦钰的箭力道之强，还是超出了谢芳华的预料，只见那支羽箭带着一阵破空之声径直追了过去，显然是灌注了真气的一箭。

谢芳华的心不由得收紧，有些后悔松手太早了，应该再拖延片刻，可是开弓没有回头箭，她抿唇看向对面，希望秦铮能明白她的用意出手。

她正想着，只见对面的城门口忽然也射出一支箭，同样极大极快，同样带着一阵破空之声，正是秦铮。

她心下顿时一松。

言轻回头瞅了一眼，又看向前方，暗赞南秦的四皇子和英亲王府的铮二公子果然名不虚传。他抽出腰间的匕首，在马身上用力地捅了一刀。

马本来要收势，顿时疼得尥了一个蹶子，疯狂地冲向前方。

就在这一个蹶子的空当，那两支箭在它身下堪堪撞在了一起，哧的一声，擦出了一阵火花，齐齐碎成了粉末。

须臾之间，言轻和云水的马冲到了秦铮的面前，径直撞上了他。

因马的力道太大，将秦铮的马撞翻在地。

“公子！”秦铮队伍中的人齐齐惊呼了一声。

秦铮在身子落地的那一刻，一个腾空，稳稳地避开了冲撞，落在了不远处的地面上。

云水和言轻刻意没避开，身子滚下了马，又齐齐在地上滚了两圈，才堪堪收住势。

“你们好大的胆子，连爷都敢冲撞了？是找死吗？那我就成全你们！”秦铮勃然大怒，喝道，“来人，将他们带下去，给我杀了！”

“是！”立即有人上前拿下云水和言轻，速度极快地拖了下去。

“慢着！”秦钰打马来到近前，轻喝一声。

秦铮当没听见。

押着那二人的护卫自然听从秦铮的命令，转眼便将人拖去了后方，没了踪影。

秦钰心中恼恨，面色鲜有地阴沉下来，看着秦铮喝道："你要做什么？杀人性命也要有个因由！这两个人身份可疑，我要领着他们去见父皇。"

"你眼睛瞎吗？他们险些杀了我！我要杀他们，只这一点就够了。"秦铮毫不客气地反驳，"我不管身份可疑不可疑，在这南秦京城里，王法我不管，只一点，冲撞了我秦铮就不行！"

秦钰闻言眯起眼睛："天下人都传言你顶撞父皇，如今连他也不看在眼里了，果然如此。"

秦铮挑眉："我生下来的骨头，长就的命。皇祖母在世时，我一样顶撞皇叔，这样的传言以前怎么没有？如今皇祖母去了，天下就有这等传言了？可笑至极！"

"以前你行事还未见出格，如今是愈发出格了。"秦钰道。

秦铮冷笑："你纵火烧宫闱就不出格？别人有资格说我，秦钰，你有什么资格说我？"

"纵火烧宫闱因为什么，你我心知肚明，何必拿出来说？"秦铮冷脸看着秦铮，"今日这二人，你必须交给我，否则，你当清楚后果！"

"我就不交给你。有本事你就让爷知道是什么后果！"秦铮甩了一下袖子，踢起卧着的马，翻身上了马，谁也不看，冷声道，"回城！"

他身后护卫顿时收整队形，齐齐后转。

"秦铮！"秦钰喝住他，"忠勇侯府的小姐不守闺训，深夜流连深山，与谢氏米粮的公子云澜行止过于密切。这样的事情奏禀父皇，你说，他会不会一怒之下取消你们的婚约？毕竟你也姓秦，你没了脸面，皇室也没了脸面。"

一句话声音不高，只有秦铮和跟随而至的谢芳华听了个清楚。

谢芳华脸色一沉，秦钰竟然拿这件事情来要挟秦铮？

秦铮本来要回城，闻言勒住身下的坐骑，掉转马头，脸如寒霜地看着秦钰："你想死是不是？"

"我还不想死！只是你我堂兄弟一场，我不忍见你被蒙在鼓里受欺负。"秦钰此时冷静下来，面色如常地看着秦铮。

秦铮冷笑："什么是欺负？我的女人我乐意被她欺负，你管得着吗？"话落，他扬手将马鞭甩向谢芳华。

谢芳华当即拽住马鞭的鞭梢，随着秦铮轻轻一拉，她的身子被凌空卷起，瞬间到了秦铮身前，秦铮伸手揽住她的腰，怒道："你怎么与他在一起？怎么回事？"

谢芳华将应付秦钰的那一套给谢氏米粮老夫人敬魂巧遇秦钰的话对他说了一遍。

秦铮听罢，冷哼了一声："回去再教训你。"

谢芳华默然地点点头。

秦铮抬起头，看向秦钰，冷着脸道："你尽管去告诉皇叔。我的女人我自己会管，但是他既然圣旨赐婚，若是再收回成命，看我急了不掀了他的灵雀台！有本事你就去试试！"话落，他双腿一夹马腹，身下的坐骑冲进了城。

秦铮身后的骑兵护卫也尾随他进了城。

黑压压的一众人马潮水般退去，城门口似乎一瞬间亮了些。

秦钰沉着脸看着秦铮带着人离去，薄唇紧紧地抿成一线。

秦怜窝在秦钰马前，大气也不敢出，直到秦铮没了踪影，她才拉了拉秦钰的袖子边角，小声道："秦钰哥哥。"

秦钰从城门口收回视线，看向秦怜。

秦怜悄声道："那两个人是谁？对你很重要吗？"

秦钰闻言摇摇头，看不出情绪："也不是多重要。"

秦怜立即道："既然如此，你就不要不开心了。我们赶紧进宫吧！没准这会儿宫里已经得到消息了，皇婶在等着你呢。"

秦钰颔首，纵马进了城。

一行人跟在他身后。

谢芳华被秦铮带走后，金燕独自一人坐在马上。她本是聪明人，知道今日夜间的事情定不寻常，那两个人怕是极其重要，否则也不会引发一番争夺，最后显然秦钰没夺到手。她望着秦钰纵马离开的烟尘，他带着秦怜回宫，似乎忘了她一般，她的心头暗了暗，对身后大长公主府的一众护卫摆摆手，无精打采地进了城。

秦铮带着谢芳华进了城后，径直向英亲王府而去。

谢芳华看清他的方向，低声道："我要回忠勇侯府。"

"你若是想要那两个人，就没资格和我商量。"秦铮沉着脸道。

谢芳华顿时没了声。

秦铮见她不再言语，也不再说话。

不多时回到了英亲王府，守门的人见秦铮回来了，连忙开了门。

秦铮翻身下马，扔了马鞭，拽着谢芳华往府里走去。

没走多远，英亲王和英亲王妃就从内院急匆匆地走了出来，见到秦铮拽着谢芳华，二人齐齐愣了一下，英亲王妃开口："铮儿，华丫头，你们这是……"

谢芳华垂下头，深夜进人家府邸，让她怎么解释？

"你们这是干什么去？"秦铮看了二人一眼，挑眉询问。

"还能干什么去？还不是听说三十里外的山林着火了，你妹妹和金燕前往临汾镇阻在了那里，你爹本来要带人前去，听说你去了，便没动身。你怎么带着华丫头回来了？你妹妹和金燕呢？”英亲王妃询问。

“她们没事！”秦铮摆手，脸色不好，“你们回去吧。”话落，他拽着谢芳华往里走。

“既然没事，怎么没回府？”英亲王妃向府门外看，没见到秦怜的身影，疑惑地问道，“她住在大长公主府了？”

“您可真是爱操心！她应该是跟着秦钰进宫了。”秦铮冷声道。

英亲王妃讶异地问道：“四皇子回京了？”

秦铮不言语，绕过他们，往里走去。

“他怎么突然回京了，不是留在临汾镇彻查临汾桥之事吗？”英亲王妃很是纳闷。

秦铮不理会她，拽着谢芳华，脚步匆匆地往里走。

“这个死孩子！”英亲王妃见他说了一句就这么走了，有些气闷，回头看向英亲王，“你可知道四皇子回京之事？皇上下了旨意传他回来？”

英亲王摇摇头：“不曾听到旨意。”

“这可奇了怪了！”英亲王妃道，“那他怎么突然回来了？”

英亲王揉揉眉心：“定然是有事情。孩子们都长大了，一个个手段厉害得很，忠勇侯府的这个小丫头也不是个好惹的主儿。行了，甭管了，由着他们折腾吧，我们回去睡吧。”

英亲王妃新奇地看着英亲王：“王爷，这可不像是从你嘴里说出来的话啊！往日里，你不是一直让我劝着别让铮儿胡闹吗，如今这是怎么了？”

“皇上已经不是当年的皇上，皇后也不再是当年的皇后，他们竟然用‘锁情引’对付铮儿……”英亲王无奈地摇摇头，“我若是一味地拘束他，失去了儿子，岂不是悔之晚矣？”

“你的脑袋总算是开窍了！”英亲王妃顿时笑了，伸手挽着他往主院走去，“华丫头估计又做了什么让臭小子不高兴的事儿了，你看他那脸沉的。本来我想去管管，既然你也说了，那就甭管了。”

英亲王点点头。

秦铮拽着谢芳华回到落梅居，玉灼等在门口，见二人回来，笑嘻嘻地迎上前，刚要说话，秦铮挥手打开了他，拽着谢芳华进了院落。

玉灼被秦铮的掌风扫过，踉跄了一下，没站稳，跌坐到了地上。他刚要不满地叫嚷，见秦铮一身寒气地拽着谢芳华往内院走，明显心情极差，只能自认倒霉地住了口。

林七从墙角走出来，伸手拽起玉灼，悄声道：“表少爷，跟在二公子身边，最重要的就是察言观色。公子心情好的时候，你说什么做什么都可以；公子心情不好的时候，你一定要有多远，躲多远。”

玉灼看了林七一眼，拍拍身上的土：“看起来你很有经验了？”

林七叹了口气：“若你和我一样，险些被二公子将皮扒了，也会有经验的。”

玉灼嗤笑一声，嘟囔道：“他就是雷声大，雨点小。我敢打赌，他虽然现在看起来心情极差，但是进了屋子，芳华姐姐温言软语地哄两句，他的心情就好了，你信不信？”

林七眨眨眼睛，低声道：“芳华小姐就是二公子的克星，我能不信吗？”话落，他伸手拽玉灼，“走吧，我们去睡吧。你可别想去偷听，二公子虽然不对芳华小姐使大脾气，但对我们，他可不手软。”

玉灼本来真的想去听墙角，闻言只能打消了念头，嘟囔道：“果然女人是祸水，兄弟靠后站。”

林七闻言叹了一口气。

二人关了院门，各自回了房。

秦铮拽着谢芳华径直进了中屋，然后脚步不停，又往里屋走。

谢芳华见中屋的陈设已经焕然一新，但依旧有熟悉的感觉，她终于停住脚步，拉住他：“我本来不想将你搅进来，那两个人的身份没公开时怎样都好说，一旦公开，你是英亲王府的——”

“你住口！”秦铮回头瞅了她一眼，硬拖着她进了里屋。

谢芳华只能住了口。

进了里屋后，秦铮猛地甩手，将谢芳华甩到了床上，谢芳华低呼一声，他转眼就压在了她的身上，扳正她的脸，低头狠狠地吻住了她。

谢芳华的低呼声被他吞进了口中，感觉到他的怒火，她心下一悸，身子颤了一下，伸手想推他，却蓦地想起那日他中了“锁情引”，那般烈火焚身，都没将她如何……

这般一想，她的手猛地顿住了。

秦铮感觉到她的乖顺，唇死死地压着她的唇瓣来回碾压。

谢芳华的唇瓣有些麻又有些疼，呼吸急促，几欲窒息，身子在他狂乱的亲吻下不由得酸软无力。感觉到外衣被他扯落，她想起那日二人几乎赤裸相对的场景，脸在黑暗中有些发烫，身子也热度惊人。

秦铮本来怒火满腹，然而，在碰触她片刻后，感觉到身下女子的温柔娇软，乖顺得任他施为，他不由得也想起了那日，他没料到她竟然真愿意舍身救他，满腹怒火顿时被浇灭了。

谢芳华能清晰地感觉到他情绪的变化，猜到他怕是也想起了那日，顿时整个人都如着了火一般。趁着他吻她脖颈的空当，她轻喘着抓住他探入她衣襟内在她后背游走的手：“秦铮，你……”

这一开口，连谢芳华都有些心惊——她的声音娇媚得几乎连自己都不认识了，她不由得住了口。

秦铮手一顿，忽然抬起头盯住她，黑夜中，一双眸子灼灼：“你要说什么？”

谢芳华看着他，轻轻喘息。

“是想说让我不要这样，还是想说让我别学那日放过你？”秦铮声音低哑，说着，低头又开始吻她。

谢芳华受不住他如此挑逗，忍不住低低地唔了一声。

秦铮忽然急促地喘了一下，伸手勾住她的里衣，想要扯落，却在即将用力时又住了手，身子猛地从她身上滚落下去，躺在她身边，望着房顶，磨牙道：“谢芳华，你就是上天派来折磨我的是不是？”

谢芳华喘息着，不答他的话。

秦铮伸手扯过一旁的被子猛地将她整个人盖住：“我发话前，你不准给我露一根头发丝。”

谢芳华眼前一黑，身上本就热，再被他盖了被子，她更热了，但也明白他的用意，只能咬牙忍着不掀开被子。

过了大约一盏茶的时间，秦铮才扯开被子，见她满头是汗，他又气又笑：“这回我的话你倒是乖乖地听了？别的话怎么就不见你听？”

谢芳华看了他一眼，低声问：“气消了？”

秦铮冷哼一声，撇开脸。

谢芳华伸手去拉他的手，他没躲，她将他的手攥住，与他的手握在一起，轻声道：“我也觉得三年后大婚实在是有些晚呢。”

秦铮猛地转过头望向她。

四目相对，谢芳华立即闭上了眼睛。

秦铮的身子倏地凑了过去，死死地盯住谢芳华：“你……刚刚说什么？”

谢芳华被他盯着，脸上有些挂不住，偏开头，不说话。

秦铮举起与她交握的手，声音有些飘忽：“你是说，你也觉得三年后大婚有些晚吗？”

谢芳华的脸又烧了起来，不说话。

“回答我！”秦铮伸手将她的脸扳正，看着她。

谢芳华的睫毛颤了颤，在他的注视下，有些困难地点了点头。

秦铮见她点头，只觉得心口的血液往上冲了冲，一时间说不出是什么滋味，无数的话语都哽在了喉咙里，让他只能做一件事，也只想做一件事。

那就是俯下身子，重新将她吻住，带着动情的缠绵和无言的欢喜。

谢芳华感受到他的情绪，觉得有一股暖流从他那里传来，注入了她的心田，一滴一滴，慢慢地渗透，她从心底发出一声轻轻的喟叹。

这一刻，她隐隐觉得，可能，她是真的喜欢上秦铮了。

但是，相比李如碧、金燕几乎痴狂的感情，她又怀疑这是不是真的喜欢。

大约是这种游移不定的感觉传递给了秦铮，他抬起头，撑着身子看着她，声音沙哑："你在想什么？"

谢芳华慢慢地睁开眼睛，少年眸光清亮，温柔缱绻，她抿了抿唇，一只手环住他的腰身，秦铮身子一僵，她低声道："我在想，我是不是已经喜欢上你了。"

秦铮的眸光瞬间凝定。

谢芳华看着他，犹豫了一下，又低声道："可是，你知道的，李如碧喜欢你，甘愿什么也不求地献身于你。金燕喜欢秦钰，日日忧思，苦闷难解，想方设法向他靠近。我……"她咬住唇瓣，"我没有这些情绪……"

秦铮闻言，身子慢慢地放松下来，整个人趴在她身上，伸手勾住她的发丝，轻轻缠绕，在她耳边轻轻吹气："所以，你便有些不确定是不是喜欢我？"

谢芳华点点头。

秦铮忽然将头埋在她肩头闷笑起来。

谢芳华第一次剖析自己的心，本就有些抹不开脸面，这时见秦铮笑她，心里有些恼："我在与你说正经事，你笑什么？"

秦铮闻言笑得更厉害了。

谢芳华心下有气，伸手推他。

秦铮却趴在她身上，纹丝不动。

谢芳华伸手拧他。

秦铮唔了一声，伸手握住她的手，抬起头，眉眼里的笑意怎么也掩不住，他伸手点了点她的额头，嗤笑道："我第一次见到笨蛋，原来就是你这副样子。"

谢芳华想发怒，但看他满眼是笑，在黑夜中灼灼生辉，怒意顿时压在心口，发作不出来，只有些恼火地瞪着他："我与你认真说，你却笑话我！秦铮，你看我再理——"

她话音未落，秦铮低头，复又吻住了她的唇。

谢芳华恼怒地想躲开，却被他捧住脸，秦铮熟练地撬开贝齿，与她唇齿纠缠。

不多时，谢芳华便承受不住，复又娇喘不已。

秦铮放开她，看到她两腮酡红，眉目因情动而分外明艳，感觉到身下的身子娇柔无骨，他深吸了一口气，又对她低声道："笨蛋。"

谢芳华嗔怒地瞪着他。

秦铮伸手盖住她的脸，埋在她的肩头喘息，哑声道："你再这样看着我，我真忍不住了。"

谢芳华伸手推他。

"别乱动！"秦铮抓住她的手。

谢芳华感觉到他热得厉害，和那日中了"锁情引"一般，只能闭上眼睛，一动不动。

夜悄无声息地过去，天边溢出了一线亮光。

房中微亮。

整座英亲王府甚是安静，落梅居里更是安静，落梅的幽香飘进屋中，沁人心脾。

过了许久，秦铮低声道："你只看到李如碧别无所求想为我献身，怎么就没看到自己甘愿为我解毒？你只看到金燕为秦钰日思夜想、苦闷难解，怎么就没看到你信我护我在为你自己权衡利弊时也考虑了我？"

谢芳华心下一动，顿时怔住了。

"谢芳华，你说，这不是喜欢是什么？"秦铮低头吻她，唇瓣轻轻品啄。

谢芳华的思绪在头顶轻轻飘了片刻，才不确定地道："所以说，我是喜欢你的？"

"傻瓜！"秦铮弹了她的额头一下，翻身躺在她身边，将她轻轻圈在怀里。

谢芳华伸手摸向心口，那里怦怦地跳动着，她哑然片刻，不由得也笑了。

身在山中，不知山高；身在林中，不知林大。

原来她不知不觉中已经做了这么多事情，她敢肯定，每一件事情，都遵从了自己的本心。也就是说，她是真的喜欢秦铮。

真的喜欢！

"但是，只喜欢还不够。"秦铮攥住她的手，紧紧地握在手里。

谢芳华偏头看她。

秦铮低声道："我要的是你爱我。"

谢芳华心头一梗："爱？"

她忽然想起，在皇宫那日，李如碧问她爱秦铮吗？她当时是怎么回答的？

"谢芳华，我爱你，很爱，很爱。若是这一世不能与你白首到老，那么，就算死，我也要拉着你一起下九泉。"秦铮的声音依旧很低，很温柔，"所以，你可以没有我爱你爱得深，但是，哪怕浅，也一定要爱。"

谢芳华的心跳一瞬间静止了一下。

"听到了吗？"秦铮看着她。

谢芳华也看着他，好半晌，她才问："怎样才算爱你？"

秦铮忽然勾唇，将她的脑袋枕在他的胳膊上，手臂环住她的纤腰，他的头一偏一低，正好吻在她的唇上，他轻轻流连片刻，对她道："就是这一辈子，除了我，你谁都不要。"

谢芳华忽然想起谢氏米粮老夫人的临终之言，心头微微一沉，没说话。

"能做到吗？"秦铮眸光幽幽地看着她。

谢芳华闭上眼睛，不说话。

"嗯？"秦铮搂着她腰的手收紧。

谢芳华过了半晌，才轻吐了一口气回答他："那你要紧紧地抓住我。"

秦铮手臂一松，勾起唇角："有了你这句话，我就算赴汤蹈火，也万死不辞。"

谢芳华失笑。

"睡吧。再不睡的话，我不知道自己又会做些什么。"秦铮闭上眼睛。

谢芳华点点头，任他抱在怀里。

这一夜，谢芳华的确折腾得累了，不多时，便静静睡去。

秦铮却无困意，待谢芳华睡着后，他睁开眼睛，看着她。她能认真地思考是否喜欢他，已经足够他欣喜。虽然她还不懂爱，但他会慢慢地让她懂。

这一生，长得很，他们有很多时间，不是吗？

以前，他会逼着她喜欢，逼着她爱，可是如今，他渐渐地明白了，应该一点点地引导她，渗透她，让她不知不觉对他情根深种。

无论是谁，都不可能从他手里将她夺走。

过了许久，直到天色微亮，他才睡去。

第十六章
情之一字

一个时辰后，府门口忽然传来动静，有人扬声高喊：“皇上驾到！”

声音一路传到内院各处。

谢芳华动了动眼皮，秦铮将她抱紧，声音里困倦浓浓：“甭理他！”

谢芳华闻言又睡去。

不多时，前院传来动静，甚是热闹，似乎来了不少人。

又过了片刻，一群人似乎向落梅居而来。

谢芳华的意识渐渐苏醒，猜测应该是皇上来落梅居了。她皱了皱眉，睁开眼睛，秦铮依然闭着眼睛睡着，一条手臂被她枕着，另一条手臂环着她的腰。明明她不喜被人如此捆绑，今日却睡得香甜。她伸手去拉他的手，打算起身。

“不是告诉你别理他吗？”秦铮抓住她的手，不让她动。

“可是人已经来了，你听听。”谢芳华低声道。

“来就来了。你不是也觉得三年后大婚太晚吗？我们趁机让他下旨，今年就大婚吧。”秦铮道。

谢芳华一噎，过了片刻，才道：“他不会同意下旨的。”

秦铮没好气地道：“那就更不用理他了！你我有求他的，就是这一件事，这一件事他都不允，还理会他做什么？”

谢芳华无言片刻，才道：“似乎来了很多人，我们这样未婚同床，传扬出去不太好。”

秦铮叹了口气：“你真是好面子！”

谢芳华伸手推他：“我的颜面关乎忠勇侯府的颜面，起吧。”

秦铮只能坐起身，对她道："你不必理会他，继续睡，我起来看看他来干什么。"

"应该是秦钰进京，将那二人的身份禀告给他了。"谢芳华看向窗外。

秦铮冷笑："那两个人冲撞我，致我落马，我已经杀了。"

谢芳华勾唇："嗯，你就是个小魔王，遇到这等事情，自然要杀了。不过是轻水楼的两个伶人而已，你杀了也应该，他也不能治罪于你，可是，尸首呢？"

"扔乱葬岗喂狗了。"秦铮一边起身，一边道。

谢芳华点点头，乱葬岗上时常聚集一群无家可归的流浪狗，只要有尸首扔去那里，几乎转眼就被撕扯吃没了，这是查无对证。

秦铮下了床，僵着胳膊皱眉："我胳膊麻了。"

"我给你揉揉？"谢芳华看着他。

秦铮弯下身子，在她的脸颊上落下一吻："这是你压麻的，自然你揉，不过现在没时间了，打发了那个糟老头子，回来你再给我揉吧。"话落，他用一只手披上衣服，走了出去。

谢芳华失笑，他可真是……

她重新躺下，听着外面的动静。

秦铮迈过门槛，走到门口。

这时，皇上一行人已经来到了落梅居门口。

除了皇上、英亲王和英亲王妃外，还有右相、监察御史、翰林大学士、永康侯等朝中大臣，以及包括四皇子秦钰在内的几位皇子。

秦铮一看这阵仗，顿时嗤地一声笑了："好大的阵仗啊！"

皇帝看到秦铮，沉下脸，训斥道："你衣衫不整地出来，像什么样子！"

"皇叔，你带着这么一大堆人，大清早跑来我这落梅居，是要赏梅吗？"秦铮抱着膀子倚在门口，挑眉询问。

"朕哪里有闲心赏梅！是来问问你，昨日你从四皇子手中抢得的那两个人在哪里？"皇帝开门见山道明来意。

秦铮看向在一众大臣后方的秦钰，冷冷地嗤笑一声："我从他手中抢的人？这从何说起？"

"难道不是？"皇上问。

"自然不是。"秦铮点头，冷声道，"不过是两个伶人而已，何时成了四皇子的人了？"话落，他冷笑，"难道四皇子偷偷摸摸养了伶人？"

秦钰皱眉："昨日我发现那二人中有一人与北齐的皇子长得一模一样，欲将他们带到父皇身边，可是你不给我。我刚从漠北回到京城，哪里能养什么伶人？这件事情是大事，你跟我不对付，但不能拿国事开玩笑。"

“谁跟你开玩笑了？北齐皇子何等身份，如何会成为伶人出现在南秦京城？秦钰，你去了漠北一趟，莫不是被漠北的风沙吹坏了脑子？”秦铮哼了一声，“我是看你不顺眼，但是这与国事何干？”

“虽然听起来不可思议，但是如此相像，也得问问缘由。”秦钰道。

“昨天黑灯瞎火的，你怎么知道看没看错？我看就不像。”秦铮道。

秦钰眸光一沉：“这么说，你是不会将那两个人交出来了？”

“交？”秦铮笑了一声，“被我杀了，昨日你亲眼见到的，我还怎么给你交出来？”

“你杀了？”皇帝的声音忽然拔高。

“是啊，杀了。两个伶人冲撞我致我落马，我的胳膊都被擦伤了。有眼无珠的东西，不杀了留着他们做什么！”秦铮冷嗤。

“尸首呢？”秦钰问。

“扔到乱葬岗了。”秦铮道。

秦钰摇头：“昨日，我的人一直跟着你，进了城后，你的人再未出城，如何扔去乱葬岗？你休要糊弄人！”

“秦铮，事关南秦和北齐两国邦交，那两个人，赶紧给朕交出来！”皇帝微怒。

“你的人确定盯住我的人了？”秦铮对秦钰扬眉，“我的人昨日在城外就扔去乱葬岗了，还用得着再出城？两个伶人而已，还值得爷费心藏着掖着？真可笑。”

秦钰目光微沉：“若是你没杀那两个人，被我找到，你该如何？”

“杀了就是杀了，有本事你就让他们再活过来。”秦铮看着他。

秦钰住了口。

“秦铮，你没听到朕的话吗？”皇帝震怒。

“听到了！皇叔，您的声音大得很，我的耳朵都震得嗡嗡的，如何能听不到？”秦铮摸了一下耳朵，“不过，您若是来找我要那两个人，我清清楚楚明明白白地告诉您，已经杀了，扔去乱葬岗了，如今怕是早就进了狗肚子了。若是您不相信，那么只管找，找出来了再来质问我。”

皇帝一噎：“秦铮，你越来越不像话了！既然四皇子说像北齐皇子，你为何说杀就杀？”

“各位大人，你们可见过北齐皇子？”秦铮看着几位朝中重臣，目光一一掠过右相、监察御史、翰林大学士、永康侯，最后定在英亲王身上，“父王，您觉得，若是让四皇子去当伶人，四皇子可会去？”

“铮儿，不准胡言乱语！堂堂皇子，岂能不顾身份去做伶人？”英亲王训斥秦铮。

“看，您也不相信吧？几位大人呢，你们是不是也觉得荒谬？”秦铮抓住了话柄，问向右相等人，“所以，两个伶人岂能和北齐皇子有联系？”

“这也有些道理。”右相颔首。

监察御史和翰林大学士齐齐点头。

永康侯看了一眼皇帝，见皇帝脸色阴沉，四皇子面色不愉，他试探地开口："世间之事，千奇百怪，也许真有联系也说不准，最好是拿到那二人彻查一番，以免错失。"

"不错。"皇帝点头。

"既然皇叔不信，那您就吩咐人去找吧。我杀了就是杀了。在这南秦京城，有胆子冲撞我的人还没出生，既然他们不长眼，我自然要杀了。"秦铮打了个哈欠，往回走，"您慢走，不送。"

皇帝额头的青筋跳了跳，可是秦铮一口咬定将人杀了，他也无可奈何。

伶人的命，连律文里都没有记载，更何况冲撞英亲王府的公子，的确该杀。

秦钰看着秦铮，见他一条胳膊一直僵着，眸光变幻了一番，忽然道："芳华小姐呢？昨日可是芳华小姐请的那两个伶人，说是给谢氏米粮老夫人敬魂。两个伶人手里却有稀世品种莲花兰，这可是奇事。"

秦钰将谢芳华牵扯了进来，众人齐齐一怔，没想到芳华小姐和两个伶人有关。

莲花兰的确是世间少有的无价之宝，两个伶人却拥有，实在令人惊异。

秦铮慢慢地转过头，看向秦钰："本是给谢氏米粮老夫人敬魂，需要莲花兰，才寻到了那两个伶人。至于他们手中为什么有，谁知道？爷只管他们冲撞了我，还管这等闲事？"顿了顿，他看着秦钰，冷笑道，"我觉得你是不是忘记了主要之人？她只是陪着谢云澜去敬魂，你要找人来询问，是不是该找谢云澜？怎么也轮不到找她吧？"

秦钰不语。

"来人，去请谢云澜！"皇帝此时开口。

"是！"吴权立即应声而去。

秦铮不再理会，回了内院，随手关上了院门。

皇帝一行人被他毫不客气地关在了门外。

"王兄，你看看，这就是你儿子！"皇帝指着关上的大门，对英亲王瞪眼。

英亲王一时无言以对，气道："实在太不像话！"

英亲王妃哼了一声，开口道："皇上，昨日听音突发心之病猝死，我强迫铮儿将之火葬了，他心里难受，如今杀了两个冲撞他的伶人，你却大张旗鼓地大清早就来质问，搁谁心里能高兴起来？"顿了顿，她不客气地道，"况且，我儿子又没入朝，不属于朝中官员，也没吃你的俸禄，他能走出来与你说清原由，已经是敬重你了，你不要太严苛。"

"你……"皇帝听罢，伸手指着英亲王妃，气道，"看看你说的什么话！慈母多败儿！他就算没入朝，也是朕的子民，朕若是真对他严苛，他今日还能这么嚣张吗？"

英亲王妃挺直身子，笑道："我的确没皇后会教导儿子，四皇子从漠北回来一趟，看起来愈发出息了。"

皇帝一噎。

“大伯母夸我，愧不敢当。”秦钰退后了一步。

“你也不用不敢当，在漠北立了军功，这是天下闻名的喜事，如今平安回来，我也是为你高兴的。我家这个臭小子，不务正业，我都愁死了。”英亲王妃慈爱地看着秦钰，话锋一转，“不过，他有一样事情做得还是让我勉强满意，那就是给我定下了一个好儿媳妇儿。”

秦钰低下头，看不出情绪。

“他如今关上大门，也是不想院内刚死之人的阴气冲撞了龙体。”英亲王妃看了皇帝一眼，目光扫了一圈众人，对英亲王道，“王爷，请皇上和众位大人去前厅吧。天色已经不早了，想必皇上和众位大人还没用早膳，我这便让厨房去准备。”

英亲王点点头，请皇帝去用早膳。

皇帝本来也知道，今日这般闯来英亲王府，拿不住秦铮什么把柄，更不可能将他如何，只是他势必要走这一趟来看看。没想到，秦铮连落梅居都不让他进，实在气人。

一行人离开了落梅居门口，去了前厅。

秦钰落后众人一步，停在落梅居门口看了片刻，才缓缓转身，和众人一起走了。

路过紫荆林，皇帝忽然问英亲王：“朕听说不止铮小子身边的那个婢女死了，秦浩身边的婢妾也去了？”

英亲王点点头。

“一个是猝死，另一个是什么病？”皇帝询问。

“孙太医来了，查过之后，说她是自杀。”英亲王道。

“这是为何？”皇帝奇道，“朕晓得这个婢妾跟随秦浩三年多了，怎么突然就自杀了？”

英亲王摇摇头，他也不知晓内院之事，只好看向英亲王妃。

英亲王妃缓缓开口：“皇上可能不知，就这大公子院子内的事儿，我也是刚刚知晓。关起门来的大公子，变着花样地折腾女人，那依梦隔三差五地被他折腾，光小产就几次了，突然见到听音死了，她估计觉得生不如死还不如死了，也就狠心去了。”

“竟然这样？”皇帝没想到是这样，一时不敢相信。

众人也不大相信，大公子秦浩斯文有礼，不像是这种人。

“难道我说谎话不成？皇上若是不信，可以叫依梦院子里的人来问问。”英亲王妃道。

“一个婢妾，死了就死了。这次他随左相去查案，若是能立功，朕就再赏他两个婢妾。”皇帝道。

“对大公子，皇上倒是宽容多了。”英亲王妃嗤笑一声，“对我儿子，皇上就严苛得很。这是什么道理？”

“铮小子是嫡子，如何能一样？大公子就算私下有些毛病，也不过是庶子。朕答应过你，立太子之日，就赐铮小子世袭的爵位，对他严苛，难道不应该？”皇帝恼怒地看着英亲王妃。

英亲王妃也觉得自己过分了，皇帝毕竟是皇帝，除了秦铮在他面前从小皮到大不买他的账外，谁敢夹枪带棒地嘲笑讽刺他？她捂着帕子咳嗽了一声，软了口气，赔不是道：“皇上恼什么？我还不是觉得，好好一个人，生生受不住折磨死了，若是再进来两个，万一也被折腾成这个下场，心中不忍吗？”

皇帝冷哼一声。

“再说了，卢小姐还没进门，这等风声也不能传出去，不然也对大公子不利。”英亲王妃叹了口气，“昨日我派人去知会了大公子，可是大公子至今也没传回话来。这人还在院子里搁着呢，如今天热了，但我也不好把他的人随意安置了。”

“一个婢妾，你是王妃，做主了就是。”皇帝道，“他查案，别分他的心。”

“那也火葬？这猝死和自杀，都算是横死枉死，若是魂魄不散，以后缠上人，总归是麻烦。”英亲王妃道。

“随便选个方式处置了就是，这等事情，你跟朕说什么？”皇帝有些不耐烦。

“我以为你最喜欢管英亲王府内院的闲事呢。你若是不问起，我怎么会与你说？”英亲王妃回道。

皇帝一噎，忽然停住脚步：“你要气死朕是不是？朕就好奇问了一句，你与我说了一大堆，最后反而成了朕爱管你内院的闲事了？”

英亲王妃刚要反驳，英亲王拉住她，低声道：“你就少说几句吧！皇上本来就被铮儿气了一场，如今再被你气到，万一给气病了，你们母子就等着被群臣弹劾吧。”

“谁敢弹劾我们！”英亲王妃瞪了英亲王一眼，住了嘴。

“朕每次来英亲王府，都没个让我顺畅的时候。”皇帝沉下脸，“回宫！”

英亲王连忙劝说皇帝留下。

皇帝一甩袖子，不听英亲王的劝说，大踏步向府外走去。

右相、监察御史、翰林大学士、永康侯等人一看，连忙跟上皇帝。

他们愈发摸不准皇上如今的想法和脾性了。照以前，这等推了早朝跑臣子家质问的事情皇上肯定不会做，顶多召了秦铮去宫里问，今日这样的异常之举，让他们也摸不着头脑。

“父皇，儿臣离京多日，甚是想念大伯母府中的饭菜，您若是不留，那儿子就留下了。”秦钰忽然道。

“你愿意留就留下！英亲王府好你就在英亲王府待着，别给朕回宫了！”皇帝气愤地挥挥手。

秦钰垂下头，不再作声。

众人闻言，心底齐齐叹息了一声。

英亲王见皇上去意已决，只能作罢，送他出府。

英亲王妃站着没动，看着皇帝一行人远去，她揉揉帕子，哼道："走了更好，还省得我伺候呢。"

秦钰微笑："大伯母，父皇就算再气您，也不会将您如何。您对父皇说的话，我母后可从来不敢说。"

英亲王妃转过头，看向秦钰。这个和秦铮同岁的少年长身玉立，仪态出众，他和秦铮站在一起时，无论是样貌、气度还是风采，二人很难分出高下来。哪怕生气皇后用"锁情引"对付秦铮，哪怕秦钰如此隐晦地对她说起她和皇帝当年的那段情殇，她也生不起气来，只瞪了秦钰一眼，拿帕子打了他一下，笑骂道："你也是个混账小子！还以为漠北走了一遭出息了，原来不是。这样的混账话你也敢说，怎么刚刚不当着皇上的面说？"

"不敢，父皇估计会劈了我。"秦钰笑道，"我可不是秦铮，不敢在父皇面前放肆。"

"铮哥儿对皇上做的事儿都在明面上，传扬得天下皆知。你呢？对皇上，明里言听计从，背地里放肆的事儿不知道做了多少。"英亲王妃白他一眼，"别以为我不知道。"

秦钰顿时笑了，挽住英亲王妃的胳膊，叹道："大伯母比我母后都了解我。"

"想吃什么？"英亲王妃问他。

"您拿手的。"秦钰道。

"现在是早膳，我最拿手的难做着呢，你岂不是要等到中午才能吃上？"英亲王妃道。

"只要大伯母亲自下厨，等到中午再吃又怕什么？早上饿一顿，中午才吃得多。"秦钰笑道，"况且父皇不准我回宫，我自己的府邸还没建好，恐怕未来一段日子就要麻烦大伯母了。"

"你想在这府中住就住着，少拿皇上说事！他的话你若是不想听，立马就能回去。"英亲王妃瞪了他一眼，伸手点点他的额头，"一肚子弯弯绕，都是哪里学来的？"

"大伯母，您知道小时候秦铮为什么总是隔三差五耗在皇宫不走吗？"秦钰忽然问。

"太后离不开他。"英亲王妃道。

"才不是。"秦钰摇头，"皇祖母喜欢他，想他陪着，是事实，可是秦铮是在皇宫里待得住的人吗？"

"倒也是。那是因为什么他总是去皇宫？"英亲王妃好奇地问。

秦钰笑了笑："因为这么多年来，我母后一直和两宫的宠妃明争暗斗，我和秦铮小时候互相看不顺眼，也会争斗，但是呢，小孩子的法子总是有限，于是，我每日观察后宫的女人怎么斗，他很快也发现了。王府中没什么可学的，他便待在皇宫不走了，跟我一样，观察那些女人，久而久之，我俩都学会了。”

英亲王妃闻言顿时笑了起来，指着秦钰：“原来是这样。你们两个小坏蛋，怪不得一个个的长大了有这么多的弯弯绕和手段。”

秦钰揉揉额头：“纵火烧宫闱是他害我，可也是因为我自己想去漠北拿兵权，于是顺水推舟，承了他的好意，去了漠北。”话落，他道，“当时我觉得，我作了最正确的决定，如今回过头想想，也许我作了最错误的决定，被他给耍了。”

英亲王妃纳闷：“你成功地夺得了漠北三十万军队的兵权，这也是皇上暗中授意的吧？有了这兵权，三皇子、五皇子决计不是你的对手，你哪里做错了？”

秦钰摇摇头，低声道：“大伯母，您觉得，三十万兵权和一个女人相比，孰重孰轻？”

英亲王妃一怔，顿时正了神色：“你说的是忠勇侯府的华丫头？”

秦钰微笑：“就是您既定的儿媳妇儿。”

英亲王妃弹了他的额头一下，沉下脸：“钰小子，你不会真要和铮儿抢人吧？”

“大伯母，我们从小斗到大，斗到现在，已经不在乎抢的是什么了，只看彼此不顺眼，对方看重的，什么都要抢。”秦钰叹了一口气，“所以，当初，我要漠北的兵权，我也以为他会和我抢，毕竟他若是将漠北的兵权攥在手里，那么，以后我在他面前总要矮一分，有些地方必须求着他。可是，去了漠北，我还没回过神来，京中便传出他收了个婢女听音的消息，不久后又传出他和忠勇侯府的小姐有了婚约的消息，我才明白，他趁机顺了我的意，将我支出京城，就是为了她，没有我碍眼，他就能用尽手段，将她栓在手中。”

英亲王妃咳嗽了一声。以前她也不明白，如今大抵明白了，秦钰说的是事实。

“大伯母，谢芳华便是听音吧？”秦钰又道。

英亲王妃看了秦钰一眼，忽然叹了一口气：“你和铮儿真是天生犯冲，你们俩从小一起长大，怎么就没能兄友弟恭，反而一直打呢？”顿了顿，她道，“钰儿，你是皇子，铮儿呢，承袭了爵位后，顶多是个小王爷。皇室和宗室虽然份属同根，毕竟还是不同。你将来是要坐那个位置的，而铮儿呢，他顶多是个辅助之臣。当然，这还是在他愿意做且你愿意给的情况下。若不然，他就是个逍遥的王爷。他心里没有家国天下不要紧，但是你得有，这是本质区别。所以，你要三十万兵马，他成全了你；他要女人，拴住她，他就满足了，你们各取所需，这不是很好吗？你父皇和你母后一定会为你选一个称心如意的皇妃的。”

“大伯母说得的确有道理。”秦钰点头，“但是，没有如花美眷相伴，就算高坐皇位，也是一生寂寥，又有什么意思？正如我父皇，他得了皇位，可是没能和心爱的女人在一起，您说，他岂不遗憾一生？他宁愿您气他，也不愿面对我母后的温柔体贴，这是为何？还不是逃不开他的心？帝王也有情，不是吗？”

英亲王妃一时噎住。

“世间什么都由得了人，只有这心和这情，怕是由不得人。”秦钰看向皇宫，“重重楼阁，层层宫阙，帝王之路，孤寡冷寂。我不想像我父皇一样，哪怕舍不得，也得从这英亲王府迈出去。”

英亲王妃沉默了片刻才道：“世间的女人千千万。”

“可是能够入眼入心的，也就是那一人而已。”秦钰道。

英亲王妃无奈：“钰小子，你如果不争不夺不抢，这皇位，你要坐上去易如反掌，可是，若是你惹恼了他，如今他将华丫头看得重要得很……你何苦给自己惹苦难？你怎么就知道，除了谢芳华，再没有别的女子能入你的心？”

“大伯母，法佛寺那老和尚给我们算出情劫，我是信的。”秦钰道，“也许，这一辈子，除了她，还真再没有女子能入我的心了。若是就这样放弃，我到父皇这个年纪时，会不会后悔？”顿了顿，他道，“您说，我父皇后悔当年吗？”

英亲王妃又无言以对了，她哪里知道皇上有没有后悔当年？

“你们俩在聊什么？远远看去，你们倒像母子，聊得热闹。”英亲王送完皇帝走回来，笑看着二人道。

“皇上和众位大人走了？你没跟去？”英亲王妃看向英亲王。

“走了。”英亲王叹了口气，“今日免了早朝，宫中也无事，据说武卫将军今日下午进京，我就不进宫了，下午去城门口迎接他。”

英亲王妃点头。

“钰儿，你不回宫，留在这里做什么？”英亲王看向秦钰，“你母后想你，担心你多日，你该在宫中多陪陪她。”

“大伯，我这不是想大伯母做的饭菜了吗？”秦钰道，“我母后见到我平安就高兴了，我若是一直陪着她，她该嫌弃我不务正业了。”

“既然如此，你就去给他做吧。漠北这一趟辛苦，他看起来都瘦了。”英亲王对英亲王妃道。

秦钰对英亲王妃眨眨眼睛。

“住在这里可以，你说的那些话，我不赞同，但也认可，不过，不准闹腾得太出格！”英亲王妃看着秦钰，警告道。

秦钰笑着点头：“知道了，大伯母。”

英亲王妃转身去了厨房。

“走，跟我去书房，我考校考校你，这一趟都学了什么。”英亲王拍拍秦钰的肩膀，走在前头。

秦钰笑着跟上他。

落梅居内，秦铮回房的时候，谢芳华还乖乖在床上躺着，他脱了外衣，将胳膊递给她。

“都大半天了，还僵着？”谢芳华睁开眼睛，看着他。将皇上和一众大臣都关在外面，古往今来，他是第一个吧！

“嗯，僵着。”秦铮点头，“就算它想好，你给我按之前我也不让它好。”

谢芳华无语，伸手给他轻轻揉捏。

秦铮一手抱着她，大半身子都靠在她的身上，轻嗅着她身上的香味，满足地道：“若是日日都能如此抱你在怀，就算是日日胳膊麻得不能动，我也甘愿。”

“瞧你那点儿出息！”谢芳华忍不住翻白眼。

秦铮哼了一声：“你还别看不惯爷这点儿出息！能日日抱着你也不是容易做到的。”

谢芳华失笑。

“这，这，这，都揉了。”秦铮指挥她。

“我又不是你的婢女。”谢芳华不满。

“你害得我的婢女没了，得赔给我。”秦铮理所当然地道。

谢芳华瞪了他一眼。

揉了片刻，秦铮活动活动胳膊，然后又拽着谢芳华躺下，闭上眼睛：“继续睡。”

“那两个人呢？你藏在哪里了？会不会被秦钰找到？”谢芳华随着他躺下，轻声问。

“昨日趁机交给谢云澜了。你觉得你的云澜哥哥能藏好人吗？”秦铮的声音有些阴阳怪气。

谢芳华听了不太舒服，但还是松了一口气，点头：“自然，云澜哥哥是有这个本事的。”

秦铮哼了一声。

谢芳华看了他一眼，心想他能将人给云澜哥哥，说明心里已经跨出了一步。她笑了笑，身子往他怀里靠了靠。

秦铮感觉她靠近，伸手搂住她，怨气顿时没了踪影。

这个女人，牵动着他的喜怒哀乐。

可是，他甘之如饴。

晌午时分，春兰来落梅居请秦铮和谢芳华去正厅用午膳。

秦铮和谢芳华刚刚睡醒，正躺在床上醒神，秦铮应了一声，便拉着谢芳华起身。

“王爷也在府中吗？”谢芳华不怕英亲王妃，倒有些怕英亲王。主要是接触得不多，又觉得这般未婚便与秦铮住在落梅居，且随着他去正厅用膳，英亲王在的话，她面上抹不开。

“回芳华小姐，不止王爷在，四皇子也在。”春兰回道。

谢芳华一怔。

秦铮的脸顿时沉了：“秦钰？他在这里做什么？”

“四皇子离京多日，说是想念王妃做的饭菜了，今日王妃亲自下厨，他早膳都没吃，一直等着呢。”春兰知道二人不对付，小心地道，“皇上走时发话了，说四皇子喜欢英亲王府的话，就住这里，愿意住多久就住多久。”

秦铮闻言脸色更寒了：“早膳都没吃等到现在？”话落，他嘴毒地道，“他怎么没饿死？”

春兰不好答话，闭口不言。

“告诉他们，我们不去吃了。”秦铮摆摆手，刚睡醒时的好心情没了。

“王妃特别嘱咐了，让您带芳华小姐去正厅用膳，一定要去！芳华小姐来咱们府中几次，还没在府中用过膳呢。”春兰话落，别有深意地悄悄道，“二公子，芳华小姐是您的未婚妻，又不是见不得人，去正厅怕什么？”

秦铮冷哼一声。

“奴婢去给王妃回话了？就说您二人刚起，稍后就去？”春兰试探地问。

秦铮板着脸，不答话，十分不情愿。

“二公子？”春兰没听到他答话，也不好自作主张。

“好，兰姨，你去回话吧，我们稍后就去。”谢芳华也不太愿意去，但又觉得春兰说得没错。况且王妃特意派春兰来请，必有用意。

“好，那奴婢就去回话了。您和二公子快些。”春兰嘱咐了一句，转身出了落梅居。

谢芳华穿好衣服，见秦铮还沉着脸坐在床头，她伸手拉他，笑着道：“你昨日抢了人，威风得很，今日他过来找你，你要是生气了，岂不是如了他的意？”

秦铮伸手将她抱在怀里，气闷地道：“就是看他不顺眼。”

“他还看你不顺眼呢。”谢芳华好笑，伸手推他，“快点儿，让王妃和王爷等着不好。”

“又不是新媳妇儿敬茶，等一会儿有什么不好？”秦铮放开她，嘟囔了一句。

谢芳华脸一红，不再理他，转身出了房门。

秦铮立即跟了出去。

院中，春风吹来，花瓣飘舞，白青和紫夜抱着花枝打秋千，林七和玉灼坐在树下玩石子。

阳光明媚，处处透着悠然和宁静。

“芳华姐姐，昨夜睡得好不好？”玉灼见二人出来，目光扫了一圈，对谢芳华笑嘻嘻地道。

谢芳华看了玉灼一眼，脚下踢出一颗石子，朝着他打了过去。

玉灼躲避不及，小腿被打中，他哎呦了一声，抱着腿仰倒在地。

谢芳华不看他，脚步轻快地出了落梅居。

“表哥，这么泼辣的女人，你怎么消受得了？”玉灼咧着嘴叫苦。

“不想你另一条腿也废了，就管住你的嘴。”秦铮见谢芳华脚步轻快，他的脚步不由得也轻快了几分，跟着出了落梅居。

“不是一家人，不进一家门啊。”玉灼小大人似的叹了口气。

林七悄声道：“四皇子来了咱们府，打算住在这里，还让王妃下厨，二公子正不高兴呢。兰妈妈来请吃饭，芳华小姐心里不大愿意，又有些抹不开面子。所以，你开玩笑也不找个时候。”

玉灼翻了个白眼，伸手拿石头砸林七：“我哪里知道这里面的弯弯绕！你是王府的老油条了，下次你提醒我啊，若是我再因为不懂而挨打，我就打你。”

林七哎呦了一声，只能点头。这玉灼的身份是表公子，他也不敢惹。

谢芳华和秦铮出了落梅居后，一前一后走着。

英亲王府和忠勇侯府到底是不同。

忠勇侯和谢墨含都喜欢清静，再加上无甚女眷，所以仆从也少，偌大的府邸，除了忠勇侯身边伺候的福婶，谢墨含身边伺候的侍书，谢芳华海棠苑里面的八大婢女外，只有打扫院子和修剪花草的仆从以及车夫、马夫，此外再无一个闲杂人。

英亲王府大不一样，各房各院仆从甚多，小厮、婢女、管家、婆子……处处都可见到人。

二人刚从落梅居出来，便入了府中仆从的眼。

一路上，因为秦铮跟着，众人不敢明目张胆地观望，但都在悄悄打量二人。

谢芳华察觉到众人的目光，知道王府中除了宫里的眼线，还有各府邸的眼线，于是逐渐放慢步子。

秦铮习惯了府中人的目光，不以为意，伸手拉住谢芳华的手，微沉着脸走向正厅。

二人走过后，有仆从聚在一起窃窃私语：“你们有没有觉得，芳华小姐和听音姑娘很是相像？”

“像吗？哪里像了？”一人顿时纳闷，“一个貌美如天仙，一个只是清秀可人而已。”

“不是样貌，是感觉有些像，说不出来。”一人道。

“你说的像，大约是衣服。芳华小姐身穿绫罗绸缎，听音姑娘尽管是婢女，二公子也让人给她做了最好的衣服，不是千金小姐，却比千金小姐还金贵。”一人道。

那人恍然：“你说得对，我说怎么觉得哪里像呢，原来是衣服。”

几人这般悄声交谈了片刻，见喜顺走过来，连忙散开。

王妃有命令，府中从此不准再提听音的名字。

秦铮和谢芳华来到正厅，刚到门口，便听到里面传来爽朗的笑声，是出自英亲王。

秦铮脚步一顿。

紧接着，又传来秦钰含笑的说话声，英亲王又是一阵大笑。

秦铮本来微沉的脸顿时黑了。

谢芳华知道在秦铮面前，英亲王一直是个严父，对他甚是严苛，更别提能这般闲聊逗趣让英亲王开怀大笑了。

谢芳华明显感觉到秦铮要恼了，于是用被他握住的手挠了挠他的手心，凑到他耳边，低声道：“里面的饭菜香着呢，我已经饿了，你可不准发火，否则我只能饿肚子了。”

秦铮偏转头，看到她微微含笑的眼，气恼顿时退去，冷哼一声：“我也饿着呢，气什么？秦钰一年能逗他笑几次？以前，秦浩可是天天逗得他大笑。”

谢芳华心思一动，秦铮自小习惯了英亲王的严厉吧，谁不想看父亲开怀？秦浩在英亲王面前定是极尽能事地讨他欢心，而秦铮才不屑去做。她抿了抿唇，凑近他，悄声道：“秦浩是庶子，讨到你父亲的欢心才能分去他的注意。你是嫡子，生来什么东西都有，用不着讨谁欢心，更何况亲生父亲。这个不比也罢。”

秦铮顿时被气笑了，伸手点点谢芳华的额头：“我怎么从来不知道你还有宽慰人的本事？”

“你不知道的我的本事还多着呢。”谢芳华向后躲了一下，笑着道。

秦铮哼了一声，伸手抱住她躲避的身子，笑道：“是吗？不过，我以后日日看着你，你有什么本事，尽管施展出来，让爷看看到底有多少。”

谢芳华伸手打他：“快放手，也不看看这里是什么地方！”

“不放！”秦铮故意低头在她的脸颊上吻了一下。

谢芳华见门帘被从里面挑开，有个人走出来，她脸一红，用力地推开了他。

第十七章

芳华吃醋

京　门　风　月

英亲王妃站在门口对二人笑道："你们两个孩子，既然来了，不进来，在外面这是闹什么？"顿了顿，她瞪了秦铮一眼，"臭小子，你又欺负华丫头！"

"娘，您哪只眼睛看到我欺负她了？明明是她欺负我！"秦铮伸手去拉谢芳华。

谢芳华打开他的手。

"你看，她打我。"秦铮趁机告状。

谢芳华无语地看着秦铮，他的脸皮是有多厚？她刚刚怕他心里难受，宽慰他，谁知道他转眼就好了，还反过来欺负她。

"我两只眼睛都看到了。"英亲王妃笑骂秦铮，"动手动脚，你当华丫头是你？她脸皮薄，你规矩些。"

秦铮闻言伸出手，对谢芳华道："你绑上我的手吧，我就不动了。"

谢芳华忍不住笑了，瞪了他一眼。

英亲王妃伸手拉过谢芳华往正厅走去，和蔼地笑道："别理他。"

正厅内，英亲王和秦钰早已经停止了说笑。英亲王面色平和，谢芳华进来对他见礼，他微笑着摆了摆手。秦钰面上看不出什么情绪，一双眸子却幽深如潭，谢芳华红着脸被英亲王妃拉进来时，他便盯着她多看了两眼。

"你来做什么？"秦铮随后进了正厅，对秦钰打出一掌。

秦钰侧身躲过，笑道："你去皇宫，我都不问你做什么，我来英亲王府，你却来质问，这是哪门子的道理？"

秦铮冷哼一声，凉凉地道："我还以为你去找那两个伶人了，或者快马加鞭折回临汾镇彻查，怎么跑英亲王府来躲清闲了？”

“我奔波多日，回京便遭遇刺杀，如今回来躲几日清闲，也不为过吧？”秦钰反问。

秦铮嗤笑一声。

“更何况，你不是比我更清闲？睡到这时候才起，可不是你以前的作风。”秦钰又道。

秦铮忽然笑了：“昨日华儿陪着我睡，我自然睡得熟，睡过头了。”话落，他扬眉，“你也想睡过头的话，容易，赶紧找个未婚妻就是了。”

谢芳华已经坐在桌前，闻言脸又红了红，低头喝茶，用袖子遮住脸。

秦钰眯了眯眼睛，没说话。

“铮儿！”英亲王有些听不下去了，这等话当着他的面说出来，若是往日，他早就训斥秦铮了，可是如今他也知晓以往对秦铮拘束太过，才更使得秦铮逆了性子，故意与他对着干，现在他也变了许多。见秦铮朝他看过来，似乎等着他训斥，他叹了口气，转移话题，“下午，武卫将军的队伍进京，皇上命我出去迎接。你若是没事，也随我去吧。”

谢芳华闻言立即放下杯盏，欢喜地道：“舅舅今日下午回京？”

英亲王点点头：“是今日下午，早上得到的消息。”

谢芳华腾地站了起来。

秦铮伸手拉了她一把，将她重新拽坐下，语气温柔平和：“你急什么，不是说下午吗？这会儿刚午时，你不是饿了吗？用过午膳去也不晚。”

谢芳华也觉得自己急了些，点点头：“舅舅前些日子中毒受伤，不知道好了没有。”

“稍后见了就知道了。”秦铮道。

“我也多年未见允哥哥了，不知道现在什么样子了。”英亲王妃吩咐人摆好饭菜，“快吃吧，饭后我也跟着你们一起去城门口接人。”

“朝中几位武将昔日和武卫将军交好，还有右相，估计都会去城门口迎接。这么多人，你毕竟不方便，就不必去了。反正他如今回来了，你想见他，有的是时间。”英亲王道。

英亲王妃瞪了英亲王一眼：“就你规矩多！”话落，她道，“你拦着我可以，就不要拦着华丫头了。谢世子得到消息，定然也会去城门口。”

英亲王看了谢芳华一眼，点点头：“既然华丫头想舅舅了，稍后就一起去吧。”

“武卫将军因为我而中了毒，我也去。”秦钰道。

“嗯，你自然是该去。听说在漠北军营，武卫将军对你极其照顾，这次他带伤回京，也是为你挡了灾，你要好好谢过他。”英亲王道。

秦钰颔首：“大伯宽心，武卫将军既然回京，我自然是要好好谢谢他的。”

英亲王点头，招呼众人用膳。

席间，除了英亲王、英亲王妃、秦钰三人偶尔有交谈外，秦铮和谢芳华一直没说话。

秦铮因为秦钰在眼前，懒得开口。

谢芳华则是想着舅舅既然回京了，皇上会如何安置他。罢免了漠北的职务，会在朝中给他什么职位？

一顿饭安静地吃罢，几人便一起出了英亲王府。

谢芳华是女儿家，英亲王特意吩咐人给她备了一辆车。马车刚备好，秦铮便先钻了进去，然后伸出手拉谢芳华。

谢芳华将手递给他，他拽着她上了车，紧接着便落下了帘幕。

英亲王没说什么，翻身上了马。

秦钰看了马车一眼，随着英亲王上了马。

一行人向城门口而去。

街上今日的人比往日多，一排排聚在一起，甚是热闹，都在谈论武卫将军回京之事。

谢芳华坐在车中，靠在秦铮的怀里，认真地听着外面人的议论，大多数人还是念着武卫将军戍边近二十年的功绩的，都在回想当年武卫将军离京时的风采。

当年，博陵崔氏的公子本能在朝中有一席之地，却自请戍边。博陵崔氏退出京城，这是一件大事，曾轰动一时。

谢芳华听了，心里不是滋味，都是为了她和哥哥，舅舅才在漠北吃了多年的风沙。

“若是他当年留在京城，外公离家出走，你父母故去，你和子归兄年幼，他一人支撑博陵崔氏，还要照拂你们，恐怕早已经满头华发，这还是最好的结果。谢氏根基深厚，皇叔动不了谢氏，却能动和谢氏相关的家族，没准博陵崔氏早已经难以支撑。”秦铮摸摸谢芳华的头，“我前些日子去鄺城见到舅舅，他虽然重伤在身，但是年轻得很，比我父王、右相、永康侯这一帮朝臣还要年轻，一根白发都不见。漠北军营虽然苦，但是远离朝野纷争，你那么耿耿于怀做什么？你之砒霜，他之蜜糖。”

谢芳华闻言顿时笑了，伸手捶了他一下：“谁说我最会宽慰人？你那日宽慰了云继哥哥，今日又来宽慰我，话语说得如此中听，我看你才是最会宽慰人的那个。”

秦铮哼了一声，低头吻她：“还不是看你一张脸那日写着心疼你的云继哥哥，今日又写着心疼舅舅，我看不过去，不会的东西也只能会了。”

谢芳华本来想避开，闻言却任他吻住。

秦铮察觉了她的心思，见她乖巧地偎在自己怀里，顿时心神荡漾，不能自已，将她搂进怀里，更深地吻她。

某些东西，未曾品尝时还不知其甘甜，一经品尝，便如罂粟般上了瘾。

他对她已经上了瘾。

谢芳华无力地歪倒在秦铮的怀里，听着车外议论声声，马蹄声声，她的心跳如擂鼓，快得几乎要跳出胸口。

这一刻，她忽然觉得，情之一字，她似乎懂了些。

来到城门口的时候，晌午刚过一点儿。

崔意芝的队伍还没到。

果然，除了英亲王一行人，还有右相以及朝中数位武将，来迎接的人，都是当年和武卫将军有交情的人。

一群人聚在城门口，加上外围的百姓，远远看去，黑压压的一片。

谢墨含自然早就来了，见到秦钰，对他露出笑意寒暄："四皇子总算回京了，皇后娘娘此后可以宽心好眠了。"

秦钰下马，拍拍谢墨含的肩膀，对他回以笑意："子归兄，若是早知道漠北这一趟会让我错失良多，说什么我也不会去漠北的。"

谢墨含一怔。

"芳华小姐极好，在漠北军营时，武卫将军有意将她许配与我，可惜秦铮先我一步，让父皇下旨给他赐了婚。"秦钰低声道，"不过，他们三年后才大婚，还可能出现变数，不是吗？我也不是再没有机会称你一声舅兄。"

谢墨含神色微变，四皇子也不叫了，只皱眉道："秦钰你……"

"我知道老侯爷和子归兄你都甚喜秦铮，但若要论适合芳华，也不见得就是他。"秦钰看着谢墨含。

谢墨含一时沉默下来。

"其实，皇室与谢氏共天下了近三百年，未必不能继续下去。"秦钰低声道，"只要谢氏没有不忠之心，若是我有朝一日登基，不会如我父皇一般，非除谢氏不可。"

谢墨含看着秦钰，一时不知如何开口。

"毕竟，除掉谢氏，对南秦江山有害无益。"秦钰看向天空，"在去漠北之前，我受父皇影响，认为谢氏人杰辈出，长此下去，必定危害皇权，可是去了漠北一趟，我才知道天宽地广，南秦疆土外的地域比我们想象的要大。北齐国富兵强，丝毫不弱于南秦。若是非要除去谢氏，无异于折损我南秦半壁江山。届时，北齐撕毁合约，大肆进兵，南秦元气大伤之下，定然不是北齐的对手。"

谢墨含讶异地看着秦钰，难得他能有这种想法。

人人都道谢氏渐渐壮大，危及江山，可是鲜少有人去想，若没有了谢氏，南秦的江山会如何。

近三百年来，似乎所有人都不约而同地忘了当初南秦是如何快速强大起来的，忘了谢氏从各个方面齐齐出手，支撑起了战火之后处处荒芜的国家。

多少人只看到谢氏的繁华，看不到谢氏为南秦做的那些丰功伟绩。

如今，秦钰能看到，不得不说，谢墨含在讶异的同时，甚是欣慰。

至少，皇室里面这个有才华、有本事、有谋略的皇子，他的想法，对于谢氏来说，是有利的。

“比起谢氏和忠勇侯府，北齐的玉家对北齐皇室的所作所为，才是真的想要把持朝纲，可是北齐皇帝一直容忍至今，只是对玉家有所牵制，没有升起除去之心，这是为何？是因为北齐皇帝念在那是他的母族吗？”秦钰摇摇头，“才不是！北齐黄豆只是看透了，若动了玉家，会伤了北齐的根本。所以，为免南秦坐大，北齐变弱，他宁可让玉家坐大，最起码，他能掌控住玉家。”

谢墨含回头望了一眼皇宫的方向，可惜，北齐皇帝能看透的东西，南秦的皇上看不透。

“我母后见识短浅，自然不如忠勇侯府出去的女儿谢凤，她为北齐的皇后，实在是南秦的损失。这么多年来，她帮北齐皇帝渡过了多少难关？北齐多少政策的实施都有皇后的劝谏。为何北齐皇帝爱她护她重她？为何北齐朝臣敬重皇后？自然都是有原因的。”秦钰低声音道，“我看芳华小姐青出于蓝而胜于蓝，她比谢凤还要好。”

谢墨含抿唇不语，心下微疼，秦钰看见的妹妹的好，都是无名山八年苦苦熬出来的。

有多少人去了无名山最后埋骨在那里，她一个女儿家，却走出来了。

“若是有朝一日我君临天下，有她做我的皇后，不仅对谢氏，对南秦的江山和百姓，都是福气。”秦钰话落，看着谢墨含，“子归兄，你说呢？”

谢墨含见英亲王府马车的车帘被一只手挑开，秦铮探出头，目光扫了一圈，向他和秦钰这边看了一眼，眼睛眯了眯，然后跳下车，对里面伸出手，谢芳华搭着他的手下了车，两个人并肩站在一起，美得像一幅画。他揉揉额头，低声道：“四皇子，容我提醒你，我妹妹她……”顿了顿，他道，“可能已经喜欢上秦铮了，你回来得晚了。”

“那又如何？”秦钰微笑，“喜欢不等于爱不是吗？”

谢墨含无言。

秦钰又道：“我跟她打了几次交道，我知道，在她的心里，秦铮重不过整个谢氏。”

谢墨含眉心微暗，沉默片刻，道出自己的观点：“对我和爷爷来说，支撑谢氏太累，倾了整个谢氏，只要她幸福，也无不可。”

秦钰忽然笑了：“子归兄，你这是在告诉我，令妹心向秦铮，心喜秦铮，让我放弃吗？哪怕我能保住谢氏，你也不想我娶你妹妹吗？”

谢墨含怅然地道：“四皇子，自古帝王后宫都有三千佳丽，一旦入宫，便要被困在高墙之内，直到苍颜白发，也难以踏出宫阙，这样的生活，姑姑受得住，我妹妹未必受得住。”

“子归兄小看令妹了。”秦钰摇摇头，“若是能得她，我未必要那三千佳丽，高墙宫阙，若是我不管她，她也能自由出入。”

谢墨含又是一惊。

“我今日寻子归兄说这一番话，不是想让子归兄心向我，只是请子归兄不要一味地认准秦铮而无视别人。我说过了，他对于她，未必是合适的那个人。”秦钰慢慢地道，“只求若是有朝一日，我得到令妹欢心，她心向我时，子归兄别从中作梗。”

话说到这份儿上，谢墨含自然是不能再说什么了。

“子归兄，你知道我秦钰从不是口出妄言和虚言之人。”秦钰又道，“我言出必行。”

谢墨含点点头，对于秦钰这一点，他自然是信的。

秦钰见他点头，住了口，不再多言。

“谢世子，四皇子，你们在聊什么，聊得这般热闹？”右相见二人止了话，笑着询问。

秦钰微笑：“许久不见子归兄了，一时有许多话要说，冷落了几位大人，实在抱歉。”

谢墨含微笑着对右相点头：“相爷也有多年未见我舅舅了，这回舅舅回来，你们可以把酒言欢了。”

“是啊！”右相笑道，“这些年甚是想念他。”

“这些年想念他的，不止你一个人。”一个武将过来道，“当年他自请戍边，我们这几个人都想跟了去，奈何皇上不准。没想到，一晃这么多年。”

“是啊，如今不知道什么样子了。漠北北风狂沙，胡天白雪，实在是艰苦。”一人道。

“各位大人错了，武卫将军风采不减当年，漠北风沙虽苦，但他还是年轻得很，稍后你们见了就知晓了。”秦钰笑道。

几人都露出讶异的神情，有些不信。

虽然时间还早，但是晌午的太阳不烈，一群人聊得热闹，也不觉得等得疲乏。

秦铮和谢芳华没过去凑热闹，下了车后，并没有在城门口等着，而是缓步向前方走去。

二人一边走一边闲聊，不知不觉走了半个时辰，到了路边的一座茶棚前。

经营茶棚的是一个老汉，他还有一个孙女，年岁不大，看起来没及笄，长得甚是水灵。

秦铮和谢芳华刚进茶棚，那老汉便热情地招呼："铮二公子，您今日怎么有空来喝茶啊？好些日子不曾见您了。"

秦铮坐下，难得温和："今日等人回京，接到了这里。"

"这位姑娘是……"那老汉打量谢芳华。

"我的未婚妻。"秦铮笑着道。

"哎呀，原来是忠勇侯府的小姐！"那老汉立即对谢芳华做了个失敬的手势，多看了几眼，夸赞道，"忠勇侯府的世家小姐就是不同寻常！"

秦铮觉得夸奖谢芳华就跟夸奖他一般，面容甚是得意。

谢芳华瞅了秦铮一眼，对他有些无语，转而对那老汉微笑着点点头。

老汉笑着对身后喊了一声："丫头，快沏茶！沏好茶给铮二公子和谢小姐。"

他话落，却无人应答。

谢芳华扭头看去，只见那小姑娘半挑着帘子，正痴痴地看着秦铮，根本没听见。

老汉又喊了一声，她才惊醒，连忙去了。

谢芳华转回头，见秦铮看着茶棚外的景色，压根儿没发现，她低声道："你以前常来这里喝茶？"

秦铮嗯了一声，"以前去南山猎场打猎，和燕亭、程铭、宋方赛马，路过此地时，都会来喝一壶茶。近半年来，从你到我身边后，便未再来过。"

谢芳华点点头。

不多时，那姑娘便端着一壶茶来到，先给秦铮斟满了。

秦铮推给谢芳华："午膳吃过你都没喝茶就急着出来了，渴了吧？你先喝。"

谢芳华点点头，不客气地端了起来。

那姑娘看了谢芳华一眼，连忙又给秦铮满上，轻声细语地道："二公子，您有半年没来这里喝茶了，不知道下次什么时候来？"

秦铮笑了一下，没多想便道："若是有空闲，路过此地，定来喝一壶。"

那姑娘露出笑意："下次可不要大半年都见不到您了，爷爷时常念着您呢。"

秦铮点点头，端起茶来慢慢喝着。

那姑娘也不下去，提着壶站在一旁伺候着。

二人喝了三碗茶，期间那姑娘一直守在一旁，茶没了，便给添满，尤其是秦铮的茶杯，伺候得无微不至。

三碗茶后，一队人马已经从官道的一头走来。

谢芳华立即放下茶盏。

“来了，走吧。”秦铮也放下茶盏，站起身，掏出一锭银子放在桌子上，拉起谢芳华，走了出去。

二人走出茶棚，谢芳华回头看了一眼，见那小姑娘恋恋不舍地看着秦铮，对桌子上老大一锭银子却视而不见，她皱了一下眉，对秦铮道：“以后再不准你来这里喝茶！”

秦铮一怔：“为何？这里的茶水不好喝吗？”

“水清澈，茶泡得也还算好。”谢芳华中肯地评价。

“那是为何？这里简陋？”秦铮疑惑，“你不是这般挑剔的人啊。”

“废话那么多做什么？我告诉你别再来，你别再来就是了！”谢芳华抬脚迎上队伍。

“你总有个理由吧！”秦铮纳闷。

“铮二公子只知道喝茶，没看到你喝的不是茶，而是人家小姑娘的芳心吗？你再来，长此以往，那小姑娘不用嫁人了，进英亲王府算了！”谢芳华没好气地道。

秦铮的脚步猛地顿住，愕然地看着谢芳华。

谢芳华不理他，往前走去。

秦铮回头瞅向茶棚，见那小姑娘站在门口正望着他，见他回头，对他露出笑意，他脸一黑，转过头去看谢芳华，看着看着，他忽然笑了，快走几步追上她，一把将她的胳膊拽住，盯着她。

谢芳华瞪了他一眼：“你看我干什么？”

秦铮不答话，看了半晌，直到谢芳华快被他看得不耐烦时，他才笑盈盈地道：“我在看你肚子里刚刚喝进去那三大碗是茶还是醋。”

谢芳华脸一红，挥手打秦铮。

秦铮躲开，抓住她的手，开心地道：“谢芳华，原来你也会吃醋啊！”

“谁说我吃醋了？”谢芳华羞恼地踩了他一脚，“右相府有个李如碧，永康侯府有个燕岚，我就不说京中其他府邸还有多少喜欢你的人了，连路边一个茶棚的小姑娘你都不放过，你还要祸害多少人？”

秦铮闻言将她抱住，哪怕前方队伍已经走近，他也忍不住亲吻她，低声道：“这些女人爷都不看在眼里，祸害了谁我都不管，这一辈子只管祸害你就是了。这座茶棚以后再也不来了！”

谢芳华被秦铮抱住，听着他如此话语，心仿佛一瞬间被填满。

她刚刚……真是吃醋了？

吃醋这种东西，她一直觉得不该出现在自己身上。

谢芳华暗想，这就是情的滋味吗？在茶棚里，见到那小姑娘对秦铮痴痴的样子，她心下的确是不舒服。

见马车走近，队伍中的人明显能看到他们，她连忙推开秦铮。

秦铮抱得紧紧的，不让她推开。

谢芳华红着脸低斥："快放开，多少人看着呢！"

"爷不怕。"秦铮道。

"我可没你脸皮厚！"谢芳华瞪他一眼。

秦铮轻哼："你刚刚踩了我一脚，疼着呢，放不开。"

谢芳华无言地看着他，她踩他的脚，跟他抱着她的手有关系吗？

"你亲我一下，我就放开你。"秦铮此时心中欢喜，若不是时间不对，地点不对，他一定会将她好好地"欺负"一番，但即便如此不合时宜，他还是不想轻易地放过她。

谢芳华犹豫了一下，用衣袖挡住，踮起脚，轻轻地吻了他一下。

虽然是蜻蜓点水，但是她能不恼，已经足够，秦铮不想再逼迫她，便笑吟吟地放开了她。

谢芳华红着脸撇开头，看向队伍，只见约有千人，其中一大半是官兵，一小半是府兵和家中仆从。

队伍中有十多辆车，一辆车走在前面，崔意芝骑马走在旁边。

崔意芝自然看到了秦铮和谢芳华，打量了二人几眼，便俯下身对车中说了一句什么。

车上的帘幕在他话落后被挑开，露出一张俊逸的中年人的脸。

"舅舅！"谢芳华一喜，提起裙摆，跑向马车。

崔意芝一摆手，吩咐队伍停下。

马车停下时，谢芳华也跑到了车前。

"小丫头，你怎么没在府中等着，跑来了这里？"崔允摸摸谢芳华的头，露出笑意。

"来接你啊！"谢芳华看着他，"舅舅，你的毒伤好了吗？"

"嗯，好得差不多了，多亏了赵柯医术高超。"崔允道。

谢芳华拉过他的手，伸手给他把脉。

"你这个小丫头，还不放心？"崔允笑了一声，看向缓步跟随而至的秦铮，见少年清俊，洒脱风流，阳光下，与谢芳华站在一起，甚是般配，他微笑道，"真没想到啊，当初我还想要……"话音未落，他顿住，说道，"铮二公子极好！"

谢芳华翻了个白眼，秦铮去郾城才几日，就将舅舅给收买了！

"舅舅！"秦铮笑着对崔允见礼。

崔允摆摆手，笑着问："你们等了许久了？"

"喝了三碗茶而已。"秦铮回道。

崔允看向前面的茶棚，怅然道："我离京时，那间茶棚就在，没想到这么多年了，那间茶棚还开着，如今那一家可还安好？"

秦铮看了谢芳华一眼，回道："几年前那老婆婆病死了，只剩下那老汉和他孙女了。"

"不知道茶水还是不是一样的味道。"崔允道。

秦铮咳嗽了一声："舅舅若是想去喝一碗，就让队伍停留片刻。"

"我听说你父王和右相等人都在城门口等着我了？"崔允问。

秦铮点点头。

"算了，改日吧，让他们等着不太好。如今我已经回京，改日再去喝也行。"崔允向城门望了一眼，摆摆手。

谢芳华这时放下手，对崔允道："还有余毒未清，您回京之后，需要多静养。"

崔允笑着点头。

"喂，秦铮兄！"后面一辆车马的帘幕被挑开，程铭露出脸，哀怨地道，"你将我们扔下多日，回京后，你要请兄弟们去来福楼大吃大喝一顿补偿啊。"

秦铮挑眉："你们也跟着回来了？"

"本来你说待你从盐城回来，让我们与你同路回京，可是你竟然说话不算数，路过平阳城都没停留，直接回来了，连个招呼都不打一声，不够意思啊你。"宋方也从车中探出头，"正巧武卫将军回京，我们知道你提前回来了，便跟着回来了。"

"事急从权，我才急着赶回京。"秦铮看了谢芳华一眼，意思不言而喻，"回头我请客。"

程铭和宋方了然，知道是关于谢芳华，齐齐笑着点头，对谢芳华打招呼："芳华小姐！"

谢芳华对二人笑了笑。

"秦铮哥哥，芳华姐姐！"秦倾从后面一辆车里探出头，问道，"太妃还好吧？"

秦铮没答话。

谢芳华念着林太妃前几日相救之情，点点头："前几日我进宫时见了太妃，她气色还不错。"

秦倾松了一口气，对谢芳华招手："芳华姐姐，你会医术，快过来看看李沐清，他病了。"

谢芳华挑眉。这是都跟着回来了？那么临汾镇只剩下才去的秦浩和左相了？她看着秦倾问："赵柯呢？不在队伍中？"

“据说他从盐城回来，到平阳城的时候便回家了，没跟着队伍进京。”秦倾道。

谢芳华想着云澜哥哥的势力都聚在平阳城，他如今回京了，平阳城自然不能无人看守，赵柯显然是回平阳城坐镇了。

秦倾见谢芳华没动，又看向秦铮，对他道：“秦铮哥哥，李沐清真的病了，似乎在发热，这一路都没有好大夫，他就这样挺着呢，让芳华姐姐给他看看吧。”

秦铮闻言向秦倾的马车走去。

“对了，右相府的李小子看起来是病得不轻，你会医术，快去给他看看吧！”崔允也道。

谢芳华想了一下，对崔意芝道：“八皇子的马车先留下，你们继续赶路吧。”话落，对崔允道，“舅舅，外公回京了，如今就住在忠勇侯府，您先回去吧。”

崔允点头：“我已经知道了，这便回去。”

崔意芝回头看了秦倾的马车一眼，一摆手，队伍继续前行。

秦倾的马车让到一旁，让队伍走过。

程铭、宋方的马车也停在了一旁。

秦铮来到车前，顺着秦倾挑开的帘幕向里面看了一眼，忽然眯起眼睛：“李沐清，你怎么把自己折腾成了这副鬼样子！”

李沐清躺在车里，似乎已经陷入半昏迷状态。

谢芳华来到秦铮身边，向里面看了一眼，李沐清脸色潮红，昏昏沉沉，看起来的确病得厉害。她皱眉，对秦倾道：“你将他挪过来一些，我给他把脉。”

秦倾闻言立即将李沐清挪过来一些。

谢芳华伸手，准备给李沐清把脉。

秦铮拿出一块帕子，盖在了李沐清的手腕上。

谢芳华无语，只能将手按在帕子上。

秦倾嘴角抽了抽，忽然想起什么，对秦铮低声道：“秦铮哥哥，我听说京中都在传……说听音她……”

秦铮脸色一沉，没说话。

秦倾看着他的神色，想问什么，却只能住了口。

谢芳华给李沐清把脉片刻，眉头越皱越紧，问秦倾：“他从什么时候开始发热昏迷的？”

“今天早上。”秦倾道。

谢芳华道：“什么时候病的？”

秦倾想了一下：“似乎是昨日夜间。”

谢芳华又问：“你是否一直与他在一起，可知道他碰了什么东西？”

秦倾点点头："是啊，自从秦钰哥哥离开，我一直与他在一起，秦钰哥哥让他照顾我。没见他碰过什么东西，但是秦钰哥哥走后不久，他就不对劲了。"

"怎么了？他得了什么病？"秦铮看向谢芳华。

"媚术。"谢芳华吐出两个字。

"什么？"秦铮挑眉。

"他不是得了病，而是中了媚术。"话落，谢芳华补充道，"若是我没看错的话。"

秦铮忽然嗤笑："他怎么会中了这种东西？如今普天之下，还有会媚术的人吗？"

"你没遇到，不代表没有。"谢芳华道。

秦铮一噎。

"那怎么办？芳华姐姐，你能给他解吗？"秦倾虽然不太懂什么是媚术，但是"媚"字，顾名思义，他还是能明白一些。

"我不懂这个媚术，但若是想解除，得找到那个对他下媚术的人。"谢芳华道。

"怎样找？"秦铮来了些兴趣。

谢芳华抿唇："据说媚术是天下间除了咒术之外最厉害的一种术，但它不是出在魅族。魅族的咒术是靠血液传承，媚术则是一种内功心法。要修习这种功法，必须出生在一个长满催情药物的地方，喝的是催情水，吃的是带有催情类药物的饭菜，练功时，呼入的也是有催情花粉的空气，再加上练习的内功本来就是魅惑人心神的功法，多种条件下，多年浸淫，便练就了魅惑人心之术，也就是媚术。"

秦倾睁大眼睛："这么神奇！这种魅惑人心的术得练多少年？"

"任何功夫都要看修习者的悟性，普天之下，能修炼到一定境界的，也就是说能不通过同房而使人中了媚术的，也不过一两人而已。一直以来，这种媚术都被人当作传言，因为的确不曾见到过。"谢芳华也是因为在无名山学习医毒之术，在奇术古籍上看到过，才知晓了这种媚术。她看着李沐清道，"他遇到的，显然是媚术大成者，只用气息便将他锁住了，类似于情毒侵入了他的身体，所以，只有找到那个人，才能解除他的媚术。"

"好奇怪啊！"秦倾道，"他一直在我身边，怎么会发生这种事？"

秦铮忽然笑了："也就是说，是有人看上他了，所以，对他下了媚术？"

谢芳华四下看了一眼，缓缓地道："据说，媚术大成者，若是想对一个人下媚术，方圆五里之内，只要用气息锁定那个人，就能对他下媚术。"顿了顿她又道，"倒不一定是看上，媚术也可以杀人。"

秦倾立即道："也就是说，如今那个人在方圆五里之内？"

谢芳华摇摇头："不是如今，而是当时。我知道的是这样，但不知道记载准不准确。”

“原来如此，怪不得我和他没离开过，也没发现他碰了什么，他便这个样子了。昨日夜里只是面色潮红，看着不对劲，今日早上还能睁开眼睛，如今已经成半昏迷状态了，再这样下去，找不到那个人的话，他会不会出事？”秦倾担忧地道，“找了两个大夫，都看不好，本来还想回京找孙太医给他看，芳华姐姐你都解不了的话，那么孙太医岂不是更没办法了？”

“媚术若是用来杀人，中了媚术者多少个时辰内必死？”秦铮问。

“十二个时辰不解的话，必死。”谢芳华道。

“昨日什么时候你发现他不对劲的？”秦铮问。

“大约是……”秦倾想了一下，“戌时。”

“也就是说，若是用来杀人，他最多只能支撑到今夜戌时？”秦铮道。

谢芳华点头。

“他从昨夜到今日晌午的变化，能够判断出那个对他下媚术的人在哪里吗？”秦铮又问。

谢芳华眸光动了动，忽然向城门的方向看了一眼，说道：“中媚术者，远而轻，近而重。”话落，她道，“他往京城走就越来越重，说明离那个对他下媚术的人越来越近了。”

秦铮忽然眯起眼睛：“也就是说，那个人，如今就在京城。”

“也许。”谢芳华点头。

秦铮看向城门方向，这么片刻工夫，崔意芝的队伍已经到了城门口，隐约能看到队伍停下，一行人在叙旧。他忽然问秦倾：“你是说，昨日秦钰离开后，他便不对劲了？”

秦倾点点头：“是啊。四哥走了一会儿之后，他便不对劲了。我问他，他说没事，可是今早便严重了。我以为是他染了风寒，请了两个大夫，都没看出是什么病症，我就赶紧启程回京了。”

秦铮看向谢芳华。

谢芳华想了一下，对秦倾道：“走吧，带他去英亲王府。”

秦倾一怔：“不将他送回右相府吗？怎么是去英亲王府？”

“四皇子住在英亲王府，回去正好给他看看。”谢芳华道，“也许他有办法。”

“四哥住在英亲王府？”秦倾睁大眼睛，看向秦铮。

秦铮冷哼一声，挥手落下帘幕，对车夫道：“你下去！”

那车夫立即下了马车。

秦铮上了马车，伸手将谢芳华拉到车前，赶着马车向城门而去。

程铭、宋方的马车等在一旁，见二人上了车打算进京，齐声问：“李沐清到底是怎么了？只是染了风寒的话，不会这么严重吧？”

谢芳华不答话。

秦铮瞥了二人一眼，一挥马鞭，马车跑了起来。

程铭、宋方对看一眼，疑惑地吩咐车夫跟上。

两辆马车向城门而去。

马车走了一会儿，秦铮对谢芳华道：“有没有觉得咱们这样有些熟悉？”

谢芳华想起她易容成王银时，她赶车，他大爷一般地坐着车，只是那时候车中装满了货物，而如今车中坐了两个人，她觉得有些好笑，不说话。

“秦钰不可能会媚术，这么说，那个会媚术的人就在他身边？”秦铮嗤笑，“他什么时候网罗了这么些不入流的人在身边？”

谢芳华心想，除了初迟和月落外，秦钰身边还有什么人隐藏着？

不多时，马车来到了城门口。

英亲王、右相等人已经和崔允一起入了城，秦钰和谢墨含也已经回城，右相显然还不知李沐清病了。

入城后，他们听到街上百姓的议论，知道武卫将军没先去忠勇侯府，而是先进了宫，秦钰、谢墨含随着进了宫。

秦铮快马加鞭向皇宫追去。

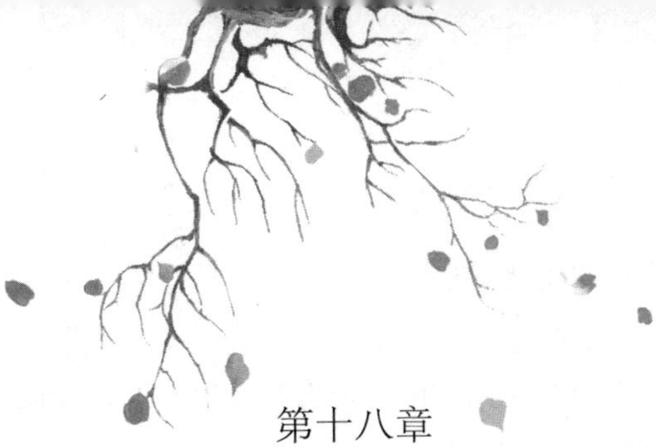

第十八章 言宸归来

京　门　风　月

程铭见秦铮的马车去了皇宫方向，问宋方："咱们进宫吗？"

宋方摇摇头："算了，进宫做什么？咱们跟着也帮不上忙，回府吧。"

程铭点点头。

武卫将军的队伍人多，一路上行进慢，秦铮和谢芳华虽然在城外耽搁了片刻，但还是在宫门前追上了队伍。

"秦钰！"见秦钰要踏入宫门，秦铮喊了一声。

秦钰回头，见秦铮和谢芳华追来皇宫，他挑了挑眉。

秦铮沉着脸对车后指了指。

秦倾挑开帘幕，对秦钰招手："四哥，你快过来。"

秦钰看到秦倾也在车中，点点头，走了过来。

秦倾立即道："四哥，你快看看！自从昨夜你离开后，李沐清便不对劲了，如今昏迷不醒。"

"嗯？"秦钰疑惑地探头向车内看了一眼，李沐清的样子似乎也让他惊了一下，"怎么回事？"

秦倾看了谢芳华一眼，低声道："芳华姐姐说他中了媚术。"

"媚术？"秦钰看向谢芳华。

"他交给你了，我们走。"秦铮拽着谢芳华跳下马车，对秦钰丢下一句话，拉着她就要离开。

秦钰立即拦住他们："我又不懂医术，你交给我做什么？再说……"他不解，"媚术要怎么解？”

“你不懂？”秦铮回头瞅着他。

“我怎么会懂这个东西！”秦钰道。

秦铮见秦钰似乎真的不会解，他冷哼一声：“问问你身边的人就知道了。”

秦钰凝眉：“你什么意思？”

秦铮冷笑：“我什么意思？你招揽了些不入流的邪门邪派的人在身边，对他下了媚术，如今还问我什么意思？”

秦钰面色一冷：“我身边没有懂媚术的人。”

“笑话！”秦铮嗤笑。

“李沐清暗中奉旨迎接我回京，如今他这副样子，我自然不会不管，可是你总要让我知晓来龙去脉，如何才能给他解了你所说的这个媚术。”秦钰道，“我没必要口出虚言，我说我身边没有这样的人，就是没有这样的人。”

秦铮眯起眼睛。

谢芳华看着秦钰，见他一副真不知的模样，淡淡道：“据八皇子所说，李沐清不对劲是在你走之后，而据我所知，媚术大成之人，可以用气息对他下媚术，锁他心魂。中了媚术之人，距离下媚术之人，远则轻，近则重，昨夜到今早，他的病情还是轻的，可是愈往京城愈重，岂不是说明那人就在你身边？”

秦钰一怔。

“就算不在你身边，也与你有关就是了，否则不会如此巧合。”谢芳华又道。

秦钰抿唇，想了一下，对秦铮道：“你先将他带回王府，我去查查我身边的人。”话落，见秦铮站着不动，便对他道，“李沐清与你我的交情都不错，你我都不愿意他出事是不是？若是连我都不知道我身边有这等会媚术的厉害人物，那么你想想，有这等人混入京城，可不是什么好事！”

秦铮冷哼一声。

“李沐清的武功你我都知道，他竟然都中了这种媚术，那么显然，对他下媚术的人极其厉害。”秦钰道，“必须将这个人找出来。”

“好吧，你去查吧，我们带他去王府。”谢芳华拉着秦铮复又上了车。

秦铮对车里面的秦倾道：“太妃念叨你多日了，既然到了宫门口，你先回宫吧。”

秦倾点点头，下了马车。

秦铮一挥马鞭，马车调头，离开了宫门口。

秦钰待二人赶着马车离开后，对身后一招手：“月落！”

月落应声而至。

秦钰吩咐：“去问问初迟可知晓我身边是否有懂媚术之人。他若是不知晓，立即去查，看看昨日咱们从临汾镇回京这一路上，有什么人暗中跟着来了京中。”

“是！”月落应声离去。

秦铮和谢芳华离开皇宫，前往英亲王府。

离开秦钰的视线，谢芳华低声对秦铮道：“也许我们判断错误，对李沐清下媚术的人不是秦钰的人。”

秦铮也觉得秦钰刚刚的神情和话语不像作假，他对身后轻喊了一声：“青岩。”

“公子！”青岩出现在秦铮的马车后。

“你去查查，昨日除了秦钰外，京中还来了什么人！”秦铮吩咐。

“是！”青岩应声而去。

“天下有哪个地方种有那么多催情之物？”秦铮提起这个便想起“锁情引”，脸色顿时有些不好。

“据古籍记载，北齐以北的雪山中有一座山谷，名曰情花谷。”谢芳华道，“整座山谷中都是那类催情之物。”

“北齐？”秦铮眯起眼睛。

“若这个人不是秦钰身边的人，也许就是北齐来的人。”谢芳华缓缓地道，“北齐的二皇子和玉家的人在京城，北齐那边来人也不奇怪。”

秦铮冷哼一声：“查查就知道了，南秦京城内还没有我和秦钰联手查不出来的人。”

谢芳华不再说话。

不多时，二人回到了英亲王府。

下了马车，秦铮喊来两个人，吩咐道：“将他抬去水榭旁的暖阁。”

那两个人立即抬着李沐清进府。

秦铮和谢芳华跟在后面，刚进内院，便见紫荆苑那边火光冲天。

“那边是怎么回事？”秦铮问了一句。

“回二公子，王妃和刘侧妃在火化依梦姑娘。”抬着李沐清的其中一人回话。

秦铮挑眉：“秦浩传回信了？他的意思？”

“派去知会大公子的人回来说，大公子请王妃随意处置。”那人道，“王妃想着依梦姑娘和听音姑娘……”他说到这，回头小心地看了秦铮一眼，见他没有不悦，这才低声道，“同一日去的，既然听音姑娘火葬了，依梦姑娘也一样安置了吧。”

秦铮嗤笑一声。

谢芳华看向紫荆苑，心下不由得感到惋惜。

“左相府的卢小姐得到消息，前来送依梦姑娘。”那人又道。

秦铮面无表情地点点头。

不多时，一行人来到水榭。

那二人将李沐清放到暖阁的炕上，见秦铮没别的吩咐，就退了下去。

秦铮坐在桌前沏了一壶茶，倒了一杯，递给谢芳华。

谢芳华抿了一口，忽然听见李沐清在炕上痛苦地哼了一声，她扭头看去，见他呼吸急促，身子似乎出现痉挛，她立即放下茶盏，走了过去。

她刚到李沐清身边，对方忽然抓住了她的手。

秦铮腾地站了起来，来到谢芳华旁边，挥手打掉李沐清的手。

他的掌风劲力不小，可李沐清像是溺水的人抓住了浮木，紧紧地攥住，转眼间就将谢芳华的手腕攥出了红痕。

秦铮的脸色一下子沉了，刚要再动手，谢芳华拦住他，低声道："他现在意识不清，你别再动手了，我让他松开就是了。"话落，她对李沐清道，"李沐清，是我，你松手我才能想办法救你。"

李沐清挣扎了一下，似乎想睁开眼睛，但是眼皮极沉。

"你中的是媚术，除了找到对你下媚术的人外，没有办法解除，你松手。"谢芳华又道。

李沐清忽然摇了一下头，似乎想要挣脱，但是无用，片刻后，他慢慢地松开了手。

秦铮冷声警告："李沐清，你若是再动手动脚，看爷不将你扔进湖里喂鱼！"

李沐清自然是不答话，身子因为抵抗而不停地轻颤。

"你有办法吗？"秦铮看着李沐清的样子，转头问谢芳华。

谢芳华抿唇，指了指自己的手腕。

"不行！我的'锁情引'你都不能解，更何况是媚术？"秦铮立即否决，"即便能用，我也不准！"

谢芳华知道他不会允许，想了一下，道："我先开副方子缓解他体内的灼热吧，但是只能帮他减轻痛苦，不能解开他的媚术。"

"那你先开吧。"秦铮摆摆手。

谢芳华走到桌前，很快便开好了一副药方。

秦铮对外喊了一声："飞雁！"

飞雁应声出现在门口。

秦铮将药方子扔了出去："按照这副方子立即煎一副药来。"

飞雁拿着方子立即去了。

"若是有外公的灵芝丸和千年雪莲，也许能管些用。不过也不见得，毕竟媚术和'锁情引'不同，'锁情引'是药，而这个是术。还是要找到那个人。"谢芳华道。

秦铮脸色难看："我倒要看看是什么人！"话落，他对谢芳华道，"你在这里看着他，我出去看看。"顿了顿，他不放心地嘱咐，"不准让他再碰你！"

谢芳华点点头："你小心一些。"

秦铮看了李沐清一眼，转身走了出去。

谢芳华见李沐清难受得厉害，痉挛得似乎能听到他筋骨的响声，不由得眉头皱紧。她也不曾接触过媚术，想着这样下去会不会伤了他的筋骨。

她的血应该能缓解他的难受，但是既然秦铮不同意，她又答应了秦铮，在李沐清还没有性命之忧时，她自然不会背着秦铮给他血喝。

她不忍再看李沐清，转身走去了窗前。

在窗前站了片刻后，外面忽然有人轻轻地喊了一声："主子。"

谢芳华一怔，对外面问："轻歌？"

"是我，主子。"轻歌应声。

谢芳华想，轻歌是为了舅舅去的郾城，如今舅舅回来了，他自然也回来了。她立即道："这里没人，你进来。"

轻歌从房顶上跳了下来，嗖地进了屋。

他进屋后，刚要喜滋滋地对谢芳华说什么，一眼便看到了躺在炕上全身痉挛的李沐清，一惊："这是右相府的李公子？他……怎么了？"

"他中了媚术。"谢芳华道。

"媚术？"轻歌不解，"那是什么东西？"

谢芳华将媚术简单地与他说了一遍。

轻歌听罢惊叹："世间竟然有这等厉害的武功，方圆五里之内能锁人心魂？"

谢芳华点头："古籍上是这样记载的。"

"谁对他下的媚术？"轻歌问。

谢芳华摇头："还在找那个人。他是昨日戌时中的媚术，十二个时辰内不解的话，性命不保，今夜戌时之前，必须解了媚术。"

轻歌看了一眼窗外："如今已经未时三刻了，还剩下三个时辰。"

谢芳华点头："你回来得正好，现在就去查查，昨日夜间有什么人跟随秦钰来了京城，而我们没发现。"

"昨日夜间跟随四皇子来了京城？"轻歌蹙眉，忽然想起了什么，顿时一惊，"不会是……"

"是什么？"谢芳华看着他。

轻歌回头看了一眼床上的李沐清，又看向谢芳华，凑近她，低声道："昨日四皇子离开平阳城，言宸哥哥派人暗中救出了七星。"

“七星救出来了吗？”谢芳华立即问。

轻歌点点头：“救出来了。”话落，他道，“我来找你，就是来告诉你两件事的。一是言宸哥哥昨日到了临汾镇，趁四皇子急匆匆离开临汾镇去拦截北齐皇子，他暗中出手夺下了李猛那个孩子，征得李猛同意后，将那孩子连夜送去了咱们天机阁。二是他派人跟随四皇子进京，趁机救出了七星。你知道四皇子虽然答应将七星给你，为何却一直不给吗？因为，他早就暗中派人将七星送回了京，一直关在他正修建的皇子府内。”

“言宸怎么这么快？”谢芳华一怔，“按时间算，他不该这么快才是。”

“言宸哥哥收到你的传信，知道事情紧急，日夜兼程，据说跑死了好几匹马。昨日又折腾了一夜，今日在临汾镇休息呢。若不是因为太累，他现在已经进京了。”轻歌道。

谢芳华心疼不已：“就算再急，也是身体要紧啊！”

轻歌嘻嘻一笑：“主子，言宸哥哥为你从来都是赴汤蹈火，可是你呢，竟然和铮二公子订了婚。我们天机阁上下都觉得你还是和言宸哥哥最般配。”

谢芳华闻言撇开头，薄怒地轻喝：“轻歌！”

轻歌立刻收声，也收起了嬉笑的神色。

谢芳华看向窗外，手扶着窗子，沉默了片刻，才低声道：“轻歌，你只知道天机阁上下都觉得我们般配，但是你可知道言宸他有未婚妻？”

轻歌一惊，不敢置信地看着谢芳华。

谢芳华继续道：“你可知道，他得知我和秦铮由圣旨赐婚后，对我说，若秦铮是真心娶我，倒也是一桩好姻缘？”

轻歌又是一惊。

谢芳华笑了笑，声音里有些难以言说的沉重：“轻歌，这样的话，以后不要再说了。”

轻歌立即垂下头，再没有不满和不甘，诚心诚意地道歉：“主子，对不起，我以后不再拿你和言宸哥哥说笑了。”

谢芳华点点头。

轻歌本是跳脱顽皮的性子，此时难得地安静下来，见谢芳华不再言语，他也不再说话。

过了片刻，炕上的李沐清又发出难受的呻吟。

谢芳华回头看了一眼，对轻歌道：“你说言宸派的人进京救出了七星，是咱们天机阁的人吗？”

轻歌摇摇头：“不是，是言宸哥哥自己指派的人。”

“你去查查，是不是那个人对李沐清下了媚术。是的话，知会我，让他给李沐清解了媚术。李沐清帮过我几次，我不能见死不救。”谢芳华道。

“是！”轻歌点头。

谢芳华对他摆摆手：“小心一些，如今秦钰和秦铮的人都在查下媚术之人，若是言宸的人，就让他避开他们。”

轻歌点点头，出了暖阁。

他刚离开，玉灼就端了一碗汤药来到暖阁，他趴在门口向里面探出头：“芳华姐姐，表哥让熬的药来了。”

“端进来。”谢芳华从窗前转过身。

玉灼端着药走了进来，看着李沐清，啧啧道：“右相府的李公子是多么温文尔雅的一个人，如今竟然给折磨成了这副样子。”

谢芳华对他道：“喂他喝下。”

玉灼点点头，将一碗药给李沐清灌了下去。

谢芳华站在一旁看着，见李沐清喝下药后，不多时，身子渐渐放松开，看来药还是有用的，她微微松了一口气。

这时，外面传来细碎的脚步声，伴随着英亲王妃的说话声。

谢芳华向外看了一眼，见英亲王妃由春兰扶着进了院子，她蹙了蹙眉。

“我端着药过来的时候，恰巧碰到了王妃，王妃问起，我就说是表哥让端来暖阁的，她估计以为表哥出事了，不放心，就过来看了。”玉灼低声道。

谢芳华点点头，迎了出去。

她走到门口，挑开帘幕，英亲王妃也来到门口，见到她就问：“华丫头，臭小子没事吧？”

“不是他，是李沐清。”谢芳华道。

“右相府的李小子？他怎么了？”英亲王妃说着，走了进来，看到秦铮不在，李沐清躺在炕上，样子十分不好，她打量着他，问，“他这是病了？染了风寒？怎么没送回右相府，却在咱们这里？”

谢芳华犹豫了一下，对她道：“回京的时候正巧被我和秦铮碰到了，右相府距离远，便将他先安置在了这里。”

“他看起来病得不轻。”英亲王妃点点头，又问，“臭小子呢？”

“出去找大夫了。”谢芳华道。

“请孙太医？还用得着他去请？派个人去请不就行了？”英亲王妃道。

谢芳华摇摇头：“他是中了一种难治的毒，不是普通的病，孙太医恐怕治不好。”

英亲王妃又多看了李沐清两眼，点点头，松了一口气：“不是臭小子就好。我以为是他出了事情，将卢雪莹扔在南苑，便急匆匆地跑来……”

她话音未落，又有人进了暖阁，她打住话头，向外看去。

谢芳华也向外看去。

只见秦钰走进了暖阁。

“钰小子不是进宫了吗？皇上在宫中给武卫将军设宴，他怎么这么早就回来了？”英亲王妃看着秦钰纳闷。

谢芳华不说话，猜测着秦钰是否查出了什么。

不多时，秦钰进了暖阁，挑开珠帘，见英亲王妃在，他温和地见礼：“大伯母。”

英亲王妃问出了心中的疑惑。

秦钰道：“李沐清是暗中奉了父皇的密旨接我回京，却出了这等事情，我不放心，便没参加宫宴。”

英亲王妃点点头。

“怜儿随我回府了。她的脚崴了，我请了孙太医过府，在她的院子里，您去看看她吧。”秦钰又道。

“怎么就把脚崴了？严重吗？”英亲王妃立即站起身。

“她跳宫墙来着。”秦钰道，“有些严重，已经肿了，恐怕多日不能走动了。”

“这个死孩子！她怎么淘气到要跳宫墙？那多高啊！”英亲王妃闻言立即往外走，到门槛的时候，她回头看了一眼，对谢芳华道，“华丫头，你若是在这里无事，不如和我……”

谢芳华道：“您去吧。我懂些医术，在秦铮回来之前，由我看着李沐清，免得出事。”顿了顿，她又道，“秦怜脚崴了有孙太医诊治，一定无碍，我稍后再去看她。”

英亲王妃看了秦钰一眼，有些犹豫。

秦钰顿时笑了：“大伯母，您不放心什么？我还能将您定下的儿媳妇儿如何不成？您放心，她和秦铮一日未解除婚约，我一日不会对她动手。”

“你个死孩子！”英亲王妃骂了一句，出了暖阁。

谢芳华看向秦钰，皱了皱眉。

“我说错了？”秦钰也看着她。

谢芳华不答他的话，询问他：“可是你身边的人？”

“不是。”秦钰摇头。

“那你可查出是什么人了？”谢芳华又问。

秦钰摇摇头：“暂时还没查出来。”话落，他看着她，眸光幽深，似有别样的意味，“不过，我想快了。”

谢芳华问了该问的，便不再说话，也不理会他探究的神情。

秦钰却缓缓地道：“今日午时，七星被人救走了，可是你的人？”

谢芳华挑眉。

“你听到我这样说却不觉得奇怪，这么说确实是你的人。”秦钰转身走到桌前坐下，倒了一杯茶，抿了一口，声音平和，“今日我的府邸发生了一件奇怪的事——所有人不明原因地睡了半个时辰，半个时辰后醒来，其余的地方并无异样，就是七星不见了。”

谢芳华闻言不语。秦钰新建的府邸，内外应该有不下数百人看守吧，能让所有人都睡半个时辰，不是谁都能做到的，可以说，这天底下能做到的人，少之又少。

“普天之下，除了魅族的王族咒术能够做到之外，也就只有媚术了吧？”秦钰放下茶盏，“芳华小姐，这是不是说明，这个人是你的人？”

言宸派的人算是她的人吗？

谢芳华看着秦钰，一时没说话。在轻歌没回来传信之前，她也不确定到底是不是那个人。

秦钰扬眉：“怎么，你也不知道是不是你的人所为？”

谢芳华抿唇不语。

秦钰笑了笑：“若是你的人，而你也不知道的话，这件事是不是愈发有意思了？尤其是为何对李沐清下媚术？世界上从来就没有无缘无故的事情。”

谢芳华转头看向炕上，李沐清服了她开的药方后安静下来，又陷入昏迷状态。若是对他下媚术的人是言宸派的那个人，李沐清到底做了什么，以致那个人对他出手？

据秦倾所说，秦钰走后，李沐清一直与他在一起，没做什么。

可是若他真的没做什么，也不至于惹得那人对他下媚术。

她想了片刻，想不透，便不再想。

“秦铮也去查了吧？你就这么放心地待在这里看着李沐清？你就不怕他伤了你的人？”秦钰又道。

谢芳华看了他一眼：“四皇子，你的话未免太多了。既然不是你的人，你可以走了。”

秦钰微笑：“我本来话语不多，可是在你面前，不由得话语便多了。”顿了顿，他摇摇头，“为了这件事，我推了父皇给武卫将军设的宫宴，你却在冤枉了我之后再赶我离开，是何道理？”

谢芳华蹙眉：“就算是我的人所为，你在这里，又能如何？就凭你离开临汾镇后发生的事情，我也不算是冤枉你。”

“不如何，我只是好奇而已，想看看那个人。”秦钰敲敲桌面，笑道，“据传言，北齐以北的雪山之中，有一处山谷，名曰情花谷，整个山谷都种有催情之物。是否说明，是北齐来的人？这个人若是你的人，你与北齐有着极深的瓜葛？”

谢芳华笑了一声，冷冷地看着秦钰："四皇子想从我口中探出什么？"

"也没想探出什么，只是觉得，北齐的皇子和玉家的人来了南秦京城，如今又有北齐的人来，我们南秦京城何时如此吸引北齐了？这中间到底有什么关联？"秦钰道，"数日前，北齐皇后本来得了不治的重病，如今却被人治好了。据说治好北齐皇后的人是离开北齐京城数年未归的北齐小国舅，是玉贵妃的弟弟，你可知道？"

谢芳华的手指轻轻捏了一下，中指和无名指掐入手心。

"北齐的皇后是你的姑姑谢凤，天下人谁都知道北齐皇后和北齐玉贵妃不两立，这么多年来，玉贵妃恨不得谢凤死，可是呢，她的亲弟弟却出手救了谢凤，令她起死回生，实在让人意外。"秦钰又道，"虽然父皇瞒下了你姑姑重病的消息，但是有着数百甚至上千年底蕴的谢氏，不可能没有得到消息，更不会不管她。"顿了顿，他又道，"所以，我很想知道，外出八年的忠勇侯府小姐和北齐离家数年不归的小国舅是什么关系，使得他宁可亲姐姐气得病倒也要救回你的姑姑谢凤？"

手心传来的疼痛让谢芳华慢慢地抬起头，声音平静："北齐皇室和玉家关系复杂，四皇子怎么就肯定北齐小国舅与我有关系？"

"天下没有不透风的墙，只要有人做了什么，就会有蛛丝马迹。"秦钰温和地道，"更何况，我从南秦京城去了漠北，又从漠北军营悄悄去北齐京城转了一圈，有些东西，这么关山迢迢一路地走过来，想不知道都难。"

谢芳华扬眉。

"尤其是五年前无名山发生了什么事，去年无名山又是怎么毁的。"秦钰盯着她，眸光幽深，"这么多东西，一旦抖出来，芳华小姐，你确定你应付得来？"

谢芳华的眼睛眯了眯。

"若是有朝一日，忠勇侯府的小姐出侯府前往无名山待了多年，下山之后又毁了无名山的事情大白于天下，而且她与北齐小国舅、北齐皇子、玉家的人都有牵扯，且牵扯甚深……"秦钰一字一句地道，"再加上谢云继是北齐皇帝和谢凤的儿子，被谢氏带回来秘密养了多年，这样的事情都公之于众的话，你说，忠勇侯府会如何？你会如何？整个谢氏会如何？"

谢芳华脸色一沉，她一直知道秦钰不是善茬儿，心机极深，肯定会查出一些事情，但是没想到，他知道的事情远比她想象的要多得多。

这时，外面有脚步声传来，谢芳华转头看去，见是秦铮回来了，她站起身，对秦钰道："我也想知道会如何，四皇子不如就让它大白于天下吧！"话落，她不看秦钰的表情，迎了出去。

秦钰眸光微沉。

谢芳华走到门口，正巧秦铮也来到门口，脸色不太好看，她挑着帘子，没说话。

秦铮见到她，透过窗子向里面看了一眼，问："秦钰来了多久？"

"一会儿。"谢芳华道。

"你跟我来。"秦铮没进屋，伸手拉住她，拽着她走了出去。

谢芳华知道他有话要说，秦钰能查出来的东西，秦铮未必查不出来。

秦铮拉着她走到外面的凉亭里，停住脚步，看着她。

谢芳华也看着她。

过了片刻，秦铮对她道："今日秦钰新建府中的所有人莫名昏迷了半个时辰，有人从他府中救出了一个人。被救出的那个人，据说是早先在漠北被秦钰控制的你的人？"

谢芳华点点头。

"救他的那个人所用的方法，倒和李沐清中的媚术有异曲同工之妙。"秦铮道。

谢芳华不说话。

"昨日夜间，跟随秦钰来到南秦京城的，除了这个人，再无别人了。"秦铮看着谢芳华，"这个人隐藏的本事极好，我彻查之下，竟没有发现他的藏身之地，不过与他的气息打了交道，险些也中了媚术。"

谢芳华皱眉："你在哪里与他打的交道？"

"街上。"秦铮看着她，"是不是你的人？还是与你有关的人？为何连你也不知道？"

谢芳华摇摇头："这个人我确实不知道，不算是我的人，算是言宸的人。"

"言宸？"秦铮挑眉。

谢芳华点点头："我已经让人去查了，若是他的人，我会让他解开李沐清中的媚术。"

"你所说的言宸，如今在哪里？"秦铮又问。

谢芳华犹豫了一下，还是如实道："如今在临汾镇。李猛的那个孩子，他昨夜趁秦钰离开临汾镇之际，夺到了手中，如今在临汾镇休息，休息好了之后，便会进京。"

秦铮点点头，笑了一下："他进京后，我一定要好好地会会他！能让我的未婚妻如此信任，我要看看他是何方神圣。"

谢芳华想起秦钰的话，看着秦铮，没说话。

"要救李沐清，看来只能等你的人递来消息了。"秦铮拉着谢芳华坐下，懒洋洋地道，"刚刚秦钰威胁你了？"

谢芳华偏头看着他。

"趁我不在，他若是不做些什么，就不是秦钰了。"秦铮冷哼一声，"不管他说什么，你都不用理会，若是他敢对你做什么，爷自会对付他！"

谢芳华点头："他知晓我去无名山并且毁了无名山之事，更是知晓了云继哥哥是北齐皇帝和姑姑的孩子之事，说这些事情若是大白于天下，试问忠勇侯府会如何，我会如何。”

秦铮眯起眼睛，冷笑：“他知道了这些又如何？有本事就公告天下！一个女子就毁了皇室隐卫近三百年来引以为傲的支柱无名山，他不怕皇室没脸吗？”

谢芳华笑了一下：“我告诉他了，我说我也想知道会如何，让事情大白于天下吧。”

秦铮一怔：“你真这样说？”

谢芳华点点头。

秦铮蓦地笑了，伸手将她圈住，抱在怀里：“爷这么长时间对你费尽心思，总算没有白费力气。任他花言巧语，威胁利诱，也不管用。”

谢芳华不解：“我不太明白。秦钰被贬去漠北，我当时对他不了解，想要利用他，派了人前往漠北，却被他钳制住，后来直到去平阳城才与他碰面，秦钰他这么做是为何？”

“从小到大，我们互相看不顺眼，只要是对方喜欢的，都会去抢，抢习惯了。”秦铮抱紧谢芳华，“他去漠北，要了三十万大军的军权，而我只要你，就留在了京中等你。所以，你要记住，他不是喜欢你，而是看不得我好，他回来后，见我与你极好，就想抢。”

“你们是前世的仇家？”谢芳华笑道。

秦铮点点头：“也许。”

谢芳华看着他，还要说什么，耳边忽然响起轻歌用传音之术传来的声音。

谢芳华推开秦铮，向四周看了一眼，没见到轻歌的身影，立即用传音之术问他：“你在哪里？”

“郊外。”轻歌道。

“查出来了？是不是他？”谢芳华问。

“是。”轻歌的气息有些弱，“不过，主子，我传达了你的意思，但是那人不肯救李沐清，说就想要他死。”

“他如今在哪里？”谢芳华看了一眼天色。

“在南山坡。”轻歌道。

“你缠住他，我现在就过去。”谢芳华道。

轻歌似乎还想说什么，听到谢芳华的话，微弱地应了一声。

“怎么了？你在和谁说话？有消息了？”秦铮看着谢芳华。

谢芳华点点头，对他道：“他在南山坡，说就想要李沐清死，我现在就去一趟。”

“我跟你一块儿去。”秦铮道。

“那秦钰……”谢芳华看向暖阁内。

“管他呢。总有人要照看李沐清，不是吗？”秦铮扬眉。

谢芳华点点头。

二人没走王府的大门，直接从高墙上翻了出去。

南山坡就是谢云澜府邸前面的那处山坡，自从进入三月，每日里都有人在南山坡放风筝，男女老少，甚是热闹。

秦铮和谢芳华没用多久便到了南山坡。

循着记号，谢芳华很快就找到了轻歌的所在地。只见他躺在草坡上，一个一身红衣的女子坐在他不远处的一块大石上，除了他们二人，周围再无别人。

谢芳华没想到言宸派的这个人原来是个女子。

因为，多年来，言宸用人从不用女子，所以，即便传言练媚术者男女皆宜，但是论悟性，女子为最，她也没去想这个人是女子。

“女人？”秦铮扬了扬眉。

谢芳华对他低声道：“稍后，你不要看她的眼睛。”

秦铮嗤笑一声：“你还怕我中了她的媚术？”话落，他摇摇头，“你放心，哪怕她的媚术登峰造极，恐怕也奈何不了我，因为我一心爱着你，即便看着别的女人，也看不到眼里去。况且，我已经跟她的气息打过交道，她第一次没奈何我，便不会有第二次了。”

谢芳华点点头。

“不过，你嘱咐我，我还是很高兴的。”秦铮握紧她的手。

谢芳华扯了扯嘴角，向那女子走去。

似乎察觉到有人来，那女子慢慢地转过了头。

这女子长得极美，与李如碧和金燕郡主的容貌不相上下，周身的气息却与自小在高门府邸长大的二人大为不同。

高门深院里长大的女子端庄温婉，被闺中礼仪束缚，眼里看到的永远是亭台楼阁、烟火情事，而她就那样闲闲散散地坐在那里，红衣似火，犹如天边的云霞，周身散发着飘然出尘的气息。

她的眼睛看过来的时候，清澈如泉水，璀璨如宝石，似乎有一种吸力。

看到谢芳华，她坐着没动，而是用一种很久以前就认识，终于见到她了的眼神打量她。

谢芳华也打量着对方，这样的女子……心中忽然有一种想法冒出来，被她轻轻压下，她拽着秦铮走了过去。

那女子见谢芳华移开眼睛，目光看向她身边的秦铮。

秦铮见她看过来，对她扬了扬眉。

那女子多看了秦铮片刻，见他不为所动，她的目光转到两人交握的手上，忽然笑了一下，对躺在地上的轻歌一挥手，声音极其柔婉："怪不得你缠着我不让我离开，原来是请了你的主子来。"

轻歌在她一挥手之后清醒了，从地上蹦了起来，转眼便跳到了谢芳华身边，白着一张脸，指着那女子，对谢芳华道："主子，她……她竟然是……"

他似乎极其震惊，好半晌说不出一句完整的话来。

"言宸的未婚妻？"谢芳华看着他的模样，低声问。

轻歌睁大眼睛，惊骇地看着谢芳华，点了点头。

从谢芳华口中听说言宸有未婚妻的时候，他还觉得不太可信，不过更多的是好奇，言宸哥哥的未婚妻会是什么样？比之主子如何？当见到这个女子，从她口中听到这件事，他一时间惊得回不过神来。

谢芳华微笑着走上前，又停住脚步，对那女子笑道："言宸并没有传信说是你来了京城，若知道是你，我怎么会让你在这南山坡吹山风？"

"我故意不让他说的。"那女子坐着没起身，看着谢芳华，又扫了一眼秦铮，说道，"你与我想象中的大不相同。"

"是吗？"谢芳华笑看着她，"让姑娘失望了。"

那女子摇摇头："失望倒没有，只是我想象中的忠勇侯府小姐……至少来见我，不会和一个男人手牵手来。"话落，她问，"这位是传言中横行南秦京城无人敢惹的英亲王府铮二公子？"

"言宸的未婚妻？"秦铮抓住了重点，不理那女子的问话，看着谢芳华。

谢芳华点点头。

秦铮忽然极其愉悦地笑了，转过头，看着那女子，笑意中有一种怎么也收不住的张扬："姑娘来南秦何必隐藏，你若是早让我知晓你是言宸的未婚妻，我定然清扫府门，将姑娘奉为上宾。"

那女子一怔。

谢芳华一时有些无语，秦铮什么时候如此热情好客了？

第十九章

北齐公主

天下谁人不知道英亲王府铮二公子脾性古怪，不是热情好客之人？

谢芳华猜出几分秦铮的想法，伸手拧了他攥着她的手一下。

“我说错了？”秦铮扭头看向谢芳华，不掩饰的笑意如正午的太阳，晃得人眼花。

谢芳华一时不知道是摇头还是点头。

“姑娘贵姓？怎么称呼？”秦铮又笑着询问女子。

这个笑容太明亮，那女子也躲避了一下，似乎品味了一番秦铮的话，笑意忽然蔓延开来，看着秦铮道：“铮二公子原来也与传言不符，竟然如此热情好客。”话落，她笑道，“我姓齐，唤云雪。”

“姓齐？”秦铮看着她，挑眉，“你是北齐皇室的公主？”

齐云雪扬了扬眉：“铮二公子好聪明，只一个姓氏，便猜出我的身份了。”

“天下只有一个齐姓，除了北齐皇室的人，还有谁姓齐？”秦铮轻笑，“真是让人意外啊。”话落，他偏头看向谢芳华。

谢芳华是有些意外，但也不算太意外。这么多年来，能让言宸只说过一次便再也不提起的婚约，他未婚妻的身份岂会简单？甚至，他从来不曾有过悔婚的想法……

让她好奇的是，北齐皇室的公主，怎么会媚术？

从媚术的修习条件来看，她没在皇宫长大，而是在情花谷长大？

“时辰不早了，公主请随我们过府吧。”秦铮当真开口邀请她进府。

“我听说右相府的李沐清如今安置在英亲王府？”齐云雪笑看着秦铮，“铮二公子想要我去救李沐清的话，不可能。”

秦铮看着她："为何？李沐清如何得罪了公主？"

"他倒是没得罪我。"齐云雪摇头，看向谢芳华，"只是他似乎对我的未婚夫甚是好奇，暗中派人查他，还查出了不少东西。这些我倒不在意，毕竟他查出来的东西再多，也事不关我。"顿了顿，她话锋一转，"然而他想将自己的妹妹许配给我的未婚夫，只凭这一点，我就能要了他的命！"

她说得清楚，谢芳华一听就明白了，原来是李沐清暗中彻查言宸引起的。她倒是忘了，数日前，在平阳城，李沐清的妹妹属意言宸，被她给推了。李沐清大概那时候就开始调查言宸了。

她想了想，对齐云雪道："李沐清的妹妹是庶女，自然配不上言宸，公主大可不必杀了他。"

"你想救他？"齐云雪看着谢芳华。

谢芳华点点头："李沐清的父亲右相和我舅舅是至交，他又帮助过我几次，况且他死了，对我也没什么好处。公主若是只为这一个理由，还请网开一面。"

齐云雪忽然道："我听说言轻和云水被铮二公子给扣押起来了？"

"你想要拿李沐清的命换他们二人？"秦铮问。

齐云雪摇摇头："我没想救他们。"

"那公主如何才肯救李沐清？"秦铮看着她。

齐云雪想了一下："也不是不可以饶过他。"话落，她看着谢芳华，"若是戌时之前，你能让言宸赶到京城，亲口对我说'饶过他'，我就饶过他，如何？"

谢芳华蹙眉。

齐云雪慢慢地道："据我所知，言宸能为了你万死不辞，关山再远，只要你一句话，他就会赴汤蹈火，为了你的事情奔波劳累，哪怕骑死几匹马，几日夜不睡觉，也在所不惜。"顿了顿，她继续道，"我想知道，你会不会为了一个区区李沐清，就将好不容易停下来休息的他唤起来。"

秦铮听罢，脸忽然沉了。

谢芳华心下一紧，言宸这位未婚妻终于来算账了吗？

"会不会呢，芳华小姐？"齐云雪看着她。

谢芳华抿唇。言宸为了救她姑姑，赶去北齐，又为了她一句话，半途费尽辛苦，掩护了被永康侯府和皇帝双管齐下拦截的燕亭，到了北齐后，顶着玉贵妃的怒火，救回了她姑姑的性命，很快又因为临汾镇李猛之事，他快马加鞭，累死了几匹马，几日夜不休息，终于到了临汾镇，从秦钰手中夺下了那个孩子，好不容易能休息了，她怎么能狠下心，又怎么忍心地再将他叫起来？

可是，不叫的话，李沐清就没命了，她解不了媚术。

但叫的话，她谢芳华成什么人了，丝毫不顾及言宸辛苦奔波？

这些年来，他从无名山下来，建立天机阁，耗费了多少心血精力？

从去年腊月到如今，他恐怕一日都未曾好好休息过，就算是铁打的身子也受不住！

“芳华小姐很为难？那个李沐清看起来对你很重要了？”齐云雪盯着谢芳华。

谢芳华轻轻吸了一口气，看着齐云雪：“公主拿这个作交换，是什么目的呢？”

“你不用管我是什么目的，只说你会不会去做。”齐云雪道。

谢芳华转过头，看向临汾镇的方向。临汾镇距离京城不过百里，她若是现在飞信传书过去，戌时之前，言宸一定能赶来救李沐清，可是哪怕不怕折腾言宸，她最不喜欢的就是交换和威胁。

她摇摇头：“不会。”

齐云雪眯了一下眼睛：“是不忍心？”顿了顿，她站起身，走近谢芳华，“我很想知道，芳华小姐是出于什么而不忍心。”

“既然公主不告知你是出于什么目的，我又凭什么告知我是出于什么原因？”谢芳华反驳。

齐云雪笑了起来。她笑起来甚是好看，如一朵盛开的红艳的曼陀罗。笑罢，她转头看了秦铮一眼，又道：“若是今日躺在床上被我下了媚术昏迷不醒的人是铮二公子呢，你可还会说不会？”

谢芳华忽然沉下脸，转过身，看着齐云雪：“公主是在情花谷里待得久了，还是因为修习媚术只攻媚之术而丢失了本之心？难道不知道世间之事从来就没有如果？若是公主想要看透我，知晓我的答案，那么，秦铮他就在这里，你只管对他用媚术，若是他中了你的媚术，我定然会告诉你答案！”

齐云雪一怔，似乎没想到谢芳华这个看起来柔弱沉静的女子转眼间就变得疾言厉色。

这一瞬间的气势，与初见时的浅笑盈盈大相径庭。

不过她只怔了片刻，便笑道：“你是否知道我的媚术对他不管用才如此说？”

“不管我知不知道，你若是奈何得了他，便能得到我的答案。”谢芳华看着她，话锋一转，“不过，容我提醒公主一句，人和人本就不同，如何能比？你拿我和言宸，拿李沐清和言宸，拿秦铮和言宸，甚至拿你自己和言宸，非要比出个高下来，这如何可能？”

齐云雪忽然转过身子，看向临汾镇：“你可知道我是如何来的南秦？”

谢芳华不答话。

齐云雪自顾自道：“他跑死了几匹马，我就跑死了几匹马。”

谢芳华闻言，面上的阴沉之色忽然退去。

“我倒不是为了言宸，只是想来南秦看看你。”齐云雪话落，对谢芳华道，“既然你选择不传信给他，那么我言出必行，李沐清我自然不会去救。”话落，她转身向坡下走去，“芳华小姐，再会。”

谢芳华看着她的背影一步步走远，沉默了片刻，才道：“云雪公主，再会。”

齐云雪听到后，脚步顿了一下，随即便下了山坡，不多时进入了林子，不见了身影。

谢芳华看着那片林子，眸色昏暗。

这就是言宸的未婚妻。

比她想象中的要厉害。

只一句话，她连出手拦的力气都没了。

“其实，我也想知道，若是我中了媚术，你可会把言宸叫来。”秦铮忽然扳正谢芳华的身子，看着她的眼睛道。

谢芳华看着他。

“看来我高兴得太早了，言宸在你心里的分量比我想象的要重很多。”秦铮盯着她，手紧紧地攥住她的胳膊，“回答我！”

“会。”谢芳华吐出一个字。

“真会？”秦铮似乎要看进她的眸底。

谢芳华笑了一下：“真会。”

“为什么？”秦铮见她不像说笑。

“你是秦铮，我的未婚夫。”谢芳华慢慢地道，“你若是因我而死，你娘爱子如命，定然不会饶了我，恐怕会押着我给你守寡，而我还不想守寡。”

秦铮顿时恼怒：“谢芳华，你这是什么话！”

谢芳华拿掉他的手，上前一步，将身子靠进他怀里，轻笑道：“我说的是事实。”

秦铮本来有些火气，可是在谢芳华柔软的身子靠进他怀里时，他的火气顿时没了，瞪了她一眼：“你就是吃定我拿你没办法了，才这么气我是不是？”

谢芳华抱住他的腰，将头埋在他的胸口，不说话。

秦铮伸手将她抱住，虽然她刚刚笑了，可是从她的气息里，他还是感觉到了无法言说的叹息和伤感，他低声道：“你喜欢言宸，是不是？”

谢芳华不答话。

“可是你也知道他有未婚妻是不是？”秦铮又问。

谢芳华依旧不说话。

秦铮冷哼一声，将她抱紧：“你喜不喜欢他，以前我管不了，以后都不再允许，知道吗？”

谢芳华继续沉默。

“你听到了吗？”秦铮低头看着她，“你说话！”

“知道了。”谢芳华点点头，“你也说了，喜欢不是爱，只有喜欢是不够的。”

秦铮嗯了一声：“对我，只有喜欢是不够的。”

“那从今往后，我试着爱你，我不会的，不懂的，你可以教我，哪怕我做错了事情，你对我失望透顶，也一定不要放手，不要放弃，任何时候。”谢芳华轻声道。

秦铮低头看着她，眼神凝重：“谢芳华，你知不知道，这样的话说出来，就算到死，我也不会放手，你别后悔！”

谢芳华摇摇头：“不后悔。”

秦铮重重地点头：“好！”

一番交谈后，二人不再说话，偎依在一起。

男子清俊，女子柔美，成了这南山坡一道最美的风景。

有放风筝的人看过来，都认出是谢芳华和秦铮，顿时露出艳羡的眼神。

轻歌早就躲去了一旁，坐在一边的草地上，齐云雪对谢芳华、秦铮说的那一番话，他也听得清楚。见齐云雪走了之后，秦铮和谢芳华拥抱在一起，他仰头看天，惆怅地叹了口气。

过了片刻，谢芳华离开秦铮的怀抱，对他道：“我们去云澜哥哥的府邸走一趟吧。”

“做什么？”秦铮询问。

“去看看他有没有办法救李沐清。”谢芳华道。

“若是没有办法呢？”秦铮问。

“那就再回去问问外公。”谢芳华道。

“若是外公也没有办法呢？”秦铮又问。

谢芳华指指自己的手腕。

秦铮的脸顿时绷紧了。

“你和李沐清从小相识，交情不错，你虽然嘴上不承认，但是也不想他有事是不是？”谢芳华看着他，“我们尽力救他吧。”

“你明明可以和她交换。”秦铮道，“为何不答应她？”

谢芳华向临汾镇看了一眼，忽然笑了，转头看向秦铮，对他道：“有很多人就喜欢抓住别人的弱点，一而再，再而三，总想试探出个结果，否则不罢休，可是真的做了，最后的结果一旦不尽如人意，便悔不当初。”

秦铮不解地看着她。

“我不该是他们之间的隔阂，言宸和我多年的情义，不该被如此试验。”谢芳华道，“免得伤人伤己。”

秦铮闻言嘟囔道：“被你这样一说，我更希望中媚术的人是我了。”顿了顿，他道，“因为，我也想知道结果。”

谢芳华瞥了他一眼。

秦铮叹了口气，伸手弹了谢芳华的额头一下，似乎有些不满，又有些郁郁：“你这个女人，真是让人又爱又恨！”

谢芳华失笑，拉着他往谢云澜的府邸走去。

不多时，二人离开了南山坡，来到谢云澜的府邸门前。

叩了门之后，有守门人立即探出头来，见到谢芳华，连忙见礼。

谢芳华道明来意。

那人立即道：“公子从早上被皇上召进宫后，再没回来。”

谢芳华看向秦铮。

秦铮拉着她离开了谢云澜的府邸，在无人处轻喊：“青岩。”

“公子。”青岩应声而出。

“去查查谢云澜在哪里，速速告诉我。”秦铮吩咐。

“是。”青岩退了下去。

秦铮拉着谢芳华向城里走去。

没多久，青岩便得到了消息：“公子，谢云澜从宫中出来后，去了忠勇侯府，如今在忠勇侯府。”

秦铮点点头，摆摆手。

青岩退了下去。

秦铮偏头对谢芳华道：“你除了找他，还要找外公，这回正好一起找了。”

谢芳华想起几日前外公说要见云澜哥哥，她却一直没给云澜哥哥传信，如今他去忠勇侯府，不知道外公会和他说些什么。

二人进了城，直奔忠勇侯府。

半途月落突然出现，对二人见礼：“铮二公子，芳华小姐，右相府的李公子又发作了。我家主子说，若是再耽搁下去，他撑不到戌时，一身功力怕是就要废了。他派我来询问，是否找到能解他媚术的人了？”

“没找到！”秦铮沉着脸，“你家主子手下的能人异士不是多吗，他真一点儿办法都没有？那个初迟呢，不抵用？”

月落不说话。

“你去告诉你家主子，让他将李沭清送到忠勇侯府。”谢芳华对月落道。

月落看了她一眼，向英亲王府而去。

秦铮没反对。

谢芳华看了一眼天色，日头已经落下，天要黑了，她与秦铮一起继续向忠勇侯府走去。

二人回到忠勇侯府，问过府中的仆从，知道谢墨含陪着舅舅进宫后，参加了皇上设的宫宴，如今还没回来，而谢云澜和崔荆在谢墨含的芝兰苑叙话。

二人直奔芝兰苑。

到了芝兰苑后，只见崔荆和谢云澜在院中下棋。

听到二人的脚步声，崔荆和谢云澜齐齐抬起头看来，当看到谢芳华和秦铮时，崔荆笑道："你们两个孩子，怎么这时候回来了，还急匆匆的，出了什么事情？"

谢云澜直接猜测道："是为了李沐清？"

"云澜兄虽然身在庐中，却知天下事。"秦铮点点头，"不错，是为了李沐清。"话落，又道，"上次千年雪莲的事情还要多谢你。"

谢云澜淡淡地笑了笑："我是为了芳华，你就不必谢了。"

秦铮轻哼了一声："她就是我，你少将我撇开。"

谢芳华看了二人一眼，怕他们一言不合再打起来耽搁事情，便截住二人的话，问崔荆："外公，你可知道媚术？"

"媚术？"崔荆点点头，"知道。"

"那你可知道，中了媚术，除了下媚术者能解外，还有什么办法能解？"谢芳华又问。

崔荆摇摇头："据古籍记载，除了施术者，无解。"

谢芳华又看向谢云澜。

谢云澜也道："我知晓的和外公知晓的一样，除了施术者，无解。"

谢芳华闻言顿时泄了气。

"你们二人不是去了南山坡？找到那个人了吗？她不给解？"谢云澜看着谢芳华，"她与李沐清有何仇怨？"

谢芳华抿唇，对谢云澜简单地说了原因。

"言宸……"谢云澜品味着这个名字，半晌才问，"他和言轻是什么关系？"

"一个叫玉言宸，一个叫齐言轻，你说他们是什么关系！"秦铮冷哼一声，"一个是北齐的小国舅，一个是北齐的二皇子。"

谢云澜看向谢芳华。

谢芳华慢慢地点了点头，若不是因为回北齐救她姑姑，言宸也不会暴露身份。

"原来是北齐的小国舅。据我所知，他自小和北齐皇室的一位公主订了婚约，那位公主是北齐先皇最小的女儿。"谢云澜道，"北齐先皇去世之前甚是喜爱她。为表示对玉家的看重，让她与玉家嫡系一脉的小公子，也就是玉贵妃的亲弟弟订了婚，因了玉贵妃，人称这位小公子为小国舅。先皇死的当日，玉太后要拉这位公主的母亲殉葬，殉葬当日，母女二人却齐齐失踪了。玉太后派人大肆查找，都一无所获，自此，二人音讯全无。后来，新皇登基，北齐皇室再没有人提起这位公主。后来，北齐小国舅被人带走，也是音讯全无，多年来，北齐也没人再提起那位小国舅了。”

“如今一个两个都出来了，还是未婚夫妻，真是有意思！”秦铮笑了一声，看着谢云澜，“云澜兄原来不只对南秦的很多事情知晓，对北齐很多事情也了如指掌。”

谢云澜笑笑：“我身体不好，疲乏困顿时，用这些来打发时间罢了。”

二人话音刚落，崔荆忽然站起来，一抚掌，说道：“我想到了，除了下媚术之人，媚术也许还有一种解法！”

三人偏过头，都看向崔荆。

崔荆绕着桌子走了几步，口中念念有词，听着是在不停地确定这种解法的可能性。

三人都看着崔荆，见他念了半晌后，停住脚步，看着天空，时喜时忧，似乎极难决定。

“外公，什么解法，您说出来听听。”谢芳华走近他，缓缓开口。

秦铮和谢云澜也看着崔荆。

崔荆从天空收回视线，瞅了谢芳华一眼，又看了秦铮和谢云澜一眼，忽然摇摇头。

谢芳华更是不解：“这种解法很难吗？”

崔荆又摇摇头。

谢芳华疑惑地看着他。

“外公，有什么解法您就说！能用就用，不能用再说！”秦铮不耐烦地道，“您是修道之人，怎么跟和尚一样磨磨叽叽？”

“臭小子，你懂什么！”崔荆瞪了秦铮一眼。

秦铮住了嘴。

“小丫头，你跟我来，我说与你听。”崔荆转身向外走去。

谢芳华知道想必是关于她血液的，点点头，抬脚跟上他。

秦铮见崔荆没喊他和谢云澜，他看了谢云澜一眼，见他不动，他立即跟了上去。

“臭小子，你不准跟着！”崔荆见秦铮跟上来，立即发了话。

秦铮扬眉：“外公，你好没道理！她是我的未婚妻，只要事关她，我就不该被瞒着。”

“这件事情不成！”崔荆板着脸。

秦铮皱眉，心也跟着提了起来：“是有多为难的事情，才不让我知晓？是否也事关我？”

“不让你跟着就是不让你跟着，你哪来那么多废话！”崔荆对他摆摆手，“你代替我，和云澜把那盘棋下完，快去！”

秦铮站着不动。

崔荆看着他，警告道：“臭小子，你若是不听我的话，信不信我不准小丫头……”

“行了，您也别威胁我，我听就是了。”秦铮一挥手，反过来警告崔荆，“不过外公，我可告诉您，伤了她我可不同意。”

崔荆哼了一声，转身向前走去。

谢芳华跟着他走了出去。

秦铮则是懒洋洋地走回去，坐在早先崔荆坐的位置上，对谢云澜道：“该谁下了？”

“你。”谢云澜道。

秦铮看了片刻，拈起棋子落下。

二人对弈起来。

崔荆走到院外的僻静处，停住脚步，对谢芳华道：“小丫头，我今日确定了，这位谢氏米粮的云澜公子，他身上的确有着魅族的王族血脉。”

谢芳华看着崔荆：“外公是如何确定的？”

“魅族的王族血脉与常人不同，他的身体被王族的绝咒给封印了，看起来才与常人无异，不见魅族王族的月饰。我用昔日紫云道长教我守护雾黎山的一门心法，便能看破他的封印，我看到他的眉心显现出月牙状的皓印。”

谢芳华皱眉：“是谁给他封印的？”

“也许是紫云道长。”崔荆道，“因为，我用他教我的心法能看破，我猜测是他。”

谢芳华抿唇：“难道他身上的王族绝咒也是紫云道长给他下的？”

“这个便不清楚了。”崔荆道。

“您既然能看破，能给他解了皓印吗？”谢芳华问。

崔荆摇摇头：“不能，我也只是会这种心法而已。”

谢芳华不再言语。

崔荆看着她：“丫头，你对魅族知道多少？”

谢芳华摇摇头；“知晓得不多，几乎都是从普云大师和您口中听闻的。”

崔荆点点头：“这些就不必理会了，先说这个媚术。”他回头看了一眼，见秦铮和谢云澜已经在对弈，他低声道，“据说，魅族王族的血液和魅族圣女的血液合在一起，能破解世间任何毒术、毒药。”

谢芳华一惊：“您的意思是……”

“我就是这个意思，你和谢云澜的血液一起给李沐清服下的话，也许能破解媚术。”崔荆又向里看了一眼，叹了口气，“这就是我不让铮小子听到的原因。他若是知晓，必要探个究竟，而你和谢云澜的魅族血脉一定不能走漏丝毫风声。魅族被灭族的事情还没查清楚，一旦走漏消息，对你们不利。”

谢芳华沉默半晌，问崔荆：“外公，魅族……”她顿了顿，深吸了一口气，“魅族王族血脉不外流，当年我娘没回魅族，却和我爹应劫而死，而我……是不是也要和她一样，不能和秦铮大婚？若是秦铮知道，你怕他……”

“按魅族的古训，是这样的。”崔荆道，“可是紫云道长为你逆天改了命数，这便说不准了，未来如何，谁也不可知。”

“谢氏米粮老夫人临终时对我说，让我一定要嫁给云澜哥哥……”谢芳华低声道，“她是否知晓什么？”

崔荆一怔：“她临终说过这样的话？”

谢芳华点头。

“那就是了。”崔荆疑惑不解，“谢云澜身上是魅族王族血脉不假，可是他怎么会生在谢氏？”

“我还生在忠勇侯府呢。”谢芳华道。

“魅族男子和女子的血脉传承不一样，男传男，女传女，你传自你娘，可是谢云澜传自谁？”崔荆摇摇头，“总不可能是他现在那个爹。”

谢芳华当即醒悟：“是了，我身上有我娘的传承，哥哥就没有，那云澜哥哥……”她忽然想起昨日那妇人给她的东西，她将手探入怀中，摸了摸，那东西还在。

“这里面定然是有说不得的秘事，先不用管他。你只需要避过秦铮，取了你和谢云澜的血合在一起，喂了李沐清，看看是否能破解。若是这个办法都不可行，那李家小子的命我也没办法保住了。”崔荆道。

谢芳华收回手，点点头。

二人话落，守门的小厮前来禀告：“小姐，四皇子带着右相府的李公子来了咱们府，说是您的邀请。”

“将他们请来这里。”谢芳华摆手。

那小厮连忙去了。

谢芳华向院内看了一眼，谢云澜和秦铮对坐下棋，二人虽然脾性不同，但是周身流露的气息却是同样的闲散慵懒，她收回视线。侍画、侍墨已经知道谢芳华回府了，但是见崔荆在和她说话，便避在远处，谢芳华也看见了二人，便对她们招手。

二人立即走了过来。

她对二人低声耳语了两句，二人点点头，齐齐离开了。

不多时，二人又走了回来，对里面道："铮二公子，老侯爷知道您来了，请您过去一趟。"

秦铮捏着一颗棋子在手中打转，闻言抬头向门口看来，懒懒地问："什么事？"

"似乎很重要，请您立即去。"侍画道。

秦铮蹙眉，探头看向外面，只看到侍画、侍墨二人站在门口，没见到谢芳华和崔荆，他扔了棋子，抬脚向外走去。

出了芝兰苑门口，便见远处崔荆和谢芳华在说话，二人都背着身子，看不见表情，他蹙了蹙眉，看了片刻，向荣福堂走去。

等秦铮走没了影，谢芳华和崔荆立即转过头，快步走回芝兰苑。

进了院子，谢芳华对谢云澜低声道："云澜哥哥，需要半碗你的血。"

谢云澜见秦铮刚走，她便进来了，猜到是避着秦铮，他的眸光动了动，点点头。

"你随我进屋。"谢芳华立即向屋里走去。

谢云澜站起身，谢芳华拿过一个空碗递给他。

谢云澜挽起袖子，割破了自己的手臂，将鲜血滴在碗里。

谢芳华看着他，心下触动，云澜哥哥问也不问一句便听她的话做了。她偏开头，揣在怀里的东西忽然沉甸甸的。

谢云澜很快就放了半碗血，问谢芳华："可够了？"

"够了。"谢芳华点头。

谢云澜止住血。

谢芳华立即帮他上了药粉，包扎。

这时，外面有脚步声接近，须臾，秦钰带着两个人抬着一顶软轿来到门口。

谢芳华听到他在门口和崔荆打招呼，崔荆含笑点头，她对谢云澜低声道："云澜哥哥，你出去，告诉他，让外公带着李沐清进来。"

谢云澜点点头，走出门。

谢芳华端着那半碗血去了内室。

谢云澜出了门，见到秦钰，面色如常地微笑："四皇子。"

秦钰见到谢云澜，挑了挑眉："据说云澜兄今日在皇宫和父皇下了两局棋？我还以为云澜兄被父皇留宴，没想到在忠勇侯府又见到了你。"

"皇上的确是留宴了，只是四皇子知道，我不喜热闹，故推辞了。"谢云澜道。

"天下没有几人敢推辞父皇的邀请，云澜兄算一个。"秦钰道。

谢云澜淡淡一笑，对他道；"软轿里的人可是沐清兄？"

"正是。"秦钰点头。

"外公，带他进去吧。"谢云澜让开门口，重新走到棋局旁坐下，"四皇子和我一样帮不上什么忙，不如坐下来将这局残棋下完？”

“交给我吧，你去吧。”崔荆走到软轿前，对秦钰道。

秦钰看向正屋，只见帘幕紧闭，他移开视线看向谢云澜，见他已经在等候，神色看不出什么，他又看向崔荆，崔荆面上也不见什么凝重之色，他笑问：“秦铮呢？”

“被老侯爷叫去了。”崔荆道。

秦钰点点头，让开轿子，走去谢云澜对面坐下，看了一眼棋盘，凝神片刻，笑道：“这一局是秦铮和你所下？”

谢云澜点点头：“只凭残局就能猜出是他所下，四皇子厉害。”

“不是我厉害，而是我和他从小斗到大，我熟悉他的棋风和棋路罢了。”秦钰拈起一颗子，“该我了？”

“该你了。”谢云澜颔首。

秦钰落子。

谢云澜面部动了动，也拈起一颗棋子。

崔荆见二人接着对弈起来，他从软轿中抱出李沐清，当看到李沐清的模样时，他吓了一跳，立即带着他进了正屋。

谢芳华正在正屋等着，这时，李沐清的印堂已经呈现出黑色，彻底人事不知。

“都准备好了吗？”崔荆问。

谢芳华点点头。

“赶快喂他喝下吧。”崔荆道。

谢芳华端着那碗血递到李沐清的唇边，犹豫了一下，还是道：“云澜哥哥身上既然有魅族的王族绝咒，那李沐清……”

“你的血既然能压制他的咒毒，这样合在一起，应该无碍。”崔荆道。

谢芳华不再犹豫，掰开李沐清的嘴，灌了下去。

李沐清的身体动了一下，但谢芳华还是没让血洒一滴，全部灌下后，她问崔荆：“外公，若是管用，他多久后会醒来。”

“说不准。”崔荆摇头。

谢芳华让李沐清平躺下，然后走到桌前，拿起桌案上的茶水，将碗上的血迹涮了涮，之后将血水一股脑儿地倒进了窗前的花盆里。

崔荆看了她一眼，没说话。

谢芳华转身，将碗收了起来，对崔荆招手：“外公，我们也下一盘棋吧。”

下棋能使人定神。

崔荆点点头。

谢芳华从桌子的暗格里拿出一副棋盘，摆上，崔荆走过来坐下。

屋内院外都静静的，听不到任何说话声。

崔荆和谢芳华刚下了几子，床上忽然传来动静，二人齐齐看去，见李沐清睁开了眼睛，笼罩在他眉心的黑色已经褪去，被折磨得有些痉挛的身体也舒展开了。

“见效了！”崔荆大喜。

谢芳华扔了棋子。她没想到李沐清醒得这么快，这说明她和云澜哥哥的血合在一起真的破解了媚术，可是正因为有这样的奇效，她才不喜反忧。她慢慢地站起身，向着床走去。

李沐清刚醒来，一双眸子分外茫然，他睁着眼睛看了房顶片刻，听到崔荆的话和谢芳华的脚步声，才慢慢地转过头，看到谢芳华，他一怔。

“你感觉怎样？还有哪里不舒服？能自己坐起来吗？能下床走动吗？”谢芳华看着他，一连问了几个问题。

李沐清没有立即回答，而是仔细地看了半晌，确定真的是谢芳华之后，移开视线，看到崔荆，又看了半晌，才打量起屋中的陈设。

“你说话啊！”谢芳华看着他。

“我这是……在忠勇侯府？”李沐清打量许久，终于开口，声音沙哑。

谢芳华点点头：“在我哥哥的芝兰苑。”

“我怎么会在这里？”李沐清一边说，一边坐起身，下了床。

谢芳华见他能坐起身，并且好模好样地下了床，她彻底松了一口气：“看来你没事了，媚术是真的解了！”

“媚术？”李沐清蹙眉，须臾，忽然扶住额头，面色一变，“你说我中了媚术？”

谢芳华点点头。

“我怎么会中了媚术？”李沐清的脸色白了白。

谢芳华看着他，简单地与他说了她和秦铮去城外接舅舅，如何知道他中了媚术。

李沐清静静地听着，一边回想经过，片刻后，似乎想起来了，脸色越来越难看。

“你是否在秦钰走后做了什么？”谢芳华看着他。

李沐清抿了抿唇，看着谢芳华，放开抚着额头的手，对她道：“我让人查了言宸。秦钰离开后，我恰巧得到消息，说言宸到了临汾镇，可是我还没动手，便感觉身体不对劲了，之后便没了意识。”

谢芳华心想，果然。她看着李沐清，虽然媚术解了，但是他的眉目间有着隐隐的挫败。这个右相府的李公子，活到这么大，恐怕一切都在掌控中，从来没有栽过这么大的跟头。他妹妹喜欢言宸，恐怕也有她的原因，他才彻查言宸，没想到言宸没对他出手，言宸的未婚妻却是不好相与的。

“我自恃本事，却没想到……果然是人外有人，天外有天。”李沐清自嘲地笑了一下，问谢芳华，“你是如何帮我解的媚术？据说被下了这种术的人，要解的话，必须找到下术之人。”

“是我外公。”谢芳华推到崔荆身上。

李沐清看向崔荆。

崔荆对李沐清笑笑：“万事没有绝对。”顿了顿，他将事实全瞒下，将谢云澜和谢芳华齐齐排开，对李沐清道，“我出家修道多年，雾黎山有一门心法，正巧能破解这个媚术。”

李沐清站起身，对崔荆深深一礼：“多谢崔老前辈救命之恩。”

崔荆笑着摆摆手：“当年，你父亲险些成了我的女婿，只是缘分没到。你是他的儿子，我自然不会见死不救，不必谢了。”

李沐清自然也知道当年他父亲和博陵崔氏的一桩渊源，尤其还牵扯了谢芳华的父母，他看了谢芳华一眼，见她神色如常，他点点头：“沐清不能为崔老前辈做什么，这份情就记在芳华小姐身上吧，以后还！”

崔荆笑着点头。

第二十章
下定决心

京　门　风　月

李沐清没有再追问，他心中清楚，谢芳华和言宸交情匪浅，他一次查探引得别人用媚术来杀他，他已经失了颜面，不能再有第二次了。

不是什么事情都要去探个清清楚楚明明白白。

他随着崔荆和谢芳华出了房门。

外面的天彻底黑了，忠勇侯府各处已经点上了灯笼。

谢云澜和秦钰还在院中下棋，见三人从屋中出来，目光都落在李沐清的身上。他气色如常，一点儿也看不出半个时辰之前还躺在床上昏迷不醒几乎不成人形的模样。

秦钰眸光动了动，谢云澜淡淡地瞥了李沐清一眼。

“是有华丫头的功劳，若不是她看出媚术，找到我，我也不能救你。”崔荆笑着开口，“但是还有铮小子、四皇子和云澜公子，他们也都帮了忙。”

秦铮不在，李沐清见到秦钰和谢云澜，走过来道谢。

秦钰松了口气，微笑道：“沐清兄无事就好。”

谢云澜摇头：“我没帮上什么忙，沐清兄不必谢我。”

李沐清和二人寒暄了片刻，对谢芳华问：“秦铮兄呢？”

“被我爷爷喊去了。”谢芳华道。

李沐清点点头。

“天色已晚，我吩咐厨房做些菜端来这里，哥哥不在府内，我一个女子不便招待，云澜哥哥，就由你代替哥哥来招待四皇子和李公子用晚膳吧。”谢芳华看了一眼二人所下的棋，已经接近尾声，不分伯仲。

谢云澜颔首："好。"

秦钰和李沐清都看了谢云澜一眼。哪怕是旁支，终归姓谢，谢墨含不在，谢云澜虽然在忠勇侯府也是客，但相较他们二人，也算半个主人，谢芳华的安排不为过，但她的语气分出了亲疏远近。

见二人并没有推辞，谢芳华出了芝兰苑。

侍画、侍墨等在外面，见她出来，齐齐上前："小姐。"

"秦铮呢，在爷爷处做什么？"谢芳华低声问。

"陪老侯爷下棋。"侍画低声道。

谢芳华点点头，对二人吩咐："哥哥不在，如今天色已晚，我留了四皇子和李公子用晚膳。你们去厨房一趟，吩咐厨房做出饭菜端来，然后，你们二人就留在这里伺候。"

二人齐齐点头。

谢芳华交代完事情，向荣福堂行去。

走到半路，她碰到了匆匆走来的福婶，福婶见只她一人，顿时不满："小姐，天黑了，您怎么连盏罩灯也没提着，也没让个婢女跟着？万一滑倒了怎么办？"

谢芳华失笑："福婶，你将我当小孩子呢。侍画和侍墨被我留在芝兰苑招待客人了。"

福婶心急之下说了一番话，说完也觉得自己多虑了，小姐出府这么多年，全是靠自己，老侯爷和世子都插不上手，虽是女儿家，却比世间大多数男子都刚强。她叹了口气，有些心疼："世子不在府中，老侯爷岁数大了，轻易不招待小辈外客，云继公子早先还在，后来不知道跑去哪里了，本来您是闺阁小姐，这等招待外男的事情不该由您出面，若是夫人还在就好了，或者世子娶了亲，咱们府中也不会没有个能出来主持的女眷了。"

"云澜哥哥在呢。"谢芳华笑了笑。

前世府中有外男进出，从来不到内院，而且她只要听闻，一定会远远地避开，可是今生，什么男女大防，早已经被她不知道丢去哪里了。高门大院规矩多，到了外面却不是如此，南秦和北齐的民风日渐开放，只要不出现什么令人不耻之事，便不会有那么多计较。

福婶在忠勇侯府伺候多年，轻易不踏出府门，规矩多也正常，谢芳华自然不会与她争辩什么。她又絮叨了半天，才亲自去芝兰苑帮着张罗了。

谢芳华和她别过，一步步向荣福堂走去。

若是父母还活着，该是怎样一番景象？若是哥哥娶了妻，忠勇侯府又是怎样一番景象？

她想着想着，便来到了荣福堂。

荣福堂正屋的灯亮着，窗前坐了两个人，正是秦铮和忠勇侯。

谢芳华进了正屋，二人果然在对弈，见她进来，忠勇侯抬头看了一眼，问道："李家小子的毒解了？”

“解了。”谢芳华道。

“你哥哥和舅舅还在宫中，皇上留宴，这宴吃了半日了，还没回来。芝兰苑如今有谁在？”忠勇侯又问。

“我让云澜哥哥代替哥哥招待四皇子和李公子，外公也在。”谢芳华道。

“云继那小子呢，跑哪里去了？一个下午也没见到他。”忠勇侯问。

谢芳华摇摇头：“回头我派人去找找。”

忠勇侯点点头：“还没吃饭吧？”

谢芳华看向秦铮，她进来和爷爷说了这半晌话，他头也没抬，懒懒散散地看着棋盘，面色看不出什么异常，但她知道，以秦铮的聪明，自然猜出了他是被她刻意支开的，她抿了抿唇：“你们用膳了吗？”

“都什么时辰了，自然用了。”忠勇侯道，“铮小子陪我吃的。”

谢芳华点点头。

“你回你的院子里用吧，这里没有给你准备。”忠勇侯对她摆摆手。

谢芳华走到秦铮身边坐下，摇摇头：“我不饿，晚些时候再回去用。”

“女儿家的身体重要，快去！”忠勇侯一推棋盘，赶秦铮，“你陪她去。天晚了，你就住在忠勇侯府吧。”

“还没下完呢。”秦铮终于开口。

“和你下了三局棋，快倒是快，可是你心不在焉，这棋下得还有什么滋味？”忠勇侯瞪了他一眼，胡子翘了翘，“等崔允来，我找他下，他那个孩子从来不会应付我。”

谢芳华好笑：“爷爷，舅舅都多大了，怎么能说是孩子？”

“在我的眼里，他多大都是孩子。”忠勇侯又挥手赶二人，“你们俩在我眼里，就是俩娃子，看见你们俩就心烦，没有一日不出点儿不愉快的事儿。都赶紧走！”

谢芳华无语。

秦铮站起身，走了出去。

谢芳华紧紧地攥住袖口，看秦铮不管她走了出去，心头有些难受。

爷爷说得对，她和秦铮没有一日不出点儿不愉快的事儿，这样下去，他们能坚持三年吗？她忽然有些疲惫。

大约是自从见了齐云雪，她拿言宸作条件；大约是她和云澜哥哥的血合在一处，真的能解李沐清的媚术，这两件事加在一起，让她觉得有种喘不过气来的感觉。

“还不快走，磨蹭什么？”忠勇侯瞪着谢芳华。

谢芳华坐着没动。

“铮小子在外面等着你呢。”忠勇侯道。

谢芳华看向窗外，秦铮站在荣福堂门口，长身玉立，周身有淡淡的雾气，不知道是夜晚的雾气，还是他身上散发出来的雾气。

似乎是察觉了她的目光，他慢慢地转过身来看向屋内。

隔着纱帘和窗子，屋中昏黄的灯光下，少女显出几分羸弱，周身仿佛笼罩着轻烟。

他看了片刻，忽然转身走了回来。

门帘噼里啪啦地响了起来，转眼间，他便到了谢芳华的面前，一把拽起她，向外面走去。

他的手掌厚实、温暖、有力，脚步虽然快，但是稳，一步一步地出了荣福堂。

到了荣福堂外的僻静处，秦铮转过身，将谢芳华按在了墙上。

猝不及防之下，谢芳华低呼了一声，身子紧贴在了墙壁上。

秦铮低头吻了下来。

谢芳华抬眼看着他。

他伸手盖住了她的眼睛，撬开她的贝齿，品尝她口中的味道。

谢芳华似乎在深不见底的山谷里被人拉了一下，又似乎在黑夜里，有谁点了一盏灯，她被微光刺了一下。

她的呼吸稍有紊乱，秦铮便疯狂起来。

谢芳华若不是紧紧地拽住他的衣襟，几乎从墙壁上滑落。

忠勇侯府人本来就少，现在是夜晚，院内院外没有闲杂人晃悠，但谢芳华依然强忍着，不敢发出声音。

这样的地方，这样的秦铮，这样疯狂灼热的吻，一下子打乱了她心中那些厚重如山峦的乌云，似乎劈开了死死关闭的闸门，水一泻千里。

谢芳华的身子软软的，当她的手再没有力气抓住秦铮时，却被他紧紧地托住。

许久，秦铮放开她已经被他蹂躏得红肿如水蜜桃的唇瓣，气息不稳地贴在她唇边，用沙哑至极又低沉至极的声音问道："我是谁？"

谢芳华一时无法开口说话。

秦铮等了她片刻，又问："我是谁？"

"秦铮。"

"嗯？"秦铮看着她。

"秦铮。"

"确定？"秦铮扬眉。

"嗯。"谢芳华似乎被抽干了所有的力气，低低地应了一声。

秦铮将她柔软的、纤细的、不盈一握的身子抱住，紧紧地搂进怀里："告诉我，外公找你，是怎么救李沐清的？"

谢芳华心下一颤。

“你今日白天对我说，会试着爱我，你不会的，不懂的，我可以教你，哪怕你做错了事情，我对你失望透顶，也让我一定不要放手，不要放弃，任何时候。”秦铮重复谢芳华的话，“我对你说，这样的话说出来，就算到死，我也不会放手，你别后悔。”

谢芳华不吱声。

“你可知道，试着爱，最基本的，就是坦诚？”秦铮放开捂着她眼睛的手，指腹从她的眼睛上滑下，轻轻地摸着她被他吻得红肿的唇，然后微微用力。

谢芳华咝了一声。

“痛吗？”秦铮将力道放轻了些。

谢芳华点点头。

秦铮似乎笑了一下，眉目间有些愉悦，贴着她的额头，温柔地低声道：“我被气狠了，才没了轻重，下次轻些。”

谢芳华脸一红。

她知道他今日被外公推开，又被她派人支开，被气狠了，可是哪怕气，他也没有甩脸子，大怒地质问她，只是这样将她圈住，打碎她的防线，打破笼罩她的乌云，这般风流、缱绻、温柔，却如火焰一般要化开她的心。

她心底的某些东西轰然坍塌，不得不承认，秦铮换了一种谋略，在情事上，她不是他的对手。

“愿意对我说吗？”秦铮抱着她，温柔地摸着她的后背，低声问。

魅族、她娘、谢云澜这些事情谢芳华自己也没理清，实在不知道怎么开口。

秦铮等了片刻，眉目间笼罩上一丝失望，慢慢地、一寸一寸地放开了她。

温暖如潮水般退去，谢芳华一下子感觉到了冷意。

无名山顶的风似乎也不敌这冷意。

当然，这冷意不是来自秦铮的行为，而是来自他的失望，他都这般说了做了，她却不能对他开口，他的失望如此明显，使得她的心底一寸寸发寒。

人不是石头做的。

秦铮不是。

她谢芳华，也不是。

她虽然不知道爱一个人是什么滋味，但是知道，再三失望之后，鸿沟便会铸成，便会成为一道跨不过去的坎儿。

她希望和秦铮之间有一道跨不过去的坎儿吗？

她到底想不想嫁入英亲王府，嫁给他？

她到底想不想试着爱他？

若是他失望的次数太多……

秦铮见她一动不动，眉目间的失望加深，看了她片刻，慢慢地转过身子，对她语气如常地道："我送你回去。爷爷说得对，你还没有吃饭，要好好地养身子。"话落，他伸手拉住她的手，拽着她离开。

谢芳华僵硬地跟着他的步子向前走。

秦铮对英亲王府很熟悉，当下避开了芝兰苑，走了另一条比较远的路。

一路上，他再未发一言。

谢芳华也跟着他沉默地走着。

夜晚的忠勇侯府，各处都灯光明亮，假山、石雕、水榭、亭台、回廊、白玉桥、竹林、花园，因为人少，现出与白日里不一样的柔美，但也正因为人少，显得太安静了。

一路上，谢芳华只听到她和秦铮两个人的脚步声。

足足走了小半个时辰，二人才回到海棠苑。

海棠苑门口，轻歌等在阴影处，见谢芳华是和秦铮一道回来，而且状态看起来不太好，他想了想，没开口，准备避开。

"不用避了，有什么事情？"谢芳华自然看到轻歌了，轻声问道。

轻歌露出讶异之色，主子不让他回避，那是要当着铮二公子的面回禀了？

有些东西，铮二公子适合知道吗？

"你直说就是了！"谢芳华道。

轻歌看向秦铮，见他转头看着谢芳华，夜色太深，他看不出这位铮二公子是什么表情，他犹豫了一下，还是垂首恭谨地道："言宸哥哥已经启程回京了，正在路上，戌时之前定然能到。"

谢芳华一怔："你给他传的信？"

轻歌摇摇头，他亲眼目睹了齐云雪，也亲耳听到了她对谢芳华说的话，主子既然决定不告诉言宸哥哥，他自然也不会传信。

"那他为何急着赶路？是谁给他传的消息？"谢芳华问。

"不知言宸哥哥从哪里得到的消息。"轻歌摇头，看了秦铮一眼，想说什么，又住了嘴。

"齐云雪呢？"谢芳华又问。

轻歌摇摇头："自从她离开了南山坡，便寻不到她的落脚之处了。"

谢芳华沉默片刻："既然已经启程了，那就让他进京吧。"顿了顿，"你见到他就告诉他，李沐清的媚术已经解了，让他进京后安置下来，好好休息，不必来寻我了。"

轻歌垂首应声。

谢芳华刚要摆手，忽然想起一事，又道："你去找找谢云继，爷爷说半日没见他了。秦钰既然对我点破他的身世，今日又因为李沐清之事，应该不会对他出手。皇上为了修建临汾桥，找谢氏盐仓要银两，目前自然也不会拿他如何，但是难保不会出事。”

轻歌点头，见谢芳华再没别的吩咐，他离开了忠勇侯府。

“你进去吧。”秦铮松开她的手，见谢芳华看向他，他笑了笑，“你不会是想要我下厨吧？爷今天可没心情给你做饭。”

话落，他转身就走。

谢芳华一把拽住他的衣袖，手指紧了紧，低声道：“若是我告诉你一些事情，嗯……就如你说的，我既然说了试着爱，就要对你坦诚……你还有没有心情给我做饭？”

秦铮猛地转过身。

谢芳华慢慢地抬起头，眸光中有一抹坚毅。

试着爱最基本的若是坦诚，她如果说了，是不是就不会把这条试着走的路给堵死？

未来如何她不知道，但若是瞒着秦铮，一味地让自己陷入某些纠缠，是不是对秦铮不公平？

毕竟，他对她摊开了一颗心。

毕竟，他是她的未婚夫。

爱之一事，情之一事，她虽然不懂，但也知道是两个人的事儿，不是一个人的事儿。

只有知道了这些事情，他才能想办法和她一起解决，若是他和她一起都解决不了，或者因此而出了什么差错，她也算是做了最大的努力，哪怕他们因此走不远，那她也能不后悔，也能问心无愧。

“你……确定？”秦铮看着谢芳华，眸子忽然暗了下来，声音低得几乎能被风吹走。

谢芳华看着他。摊开一颗心在他面前，也不是那么难吧。她点点头：“确定。”

秦铮忽然笑了一下，背过身子。

谢芳华一怔，看着他，有些拿不准他是什么想法。见他久久不回过身来，她低声道：“若是你这次不听，错失了机会，我以后恐怕就很难说出口了。”

摊开一颗心，她不是什么时候都有这份勇气的。

她押的赌注，不过是她对秦铮的信任罢了。

这么多隐秘的事情，若是押错了，错信了人，传扬出去，会掀起怎样大的风浪？对忠勇侯府，对谢氏，对她，任何不利的事情，她都要受着。

秦铮没吱声。

谢芳华不由得又攥紧了衣袖的一角。他不开口，她就等着他。这么长时间以来，一旦遇到他这种情况的时候，她就看不透他。

夜风吹来，忠勇侯府死一样的静。

过了片刻，前方大门口忽然传来响动，伴随着隐隐的说话声。

谢芳华向前院看去，看来是宫宴终于散席，舅舅和哥哥回来了。

秦钰做的事情，皇上既然派了皇室隐卫跟着他去了漠北，自然是知道的，对于崔允被革了漠北的军职，不知是出于愧疚，还是出于安抚，总之这半日的宫宴，也算是让人看到，武卫将军虽然被革了军职，但也不是灰头土脸回来的，他这么多年驻守漠北，一过也抵消不了近二十年的功绩。

秦铮忽然回头，问她："你想吃什么？"

谢芳华正望着门口，听他忽然出声，立即收回视线，看着他。他这句话的意思，是让她坦白吗？

"嗯？"秦铮挑眉。

谢芳华抿唇，想了一下，说道："包饺子吧。"

秦铮的眉头蹙了一下。

"你不愿意？"谢芳华想着一顿饭换她这么多事儿，总不能太简单了吧。

"你确定大晚上的你要吃饺子？"秦铮问。

谢芳华点头："确定。"

"想吃什么馅儿的？"秦铮看了一下天色。

"你做什么馅儿我吃什么馅儿。"谢芳华也随着他看天色，今天折腾了一整日，他也累了。

秦铮倏地笑了："这回倒是好说话了。行，你回屋等着去吧。"话落，他向小厨房走去。

谢芳华见他脚步轻快，她的心情也忽然好了些。

秦铮走了两步，回头看向他，目光落在她的衣袖上，笑道："我有没有告诉你，你每次紧张的时候，就爱用手抓着衣袖边角呢？"

谢芳华一愣，低头去看，果然她的手还抓着衣袖边角。

秦铮说完这句话，扭头继续向前走去。

谢芳华在门口又站了片刻，直到秦铮去了小厨房，她才后知后觉地放开了紧攥着衣袖边角的手。连她都没发现的事情，他是怎么发现的？

她慢慢地进了院子。

侍画、侍墨在芝兰苑伺候，侍蓝、侍晚、品竹、品青等人见秦铮和谢芳华虽然回来了，但是站在门口说话，都避开了，这会儿见一个人去了小厨房，一个人想着心事进了院子，她们对看一眼，迎上了谢芳华。

"小姐，铮二公子去厨房做什么了？"侍蓝低声问。

"他去包饺子。"谢芳华道。

几人都睁大眼睛，侍晚立即道："要不要奴婢去给他掌灯打下手？没有人帮衬着，他能行吗？”

“你该问的是铮二公子他会包饺子吗。”品竹道。

“你们分两个人去看看。”谢芳华摆摆手，她也怀疑秦铮会不会包饺子。

侍蓝和侍晚立即去了。

品竹过来扶着谢芳华进屋，一边打量她的脸色，一边低声道：“小姐，我看您有些累，让人烧水，您沐浴吧。铮二公子包饺子我看得花不少时间，您沐浴完了，他也差不多了，用过饭后，您就可以休息了。”

谢芳华点点头。

品竹立即指挥人去烧水。

谢芳华迈过门槛的时候回头瞅了一眼，小厨房已经亮了灯，她想了想，对身边的品竹道：“连你自己都不知道的小毛病、小动作，却有一个人都知道的话，会不会觉得有些害怕？”

品竹一愣，讶异地看了谢芳华一眼。小姐和她们不是从小相处，感情不深，她们八人也不过能在小姐回来之后，打点一些她吩咐的力所能及的事情罢了，而小姐性格冷清、沉静，凡事都有主见，只需要她们老老实实执行就行，像这种询问她的想法的事情还是第一次。

见谢芳华看着她，她想了一下，小心地道：“那就要看那个人是谁了。”

“怎么说？”谢芳华问。

品竹捏了一下手指，小声道：“若那个人是自己亲近的人，知道自己的小毛病或者小动作，那是因为和自己亲近，才会关注得多。比如，我们八人，从小长在一起，吃、睡在一起，自然知道其他每个人的优点和缺点。若那个人不是自己亲近的人，那就是对自己的观察太过入微，这样的话就要好好思量了，是有什么目的，还是这个人太过厉害，以后最好改掉这个小毛病，免得被人察觉了心底的想法并据此去行事，对自己不利。”

“是这样吗？”谢芳华思索。

“我觉得是这样的。”品竹观察谢芳华的表情，见她看向厨房，想着这件事情定然与铮二公子有关，顿时笑了，悄声道，“小姐，您说的那个人若是铮二公子，他对您的小毛病、小动作都知道，而您自己都没发觉的话，那么您大可以放心，一定是因为铮二公子太喜欢您了，他对您的心，那可是天下人都知道，可昭日月。”

谢芳华的脸顿时一红，下意识地反驳：“不是他。”

品竹拉长音哦了一声，笑嘻嘻地道：“小姐，您进屋去照照镜子，说谎的孩子没糖吃。”

谢芳华忍不住笑了，露出一丝羞赧，瞪了品竹一眼：“我这里不用你伺候了。”丢下一句话，便进了屋。

品竹难得见到谢芳华小女儿家的模样——整个人似乎都带着春色，美艳不可方物，她睁大眼睛，呆了片刻，觉得小姐若是在铮二公子面前露出这般样子，铮二公子的魂怕是都能被她勾去。

她在内心惊叹了一声，退了下去，想着整座南秦京城，怕是再没有哪个女子能美过小姐了，她清冷的时候，有清冷的美；沉静的时候，有沉静的美；温婉的时候，有温婉的美；而这样小女儿家羞恼嗔怪的模样，却是最美。

可惜，铮二公子在厨房包饺子呢，看不见。

她有些惋惜。

谢芳华进了屋，掌了灯，不知不觉走到镜子前，看了一眼，想到品竹对她的揶揄调笑，她忍不住啐了一口，离开镜子，半躺在软榻上。

她一直没觉得自己有什么好。

上一世，她是真真正正的忠勇侯府小姐，学的是女训女戒闺仪礼数，哪怕爷爷、哥哥将她娇养，她也是端庄温婉，贤良淑德，是真正的世家大族的闺秀。

这一世，她丢的东西太多了。虽然血脉改不了，但是她出府多年，学的是筹谋算计，做的是打打杀杀，踏着鲜血汇成的红河从无名山爬出来，外人在的时候，她会装着端着，可她的骨子里，早已经对那些大家闺秀的端庄淑雅不以为然了。

不多时，品竹带着人站在门口：“小姐，水烧好了，您要沐浴吗？”

谢芳华嗯了一声。

品竹带着人将木桶抬到屏风后放下，她知道谢芳华习惯了自己沐浴，便带着人退了出去。

谢芳华起身，拿了干净的衣服，去了屏风后。

将自己浸入热水里，她还是没去想一会儿该如何对秦铮说那些事儿，反而是一些乱七八糟的想法在脑海中盘旋，比如秦铮怎么会喜欢这样的她，还是这就是他说的爱。

大约过了半个时辰，从厨房传来侍蓝的说话声：“铮二公子，您真厉害，这么快就包完了，完全不用我们帮忙。”

“是啊，好厉害！我们学了半天，连您包的这个花样子也没学会。”侍晚道，“实在太难了！”

“小姐在沐浴，不知道沐浴完了没有。奴婢去问一声，若是沐浴完了，您就进屋喝口茶吧，饺子交给我们煮。”品竹说着向屋中走来。

没听到秦铮的说话声。

谢芳华被几人的说话声拉回神，连忙从浴桶出来，擦干了身子，穿了一件软袍，从屏风后走了出来。

品竹推开门，挑开帘子走了进来，一眼就看到了谢芳华，回头对着外面笑："看来小姐是听到我们的说话声出来的。侍蓝，让铮二公子进屋吧。"

侍蓝站在厨房门口，对着里面传了一句话。

秦铮总算传出了声音："凡事有始有终，包饺子也是一个道理。不用你们，我自己煮。"

几人闻言都不吱声了。

谢芳华穿的是在室内行走方便的软绸，不好踏出门，闻言便站在屋门口挑着帘子等着。

大约等了一盏茶的时间，秦铮端着一大盘饺子从小厨房走了出来。

他身材颀长，清俊秀美，贵气逼人，即便手里端了一盘饺子，也没折损他二公子的气度。

都说君子远庖厨，可是秦铮为了她，丝毫不避讳。

谢芳华看着他，目光不禁柔软了些。

秦铮踏出房门后，便看到了沐浴后着了一件宽松软锦站在门口等着他的谢芳华，美得如一幅画一般，他挑了挑眉，似乎感觉到了她目光的柔软，脚步不禁放慢放轻了些。

谢芳华忽然忍不住打趣："这是谁家的俊秀公子？"

秦铮的脚步猛地停住。往常这样打趣调笑的话只会从他的口中说出来，如今出自谢芳华之口，就如石头突然投进了本就不平静的湖里，激起了一层浪花。

这句话脱口而出后，谢芳华才后知后觉地觉得自己像是调戏良家妇女的纨绔子弟，偏偏她是个女子，竟然对男子说这样的话，依着闺训，就是轻浮放荡，她顿时脸一红，可是又不想因此在秦铮面前怯了阵，然而说出去的话，泼出去的水，收也收不回来。

一时间，她觉得自己今天真是……

秦铮停顿了一下，忽然笑了，如满院的冷梅绽开，他回道："你家的。"

谢芳华闻言呆了一下。

秦铮笑着向她走来。

谢芳华到底面皮薄，尤其是品竹等人还在外面听到了，她跺了一下脚，转身进了屋。

小厨房外没离开的侍蓝、品竹等人捂着嘴笑，想着小姐这是搬石头砸了自己的脚。

秦铮忽然停住脚步，对乐得最欢的品竹招手。

品竹立即噤了声，连忙向他走去。

秦铮见她走到面前，才低声问："你家小姐……嗯，今日是不是有些不一样？"

品竹立即点点头。何止是不一样，简直是太不一样了！

秦铮对她摆摆手，挑开帘幕，进了屋。

谢芳华坐在桌前倒茶，除了眉目间还能隐约见到一点儿羞恼，便看不出异常了。

秦铮走到近前，放下盘子，打量着她。

谢芳华不看秦铮，将斟好的茶推到他面前，想着满满一大盘饺子，她定然吃不完，遂问他："你要不要再吃些？"

秦铮点头，慢慢地挨着她坐下："早先在爷爷那里没什么胃口，这会儿饿了。"

谢芳华顿时想起了答应他的事儿，眉目间的羞恼之色彻底消散，低声道："那我们先吃饭，吃完饭，我慢慢跟你说。"

秦铮嗯了一声，低低的，柔柔的，眉目含情。

谢芳华的心颤了一下。

侍蓝、侍晚端着碗碟走了进来，给二人摆好，抿着嘴笑着退了下去。

谢芳华将饺子分开，一人一半。

秦铮没意见，喝了口茶，拿起了筷子。

二人谁也不再说话，慢慢地吃着，这一顿饭比二人往日在一起吃饭时都沉默，但是偏偏有一种寻常时候没有的温暖。

一盘子饺子被二人不知不觉地吃完了。

饭后，侍蓝收拾碗筷，谢芳华和秦铮对坐着喝茶。

一盏茶喝罢，谢芳华总算斟酌好了，慢慢地开口："我娘的身世，你知道吗？"

秦铮讶异："她不是博陵崔氏的女儿吗，难道……"他住了口，摇摇头。

谢芳华想着英亲王妃保存了多年娘的东西，却连她的儿子都不知道，对娘来说，她这个手帕交做得真是极好。她不由得对英亲王妃更敬重了，低声道："我娘不是博陵崔氏的女儿，她是……"

她将崔荆对她说的秘辛，娓娓道了出来。

秦铮的目光先是惊讶，当听到她娘是魅族的圣女一脉时，目光落在谢芳华的手腕上，想到她的血液能救活莲花兰，顿时了然地点头。

这件事说罢，谢芳华沉默了一会儿，给自己满了一杯茶，慢慢地喝着。

秦铮知道她还有事情要说，便静静地等着她。

谢芳华一盏茶喝罢，继续道："关于云澜哥哥，外公知晓他中了魅族的王族绝咒焚心之后，便对我说，只有魅族王室一脉的人，才会中王族秘术，所以，他怀疑……"

她将崔荆如何怀疑谢云澜的身份，今日又如何看破了谢云澜的封印，又如何将他和她的血融合制药给李沐清解媚术，一一说了出来。

秦铮本来微微讶异的面色变为惊异，最后，又变为深深的震惊，细看之下，眼底还有着隐隐的不敢置信和茫然。

若是没有喜欢她，爱她，那么，这些事情都与他无关。

可如今他是她的未婚夫，又那么喜欢她，甚至一往情深，那么，便与他有着天大的关系。

关于他们的婚事和未来！

谢芳华看着秦铮一双眸子随着她的话，短时间内出现如此丰富的情绪，甚至完全掩饰不住，她暗暗叹了一口气，就知道这样的事情说出来，以他的聪明，会想到什么。

所以外公才没敢当着他的面说。

所以，她才将他支开，避着他。

可是他是秦铮，已经学会了不对她咄咄逼人，已经学会了用婉转的方式和温柔的深情一寸寸地击溃她的防线，让她相信他，进而和盘托出。

大约半盏茶后，秦铮目光中所有的情绪终于慢慢隐去，问她："还有吗？"

谢芳华想了想："还有天机阁，关于言宸……"她顿了顿，"无名山里面活着的人也不全是僵尸，我们进去的那批人里，心智坚强者，没有被鲜血、白骨以及迷幻邪术侵袭心智的人，还是有不少，所以，我和言宸制造了一场内乱，那时候，他带着一批人趁机下了无名山，建立了天机阁。"

"他北齐小国舅的身份，你是什么时候知道的？"秦铮问。

"我以前只知道他是北齐玉家的人，并不知道是传说中的小国舅。"谢芳华摇摇头，"进无名山的人，没有人问出身，高门大户里的公子哥被迫害去无名山的，数不胜数。那时候，我们只知道一点，就是想方设法保住命。"

"他是什么时候知道你是女儿家及你的身份的？"秦铮又问。

"我请他下山建立天机阁的时候表明了身份。那时候，我暗中收服人，被他发现了。"谢芳华笑了一下，忽然低下头，"也就是那个时候，我知道了他有未婚妻。"

秦铮忽然眯起眼睛："你是不是许诺过他什么？"

谢芳华知道秦铮太过聪明，一句话和一个表情都瞒不过他，况且她今日也没想瞒，点点头，声音很平静："我跟他说，我自小未和人订婚，我是忠勇侯府的小姐，我去无名山，就是为了保住忠勇侯府，所以，他若是有心，我们就订下婚约，我助他离开无名山，但是他下山后，要帮我建立天机阁。"

秦铮握着杯子的手忽然攥紧，怒道："为了忠勇侯府，你连自己的婚约都能牺牲吗？"

谢芳华抬起头，看着他，轻声道："我那时候不记得你了，也自认无情无爱，婚约对我来说不算什么，我的命都能不要，更何况婚约？"

秦铮忽然失声。

"忠勇侯府虽然忠心，但我可不是忠君为国的人，我只为我的家人和族人。我姑姑既然能嫁去北齐做皇后，我也能嫁去玉家，只要保证忠勇侯府完好无损。"谢芳华慢慢地道，"没想到，他有未婚妻。"

"后来他拒绝了？"秦铮压下情绪，声音平静了些。

"嗯。"谢芳华点头，"他说不用婚约，用盟誓就好了，我们歃血结盟，我助他出无名山，他帮我建立天机阁，只要我能出无名山，天机阁就是我的，我只要用他一日，他就忠心不二，不离不弃。那时候，我心中无情，他想必也是无情的，只是后来，他建立了天机阁，我打通了无名山密不透风的牢锁，我们每月便可以互相通信。"

秦铮忽然一把将她拽到了怀里，抱着她坐在自己的腿上，唇滑过她纤细的脖颈，声音低低的，却带着一股难以言说的味道："你们在通信中，是不是……你喜欢上了他？嗯？"

谢芳华本来打算让这件事烂在心底，哪怕天机阁的人都误会她舍了为她累死累活的言宸而选择秦铮，她也不会说，可是既然坦白了，便觉得没什么可隐瞒的了，而且有些微妙的情绪，被秦铮这样一问，忽然就散了，她道："我也不懂什么是喜欢，大约有些吧，但我知道，他是有未婚妻的人，我是断然不会去夺的。"

秦铮轻轻哼了一声，有些吃味地道："我还要感谢他有未婚妻了？"

否则，一旦她私下订了婚约，哪怕他在灵雀台对她逼婚，依着她一言九鼎的性子，即便破釜沉舟捅破言宸的身份，也不会在他的逼迫下应允他。

谢芳华笑着躺在他怀里，点头："是啊，你还真该感谢他有未婚妻。"

"爷是想感谢他的未婚妻，可惜，她不给面子就算了。"秦铮低下头，狠狠地吻住她。

谢芳华伸手捶了他一下，便任由他吻着。

秦铮带着惩罚似的吻在谢芳华唇舌间纠缠了几圈后，才算消了些火气，放开了她，对她问："还有吗？"

"还有什么？"谢芳华被他吻得有些迷糊，摇摇头。

"你第一次见谢云澜，便对他不同寻常，这里面有缘故吧？"秦铮盯着她。

这可真是抓住机会毫不含糊地要将她一次挖个干净！

谢芳华的脑子轰地响了一下，她是因为重活了一世，有上辈子的记忆，才对云澜哥哥有很深的感情，是源于上一世忠勇侯府被灭门后……

这点让她怎么说？

"果然是还有，这事不好说吗？"秦铮看着她，见她那张本来因为他的亲吻染上了春情的脸上现出挣扎，他有些想不通，这三桩秘辛，她娘的身世，谢云澜和她的魅族血脉，还有天机阁和言宸都告诉他了，还有什么天大的事情，比这三件事还大的。

见她脸色变幻，秦铮忽然放弃了，温柔地亲了亲她："算了，今日你能说这些，我已经知足，留一桩就留一桩吧。"

第二十一章

离奇失踪

谢芳华听到秦铮的话，长长地舒了一口气。

若是让她说重活一世的事儿，她还真不知道该怎么说她和云澜哥哥的那些事。

毕竟，那都是上一辈子的事儿。

这一世，只要忠勇侯府不灭门，那些事情便不会再出现了。

她又何必拿出来给秦铮增添心结和烦恼？

更何况，有些事情，她的记忆已经模糊，若不是外公说紫云道长为她逆天改命，这么多年过来，她还以为做了一场大梦而已。

秦铮见谢芳华松了一口气的模样，暗暗想着他以后一定要死盯着谢云澜。

魅族的古训他自然知道，魅族的王族一脉和圣女一脉互通婚姻，才能保证魅族血统的纯净。虽然谢英和崔玉婉之事打破了魅族古训，但他们双双死了。谢云澜和谢芳华的血合在一处能解世间各种毒和术，想来就是传自王族嫡系和圣女嫡系，也许，还是那一脉的佼佼者。

也就是说，依照魅族的古训，他们是要大婚的！

可是他怎么能准许？

谢芳华只能是他的！

秦铮低头亲吻着谢芳华，感觉到她的乖顺，他愈发温柔，似乎要将她溺死在这温柔里。

谢芳华被他吻得脑袋有些晕眩，手不由得攥紧他的衣襟，心随着他的吻，或轻柔或热烈地跳着。

过了片刻，秦铮喘息着放开她，无奈而克制地道："要等三年才大婚，我怕是忍不到那时候。"

谢芳华眸中水汽盈盈，闻言瞅着他，似乎没听懂。

"笨蛋！"秦铮捂住她的眼睛。

谢芳华想了一会儿，才恍然大悟他说的是什么，脸不由得通红，一把推开他，从他怀里跳了出来。

秦铮伸手去捞，她敏捷地躲过，他顿时挑起眉。

谢芳华立即走到窗前，伸手打开了窗子，夜晚清凉的风扑面而来，蹿进屋内，屋中暧昧的气息顿时消退了些。

等有些昏热的脑子清醒了一些，谢芳华才回头看秦铮。

秦铮无奈地看着她："我是说三年忍不住，又没有说今天忍不住。"

谢芳华瞪了他一眼，看着他有些难受的神色，弯了弯眉眼，咳了一声："你可以去花楼。"

"你让我去喝花酒？"秦铮瞪眼。

谢芳华抿着嘴笑："谁家公子这么有节操？喝个酒怕什么，那里的女人能吃了你？"

秦铮见她站在窗前，身段纤细，配合她的调笑，更显百媚千娇，让人恨不得搂在怀里，好好地怜爱一番。心口突然涌上一股热潮，他忍了几忍，才压着没站起身拽过她。他哼了一声："你家的！喝个酒是不怕什么，我怕那里的女人吃不了我，但我得了失心疯回来，一准吃了你。"

谢芳华看秦铮的脸色来回变幻，带着明显的克制和压抑，她心里惊了惊，暗暗想着还是别惹他了，她将手放在唇边，思索了一下，问他："天色不早了，你是留在忠勇侯府，还是回英亲王府？"

秦铮扶额，他如今身体难受得像被火烧，能留在这里吗？留下来这一夜不用睡了，还不得难受死？他摇摇头："不留了，我回英亲王府。"

谢芳华有些讶异，往日里他都死皮赖脸地留在这里，今日这是转性了？不过他不留在这里也好，免得她也睡不好。她点点头："那你回去吧，路上小心些。"

秦铮嗯了一声，慢慢地站起身。

这时，外面传来脚步声，须臾，侍书进了院子，他一眼便看到谢芳华站在开着的窗前，便站在院中禀告："小姐，铮二公子在您这里吗？"

秦铮知道是来找他的，抬脚出了门，门外的凉风让他身上的燥热退去了些，他问侍书："我在，你家世子找我？"

"不是我家世子，是四皇子。"侍书连忙道，"芝兰苑的席面散了，四皇子让找到您问问，跟不跟他一起回英亲王府。您若是不回去，他一个人也懒得动弹，就歇在忠勇侯府了。”

秦铮闻言冷哼一声：“他如今在哪里？”

“还在芝兰苑。我家世子和舅老爷回来了，都喝了不少酒，但也没太醉，在芝兰苑聊天。”侍书道，“天色不早了，云澜公子和李公子要回府，四皇子知道您没走，差我问问。”

“我去芝兰苑找他。”秦铮说着，向外面走去。

侍书连忙跟上他。

不多时，二人出了海棠苑。

谢芳华目送秦铮离开，手指在唇上轻轻压了一下，有些麻痛，她想起被他抱在怀里亲吻的场景，脸顿时涨红，即便凉风透过窗子吹来，身子也热得慌，她连忙放下手，打断脑子里的联想。

又站在窗前待了片刻，谢芳华转身去了床上。

躺在床上，谢芳华并没有困意，忽然想起那妇人给她的物事，腾地坐了起来，谢氏米粮老夫人的临终之言和那妇人给她的东西，她忘了对秦铮说。

她连忙下床，将门窗紧紧地关上，然后找出那个物事。

打开绢帕，里面是一个织锦的袋子，袋子的口紧紧地缝着，她用指尖轻轻挑开，里面是一卷牛皮纸，像是卷宗。

外面用小篆写着“云澜芳华”四个字，下方用梵文写着谢云澜和她的生辰。

怪不得那妇人将这个东西交给她，的确和她有关。

她顿了片刻，慢慢地打开牛皮纸卷。

里面什么也没有。

这么厚实的一卷，不可能什么也没有，只可能是用特殊的方法写上去的。

她捧着牛皮纸研究了片刻，细细地摸着牛皮纸，忽然了然。她刚要将牛皮纸放在火上烤，忽然想起了什么，又住了手。

这个东西是云澜哥哥家里传出来的，就算事关她，是否也应该征得他的同意？

她对外面喊；“品竹。”

“小姐。”品竹立即来到门口。

“你去芝兰苑看看云澜哥哥走了没。”谢芳华犹豫了一下，“你悄悄地打听。他若是回府了，就算了；他若是没回府，你让他稍后暗中来我这里一趟。”

“是。”品竹转身去了。

谢芳华静静地等着。

不多时，品竹回来了，与她一起回来的还有侍画和侍墨。她低声禀告："小姐，云澜公子和李公子、铮二公子、四皇子一起走了，刚刚出府。"

"那就算了。"谢芳华叹了口气，将牛皮纸卷重新收了起来，"你们下去休息吧。"

也许，有些事情，不一定非要现在去弄个清楚明白。

现在弄个清楚明白，未必就是好事。

她与云澜哥哥现在这样也没什么不好。

品竹、侍画、侍墨齐齐应声，退了下去。

谢芳华转身去了床上，熄了灯，没多久便睡着了。

第二日清早，天还没亮，门外便传来轻歌的低喊："主子。"

谢芳华睁开眼睛，听出是轻歌的声音，立即披衣下床，走到窗前，打开窗子，见品竹等人已经发现了轻歌，都从房中出来，她摆摆手，对轻歌道："你进来说。"

轻歌立即进了屋。

谢芳华见他一身疲惫，看起来一夜未睡，便询问道："怎么了？"

"昨夜，您让我查谢云继，查了一夜，谢云继就跟人间蒸发了一般。"轻歌道。

谢芳华一惊，顿时立起眉："查不到他的下落？"

轻歌点点头。

"他没回谢氏盐仓？"谢芳华问。

轻歌摇摇头："没有，整座京城都翻了一遍，也没有找到他的踪迹，我怀疑他出了南秦京城。"

谢芳华眯起眼睛："我曾经叫天机阁的争云、夺日跟着他，他们呢？"

"联络不上他们。"轻歌道，"他们像是跟着他失踪了。"

谢芳华顿感不妙："是不是有人对他下手了？你可查了皇室隐卫，查了秦钰？"

轻歌点头："昨日戌时前，言宸哥哥进了京，我便将此事与他说了，他都没休息，便调遣人与我一起查。皇室隐卫昨夜根本就没有动静，四皇子也甚是平静。左相府、右相府也都查了，没人出手。我们甚至连铮二公子也查了。"

谢芳华面色微变："连言宸都出动了，也没查到他的下落，争云、夺日也跟他一起失了踪迹，他十有八九是真的出事了。"

"谁能对他出手呢？皇上找他要银两，银两没拿出来之前，定然不会让皇室隐卫动他。临汾桥修筑是大事，四皇子也不可能在这时候动他。左、右相要动他的话，我们不可能查不出动静，再说也未必动得了他。"轻歌实在不解。

"云澜哥哥那里呢，去问了吗？"谢芳华询问。

"问了，没在。昨日云澜公子也跟着查了。"轻歌道，"到目前为止，一样没消息。"

“那就是出京城了。”谢芳华神情凝重，忽然问，“放在云澜哥哥手里的那两个人，可还在？”

“在的。”轻歌道。

谢芳华思索了片刻，压着情绪道：“言宸昨日进京，可曾见到齐云雪？”

轻歌一拍脑门，惊骇地摇头：“昨日言宸哥哥进京，竟然没看到她的身影。我们连番彻查之下，也没见到她。主子，您说会不会是她……”

谢芳华的心一沉，昨日言宸进京，齐云雪竟然没见他？谢云继却无声无息地失踪了。她问：“言宸如今在做什么？”

“言宸哥哥本来要一早来您这里，但他实在累坏了，我劝他休息，说由我来禀告您。”轻歌道。

谢芳华点头：“嗯，让他好好休息吧。”话落，又问道，“云澜哥哥在做什么？”

“今日是谢氏米粮老夫人出殡的日子，他一大早就去谢氏米粮了。”轻歌道。

谢芳华扶额，谢氏米粮老夫人出殡的日子她怎么能忘了！她摆摆手：“让人往京外查，尤其是回北齐的路，严查。齐云雪能悄无声息跟在秦钰身后进京，连我和云澜哥哥与秦钰在一起时都没发现，可见她的本事。加上她的身份，也许云继哥哥就是被她带走了。”

“是。”轻歌颔首，他没想到言宸哥哥的这个未婚妻竟然如此厉害。

轻歌离开后，谢芳华在窗前站了片刻，对侍画、侍墨道：“你们去芝兰苑询问一声，今日是谢氏米粮老夫人出殡的日子，哥哥去不去吊唁。若是他也去，我们一起去。”

“是。”二人应声，立即出了海棠苑。

不多时，二人回来，轻声禀告：“世子说正要派侍书来询问您，既然您记着日子，便去世子那里用膳吧，稍后一起去。”

谢芳华颔首，然后梳洗妥当，换了一件素淡的衣裙，出了海棠苑。

侍画、侍墨、侍蓝、侍晚四人跟着，品竹、品青等四人留在院子里。

不多时来到芝兰苑，谢墨含正在门口等着，他也换了一件素色的锦缎衣衫，大约是昨日饮酒有些多，气色看起来不是太好，见谢芳华来了，他未语先笑，喊了一声：“妹妹。”

谢芳华有些不满地看了谢墨含一眼：“哥哥昨日怎么喝了那么多？不知道你身体不好，喝酒伤身吗？”

“昨日皇上和朝中众位大臣向舅舅敬酒，你知道舅舅毒伤未愈，怎么能多喝，我只能帮舅舅挡了几杯。”谢墨含无奈，“还算醉得不太厉害。”

谢芳华也能猜到昨日半日宴的情形，点点头，不再批评谢墨含，转而问他：“舅舅呢？宿在了哪里？”

“碧水轩。”谢墨含道，“外公也搬去了，父子俩昨日说了一夜的话，今日天快亮了才歇下。”

谢芳华点点头。外公和舅舅近二十年没见面，哪怕舅舅昨日喝了不少酒，也是免不了要多说些话的。

“进屋用膳吧。”谢墨含温和地道。

谢芳华跟着谢墨含进了屋。

画堂里，侍书早就摆好了早膳，二人安静地吃了，之后一起出了芝兰苑。

二人先去荣福堂禀了忠勇侯，忠勇侯没说什么，只摆摆手，兄妹二人便出了荣福堂。

来到府门口，马车已经准备妥当，二人一起上了马车，向谢氏米粮而去。

车上，谢芳华对谢墨含说了谢云继失踪一事，谢墨含面色大变。

谢芳华又简单地与他说了言宸和齐云雪之事，猜测是齐云雪带走了谢云继，又说齐云雪既然是跟着言宸来的南秦，言宸也许能猜出几分她的意图。

幸好齐言轻和玉云水都在谢云澜的手里，齐云雪就算拿了谢云继，也不会将他如何。

谢墨含这才放心了些，点点头，对谢芳华道：“这件事情恐怕要让爷爷和谢氏盐仓的叔父知道。待吊唁完谢氏米粮老夫人，我便去找叔父商量。”

谢芳华点头，谢云继养在谢氏盐仓，如今他的身份暴露导致失踪了，的确该让叔父知道。又想起舅舅回京的职位安置，她问：“皇上昨日可透露了如何安排舅舅的官职？”

“昨日皇上说了，想让舅舅进吏部。这么多年来，他虽然在外驻军守边，学的是行军打仗、兵法武术，但是皇上还记得他昔日文采亦斐然。而且，皇上想让四皇子执掌吏部，今秋科举选拔一批官员，想让舅舅协助四皇子。”谢墨含道。

谢芳华一惊：“吏部是六部之首，掌管官吏任免、考核、升降等事，是群臣之首重之地，多少人挤破脑袋想进吏部。皇上给了秦钰一点儿也不奇怪，可是为何要将舅舅放在吏部？”

谢墨含摇摇头：“我也不知皇上是何打算，看不透。”

“舅舅怎么说？”谢芳华问。

“舅舅推辞了，说漠北风沙严峻，他老了，想辞官回去种田，享享福。”谢墨含道。

谢芳华非常讶异，没想到舅舅要辞官归乡，不过细一想，很快就想通了，如今谢氏和皇权的关系已经薄得如一张窗户纸，皇上的精力日渐不支，舅舅好不容易捡了一条命回来，恐怕是不想被皇上利用，她问："皇上同意了？"

谢墨含摇摇头："本是宴席上的言语，皇上没点头也没摇头，只说让他先在京中养伤，稍后再说此事。"

"这样模棱两可，恐怕是另有打算。"谢芳华道，"回头秘密地找皇上身边的人打探一下皇上的意思，打探不出来的话，就暗中找吴公公，他伺候皇上多年，总能猜出几分意思。"

谢墨含点头："我也是如此想法。"

兄妹二人不再说话

半个时辰后，马车到了谢氏米粮府邸。

谢氏米粮虽然是商贾之家，但因为是谢氏分支，又暗中被皇上拉拢，所以，朝中有眼力的朝臣还是来了不少吊唁送行的。门口挤满了车马，进进出出，络绎不绝。

忠勇侯府的马车刚停在门口，便有接待的人迎上前。

谢墨含和谢芳华一起下了马车，由人领着向里面走去。

谢氏米粮老夫人的棺木停在前院，吊唁的人陆续上前。谢氏米粮的家主守在棺木前，有人吊唁，他一一还礼，他的身后站着几名年轻的男子，也跟着他一起还礼。

谢云澜站在几名年轻男子中间，穿着一身黑衣，没有披麻戴孝，但面上有着深深的怆痛，与其他披麻戴孝的兄弟比起来，更显孤寂。

他排行第三，且已经自立门户，即便不披麻戴孝，也无人敢挑剔。

见谢墨含和谢芳华来了，一群人向二人看过来。

谢氏米粮的家主愣了一下，立即迎上前，拱了拱手："世子，芳华小姐，你二人来了，老夫人定会走得欢喜。"

谢墨含拱拱手："叔父，我和妹妹来送老夫人一程，老夫人一生辛劳，如今是菩萨召唤去享福了。"

谢芳华对谢氏米粮家主微微行了一礼："哥哥说得正是。"

谢氏米粮的家主虽然心情沉痛，闻言似乎大感宽慰，点点头，请二人上前。

谢墨含先上前吊唁。

他吊唁完之后，谢芳华慢慢走上前。

一旁的小童刚要将香草递给她，谢云澜忽然走上前，对那小童道："给我吧。"

那小童愣了一下，二话不说地递给谢云澜。

谢云澜接过，递给谢芳华。

谢芳华点点头，上前吊唁。

虽然是简单的一接一递，可是周遭人的面色不约而同地变了几变。

今日吊唁的人不少，甚至有朝中的三品大员，谢云澜都不曾上前为谁递上香草，连谢墨含上前时他也没有，偏偏谢芳华上前时，他却递了。

这是让谢氏米粮的所有人知道，谢芳华在他心里的位置不同一般。

谢氏米粮这位云澜公子，从众公子中脱颖而出，在谢氏米粮的地位极其超然。不止谢氏米粮内的人，外面的人也知道，谢氏米粮现在当家做主的，不是如今的家主，而是这位公子。

很多人也想起，老夫人辞世的那日，特意派人喊来了这位芳华小姐，似乎是交代了临终之言。至于临终之言到底是什么，除了云澜公子，连家主都不知道。

一时间，很多人又对谢芳华多了一番思量。

谢芳华并没有理会周遭人的神色，多吊唁了片刻，才缓缓地退出来，对谢云澜道："云澜哥哥，我就不送老夫人出府门了。"

谢云澜点点头："你和世子回去吧！"话落，他对风梨道，"你送世子和芳华。"

风梨立即上前，恭敬地为谢墨含和谢芳华引路。

二人不再多待，由风梨送着，一起向外走去。

走得远了，谢芳华还能感觉到许多道视线凝在她的后背上。

出了府门，二人正巧碰到前来吊唁的谢氏六房夫妇。

谢墨含和谢芳华齐齐喊了一声："六叔父，六婶母。"

六老爷点点头，没说什么，明夫人则上前，拉住谢芳华的手，感慨地道："自从这院子里的老夫人去了，我娘心里一直不好受，我在府中伺候着，没去看老侯爷，他老人家心里也一定不好受吧？"

谢芳华点点头："爷爷当日来了，没来得及和老夫人说一句话，听说老夫人已经去了，便折回去了，心里的确是难受得紧。"

明夫人叹了口气："伊姐儿也要跟来，可她毕竟年纪小，这里来来去去外人多，我便没让她来。她多日没见你了，可是想得很，若是知道我在这里碰到你，定会怪我没带上她。"

"过几日我闲下来，就给伊妹妹下帖子，请她去忠勇侯府吃茶。"谢芳华道。

"那她估计要美坏了。"明夫人拉着她的手，向一边走去，声音也低了些，"长房如今还被御林军围困着，我听说府内乱作一团，府中的嚼用也不让出去采买，甚是严苛。前几日我勉强托人送进去了一些东西。法佛寺的事情皇上看起来是因为郾城刺杀和临汾桥之事暂时搁置了，难道里面的人一直这么被围着？"

谢芳华没说话，这些日子，事情接连不断，她自然无心理会长房如何。

"大嫂做下了那事情害你，实在是令人心寒，就我这个弟妹而言，她死不足惜，如今听说大伯和大嫂都病了，茵姐儿等府中的几位公子小姐日日都不得好眠。"明夫人叹了口气，"只是可怜了云溪那孩子。"

“云溪哥哥在府中如何？”谢芳华想起谢云溪，不由得问了一句。

“御林军看守得很严，别说里面的人出来，就是一只苍蝇都飞不进去，还不知道他如何。”明夫人摇摇头，“我前两日见到族长，族长和我提了这件事，想去找老侯爷和世子讨个主意，长房的人总不能一直被关着，但是谢氏米粮老夫人去了，他知道老侯爷心里定然难受，也没敢拿这件事情去烦他。”

谢芳华是聪明人，这一番话自然是听明白了，原来是族长借明夫人之口传信给她，再借她之口传信给爷爷和哥哥。她点点头：“六婶的意思我明白了，我回府后会转告爷爷和哥哥，听听他们的意思。”

“族长主要甚是喜欢云溪那孩子，怕他就这么折在里面。”明夫人低声道，“云溪那孩子是个人才，长房难得出来这么一个根骨清正的，若是这样折损了，是我们谢氏的损失。惩戒长房那些人没关系，必须保下他，把他摘出来。”

“我也很喜欢云溪哥哥，爷爷和哥哥对他也甚是喜欢。”谢芳华颔首，“六婶放心吧。您回去给族长递个话，就说爷爷和哥哥没忘了谢氏长房。长房是我们谢氏一脉，爷爷和哥哥总会有个打算的。”

“这我就放心了。”闻言，明夫人松了一口气。

二人就此事说罢，便在谢氏米粮门外辞别，谢氏六老爷和明夫人进了府，谢墨含和谢芳华上了马车。

马车内，谢芳华将明夫人的话向谢墨含陈述了一遍。

“这件事情我前几日和爷爷商议过，打算让御林军再围困长房些日子再作打算。还有十日就是英亲王的寿辰了，裕谦王带着两位公子进京给英亲王贺寿，顺便彻查那珠子的事儿。届时再拿长房出来做文章，将法佛寺的事情彻查一遍。”谢墨含道。

谢芳华颔首：“裕谦王如今走到哪儿了？”

“据说到郾城了，最多五日便能进京。”谢墨含道。

谢芳华点头：“临汾桥之事闹得太大，皇上本来想要给英亲王大办寿辰，现在怕是要简办了。”

“英亲王已经说了，一切从简。”谢墨含道，“出了临汾桥这样的大事，一下子得拿出多少银两？无论短了哪里，都不会短了军粮，军费不能动，这才是皇上不敢动国库的原因。另外，今年有人算出会大涝，恐怕不止一座临汾桥怕水患，这一年用到银子的地方多得是。”

谢芳华笑笑：“有皇帝焦头烂额的时候，他越是焦头烂额越好，看他还会不会一个劲儿地盯着我们谢家。”

谢墨含叹了口气：“若是拿百姓的家园性命换我们的安然无恙，实在不忍。”

“国家危难的时候，皇室才会想起我们谢家的好处和功劳。”谢芳华不以为然，

"天下百姓过得好还是过得苦，我不管，我也管不着，也轮不到我管，我只管我们家。既然这是他们家的江山，皇室、宗室享受尊荣和礼遇，自然就应该由他们负责南秦百姓。"

谢墨含摸摸谢芳华的头，笑道："妹妹说得也有些道理。"

谢芳华理所当然地接受了哥哥的夸奖。

马车离得谢氏米粮府邸远了，谢墨含问："你要去哪里见言宸？我先送你过去，再去谢氏盐仓。"

谢芳华挑开帘幕向外看了一眼，对他道："哥哥，就在这里停车吧，我自己过去。"

"那怎么行？"谢墨含摇头。

"怎么就不行了？忠勇侯府的马车在街上晃眼得很，我自己还能隐蔽些。"谢芳华说着，便跳下了车，对谢墨含摆摆手。

谢墨含只能摇头，叮嘱她小心，然后吩咐车夫向谢氏盐仓驶去。

谢芳华知晓言宸来京会落脚在哪里，目测了一下方位，便抬脚走去。

她刚走了两步，秦铮忽然从转角处走出来，迎面拦住了她。

谢芳华一怔，看着秦铮，讶异地问："你怎么在这里？"

"你是不是要去见言宸？我跟你去！"秦铮对她道。

谢芳华闻言打量着他，见他今日似乎刻意地装扮了一番，穿了一件极其华丽的卿竹织锦缎面云纹锦袍，腰间挂了一块流动水纹极其剔透的极品玉佩，脚下蹬的是象牙色的玉纹朝阳靴，长身玉立地站在那里，如芝兰玉树，贵气四溢。

她颦眉，这副样子他竟然也敢上街！

怎么就没有人围着他扔手帕荷包？

她的想法刚升起，对面绣楼上便有绣花的手绢飘飘荡荡向下落。

谢芳华一怔，抬眼看去，见有两名女子含羞带怯地看着秦铮，似乎根本就没看见他面前的她，显然，那手绢是那两名女子扔下来的。

眼看那绢帕要落在秦铮的身上，他却根本就没有躲的意思。

谢芳华有些恼，挥手打开了那绢帕，一把拉住他，向前走去。

秦铮勾起嘴角，笑容蔓延开来。

转过街道，来到一处僻静之地，见无人经过，谢芳华停住脚步，瞪着秦铮："你要跟我去见言宸？你怎么知道我要去见言宸？"

"昨日你的人找了一夜谢云继没找到，而言宸昨日进了京，你自然会去找他，看看谢云继是否被齐云雪带走了。"秦铮道，"我一猜就猜出来了。"

谢芳华瞪了他一眼："你可真会猜。"

“那你告诉我，到底是不是？”秦铮微笑地看着她。

谢芳华点点头，有些不满地道：“就算是去见言宸，你打扮得这么……华丽做什么？”

秦铮扬眉：“让他看看你的未婚夫一点儿也不比他差，既然他有了未婚妻，错失了你，那就永远错失好了，别再起什么心思。”

谢芳华无语，将心思表现得这么直白，还理所当然地说出来，也就秦铮这种人能做到了吧！

“走吧，他在哪里？”秦铮问。

谢芳华有些犯难，秦铮跟着去，实在是出乎她的意料。她现在倒有些后悔昨日将关于言宸的事情交代得太清楚了，让他利用了个彻底。

“你不愿意？”秦铮瞅着她。

“走吧。”谢芳华摇摇头，有一个人这么不遗余力地将她拴在身边，就算生出不愿意的念头她都会觉得过意不去，对于言宸，那些怅然的情绪过去就过去吧。

秦铮见她不但没闹，反而同意了，薄唇顿时勾勒出月牙形的弧度，见这里无人走过，低头在她的脸颊上落下一吻。

谢芳华脸一红，伸手推了他一把，羞赧地道：“这里是大街上！”

“我知道，否则就不止亲你这一下了。”秦铮大言不惭。

谢芳华红着脸不再理他。

秦铮自然不会得寸进尺，谢芳华对他的态度，决定了他在言宸面前的腰板能挺多直，于是，他低声道歉：“一时没忍住，以后不会了。”

谢芳华对某些事情异常通透，闻言便知道他心中所想，好气又好笑地剜了他一眼，虎着脸道：“再有下次，看我还理不理你！”

秦铮咳嗽了一声，他自然不敢保证，只不过是先应付眼前罢了。

谢芳华也不再揪着他不放，带着他左拐右拐，穿过了好几条街道，在一条巷子里一座僻静的小院门前停住，然后伸手叩门。

一个老伯打开门看了一眼，立即一喜：“主子，您来了？”话落，他看向秦铮，疑惑地打量着他，半晌，不太确定地道，“这是……英亲王府的铮二公子？”

南秦京城里的人，可能没见过皇帝，却不会不认识秦铮。

“是他。”谢芳华道，“言宸呢，在休息？”

那老伯压下疑惑，恭敬地低声道：“言宸公子昨夜赶路进京，后来轻歌公子寻到他处理事情，他一夜未睡，黎明时分才休息。”

谢芳华点点头，想要撤出被秦铮拽着的手，但被他紧紧地握住，她只能作罢，让他牵着向内院走去。

二人进了院子后，那老伯立即关紧了门，随后跟上谢芳华的脚步，对她低声道："老奴这就去喊醒言宸公子。"

"不用喊他了，后院有一处竹林，我带铮二公子去赏赏，让他休息吧，也不急。他醒来后你再去喊我们。"谢芳华道。

那老伯闻言连忙点头："您二人要去竹林观赏的话，我给您二人沏一壶茶端去。"

谢芳华点头，带着秦铮去往后院的竹林。

别看从外面看这是一座不起眼儿的小院，里面的乾坤却大着呢。显然，东西相邻的院落也早已经买下，从里面打通了，几座院落并在一起，甚是宽敞。

二人绕过前院，穿过几条回廊，来到了后院的竹林。

一片紫竹林甚是茂盛，暖暖的阳光打下来，落下斑驳的影子，色彩更显明丽。

"没想到这里竟然有一片紫竹林，倒是一处好景。"秦铮打量着紫竹林，挑了挑眉。

"这是五年前言宸进京时寻的落脚之处，也是他亲手寻了紫竹种下。天机阁里面的人来了京城，都说紫竹林漂亮。"谢芳华道，"我回来之后也没抽空过来，如今一看，果然漂亮。"

"那里竟然还有用竹子搭的凉亭和藤椅。"秦铮笑道，"看来他是个极其讲究之人。这是遗传了玉家，处处皆精致，行、用皆讲究。"

"我们去坐会儿吧。"谢芳华说着，向竹亭走去。

二人刚落座，那老伯便端着一壶茶水走来，他将茶水放下，对谢芳华低声道："大约是听到了动静，言宸公子醒了，说这就过来。"

他话音刚落，远处传来脚步声。

秦铮和谢芳华一起看去，果然见言宸向竹林走来。

言宸穿着一件青色的长衫，浑身上下无多余的点缀。

阳光打在他的身上，青色如黛，玉颜如兰，沉稳庄重，贵气内敛。

秦铮的眸光忽然沉了沉，笑意顿收。

有一种人，哪怕他穿的是粗布麻衫，也掩盖不住他的姿态风骨。

哪怕秦铮刻意地打扮过，贵气尊荣上胜了一筹，可是，此时看着他，秦铮心头竟生不起半丝将他比下去了的愉快。

玉家的这位小国舅，可比前些日子见到的那个毛毛躁躁的玉家小辈云水强出千里。

原来玉家也不是没有拿得出手的人！

谢芳华见言宸果真来了，他的眉心还有一丝倦怠，但很好地掩饰了过去，她立即站起身，迎着他走了两步，对他蹙眉："不是说你刚歇下？我又没有别的急事，你大可以多休息一会儿。我没有让老伯喊醒你，也是这个意思，你怎么急着赶来了？"

言宸笑了一下，笑容也是分外内敛，声音是惯有的温凉：“我听说你带着铮二公子来了，对你，我可以怠慢，但是铮二公子是贵客，我怠慢便不好了。”

话落，他的目光落在了秦铮的身上。

秦铮见他看来，对他挑了挑眉，并没有起身，而是慢条斯理地道：“我是死皮赖脸地跟着华儿来的，没想到竟然打扰了兄台休息，实在抱歉。”

“铮二公子客气了！不是什么人她都会带到我这里的。”言宸说着，看了谢芳华一眼，示意她进凉亭。

谢芳华想着人既然都被吵醒了，多说也无益，便点点头，随着他一起进了凉亭。

言宸对秦铮拱了拱手，坐在了秦铮的对面。

谢芳华还是挨着秦铮，坐在了他的身边。

那老伯立即给言宸斟了一杯茶，然后退了下去。

“你可是为了齐云雪而来？”言宸喝了一口茶，开口问谢芳华。

秦铮听他连名带姓地称呼自己的未婚妻，眸光便深了些。

谢芳华点点头：“谢氏盐仓的云继哥哥失踪了，我怀疑与她有关。这南秦京城内外，能悄无声息入城，还能不惊动任何人就带走他的人，屈指可数。可是你也知道，彻查之下，连皇上、秦钰、左右相在内，都无人有动静。除了她，我再想不出别人了。”

言宸点点头：“猜想之后，我也觉得是她带走了谢云继。”

“既然是你的未婚妻，宸兄还用猜想？”秦铮此时插话进来，也是别有深意地提醒齐云雪和他的身份。

言宸握着杯盏的手微微一僵，不过也就是瞬息之间，他面色不改地淡声道：“我们只是自小有婚约在身，多年来并不曾有交往。”

“昨日华儿见那云雪公主，我也随着她一起去了。”秦铮没错过言宸刚刚一瞬间的异常，“据她所说，她是与你一起从北齐到了临汾镇，从临汾镇才先你一步进京的。”

言宸点点头。

“既然你们是一起来的南秦，一路相伴，她有什么想法，宸兄难道不知？”秦铮看着他。

言宸面色微冷，摇摇头：“她只说随我来一趟南秦，想要见识见识南秦的风土民情。我们自幼分开，多年未曾来往，情分不多，所以话语也不多。我无论是依她相随，还是不依她相随，都是一个结果，以她的性情，一旦作了什么决定，我就是不同意，她也会去做。”